Prazer

CIP-BRASIL. CATALOGAÇÃO NA PUBLICAÇÃO
SINDICATO NACIONAL DOS EDITORES DE LIVROS, RJ

L953p

Lowen, Alexander
    Prazer : uma abordagem criativa da vida / Alexander Lowen ; tradução Ibanez de Carvalho Filho. - [9. ed.]. - São Paulo : Summus, 2020.
    224 p. : il.

    Tradução de: Pleasure
    ISBN 978-85-323-1143-6

    1. Prazer - Aspectos psicológicos. 2. Qualidade de vida. I. Carvalho Filho, Ibanez de. II. Título.

19-59745   CDD: 152.42
                                                                                    CDU: 159.942

Meri Gleice Rodrigues de Souza - Bibliotecária CRB-7/6439

www.summus.com.br

Compre em lugar de fotocopiar.
Cada real que você dá por um livro recompensa seus autores
e os convida a produzir mais sobre o tema;
incentiva seus editores a encomendar, traduzir e publicar
outras obras sobre o assunto;
e paga aos livreiros por estocar e levar até você livros
para a sua informação e o seu entretenimento.
Cada real que você dá pela fotocópia não autorizada de um livro
financia o crime
e ajuda a matar a produção intelectual de seu país.

Prazer

Uma abordagem criativa da vida

Alexander Lowen

summus editorial

Do original em língua inglesa
PLEASURE
A creative approach to life
Copyright © 1970, 2020 by Alexander Lowen
Direitos desta tradução reservados por Summus Editorial

Editora executiva: **Soraia Bini Cury**
Assistente editorial: **Michelle Campos**
Tradução: **Ibanez de Carvalho Filho**
Tradução do Prefácio: **Carlos Silveira Mendes Rosa**
Revisão da tradução: **Denise Maria Bolanho e Samara dos Santos Reis**
Ilustrações: **Caroline Falcetti**
Projeto gráfico e diagramação: **Crayon Editorial**
Capa original: **Lowen Foundation**
Montagem de capa: **Santana**

Summus Editorial

Departamento editorial
Rua Itapicuru, 613 — 7º andar
05006-000 — São Paulo — SP
Fone: (11) 3872-3322
Fax: (11) 3872-7476
http://www.summus.com.br
e-mail: summus@summus.com.br

Atendimento ao consumidor
Summus Editorial
Fone: (11) 3865-9890

Vendas por atacado
Fone: (11) 3873-8638
Fax: (11) 3872-7476
e-mail: vendas@summus.com.br

Impresso no Brasil

Sumário

Prefácio 9
Introdução 13
1. A psicologia do prazer 15
2. O prazer de estar cheio de vida 29
3. A biologia do prazer 54
4. Poder *versus* prazer 69
5. O ego: autoexpressão *versus* egotismo 88
6. Verdade, beleza e graça 106
7. Autopercepção e autoafirmação 126
8. As reações emocionais 143
9. Culpa, vergonha e depressão 161
10. As raízes do prazer 179
11. Uma abordagem criativa da vida 196

Notas 219

*Para meu filho, Fred,
e para Ricky, Jo-Jo, Emir e Feya,
que sabem aproveitar a vida.*

Prefácio

Quando pedi para escrever o prefácio ao livro *Prazer – Uma abordagem criativa da vida*, escrito pelo meu pai, achei que seria fácil. Afinal, o livro era dedicado a mim e aos bichinhos da casa — os cachorros, o gato e um papagaio. Tendo sido criado por Alexander e Leslie Lowen, entendo de bioenergética intuitiva e intelectualmente. Está entranhada em mim. Todos os que conheceram Al Lowen sabem que ele praticava o que pregava. Viveu uma vida "bioenergética", e isso respingou em mim.

Ainda assim, refletindo a respeito do tema prazer, achei difícil escrever. Prazer não é apenas fundamentalmente subjetivo: é muito mais sutil que outros estados emocionais, como medo, depressão, angústia ou alegria. E sente-se prazer de várias maneiras: sem dúvida no sexo, no sucesso e na diversão, para a maioria das pessoas, mas também no trabalho, na alimentação e na criatividade. E tudo se complica mais porque aquilo que para uns é agradável é doloroso para outros.

Na verdade, também acho difícil escrever sobre o tema porque não sou especialista em "prazer", nem no âmbito acadêmico nem no pessoal. Embora eu saiba que tenho meu quinhão de prazer na vida, em geral o acho esquivo e às vezes instigante. Como a maioria das pessoas, sinto enorme prazer em atividades físicas recreativas empolgantes, como esquiar e velejar. Além disso, a atividade sexual costuma ser uma fonte certa de prazer, como diversas interações sociais. Claro, se as condições, as circunstâncias ou os relacionamentos são ruins, sobrevém o sofrimento, não o prazer.

De modo mais sutil, não é necessário haver excitação para sentir prazer. Ler um livro, assistir a um filme, trabalhar no jardim ou brincar com crianças ou bichos de estimação, apreciar uma boa comida, a companhia de amigos, música, arte, dança e teatro são todos fontes de prazer.

Também é sutil o prazer que vem do trabalho. Infelizmente, a maioria sente pouco prazer na profissão. Por outro lado, para muitos, a carreira e o trabalho são grandes fontes de prazer. Não é fácil entender o caráter da experiência que eles têm desse estado emocional. O "prazer" que as pessoas obtêm no trabalho pode ser saudável se estiver integrado a uma vida plena, equilibrado por outros interesses. Mas, se domina a vida da pessoa, o trabalho é um vício, uma troca dos prazeres reais da existência por um prazer aparente, degradando ao mesmo tempo os prazeres reais, numa tentativa de evitar uma realidade dolorosa ou temida.

Outra fonte de prazer é a da realização, do sucesso, da fama e/ou da aquisição de riqueza, posição social, influência ou poder. Bem diferente da excitação da atividade física ou das atividades criativas da diversão e do trabalho — prazerosas e tranquilizadoras —, o prazer associado ao *status* ou à riqueza é uma satisfação do ego. Diferentemente de outras fontes de prazer nascidas no corpo, o prazer do sucesso, da vitória e do consumo provém da esfera das ideias e dos ideais da mente. Pode ter um efeito no corpo, como a empolgação de quando se recebe uma grande promoção de cargo. Ao contrário, uma redução drástica no patrimônio financeiro pode provocar medo, angústia, irritação e insônia, mesmo que não haja um impacto real no modo de vida.

Todos sabem o que é prazer. É como alegria, diversão, criatividade. É familiar como uma velha camisa puída, confortável e prosaica. Prazer é algo que pensamos conhecer, como sexo e respiração, mas na verdade sabemos bem pouco dele. Por mais familiarizados que estejamos com o prazer e por mais que gostemos da ideia de prazer, na realidade a vida de muitos de nós é governada pelo poder, não pelo prazer. Descobri que prazer não era um tema fácil de assimilar!

Se eu perguntasse "Qual é o contrário de prazer?", presumo que a maioria diria ser a dor. Contudo, Alexander Lowen mostra que o poder é a antítese do prazer. A dor, como o prazer, é um estado emocional no espectro entre agonia e êxtase. À exceção de relativamente poucos indivíduos infelizes, ninguém busca a dor, a não ser que ela sirva para dar prazer ou poder no futuro.

A maioria dos indivíduos se sente motivada a procurar prazer e/ou ganhar poder ou proteção contra o poder. Se a busca e a conquista de poder e riqueza exaltam o *self*, ampliando sua liberdade e segurança, então o poder e a riqueza podem ser usados de forma construtiva e criativa. Se, por outro lado, o poder, a riqueza e o *status* são substitutos do próprio *self*, isto é, se a

Prazer

pessoa se identifica com seu poder, riqueza e *status*, isso serve apenas para que ela se destaque na multidão como um "indivíduo de massa", não um indivíduo verdadeiro que sobressaia na multidão.

Ao mesmo tempo que prazer e poder não são necessariamente excludentes, àqueles que trocam a busca do prazer e da felicidade pela busca do poder Lowen mostra como e por que o prazer é tão fugaz e por que existe muito mais poder e sofrimento do que prazer neste século 21.

Quando o prazer é substituído por poder e o ego toma o lugar do *self*, o poder e a riqueza tornam-se destrutivos. O prazer proveniente do poder e da riqueza é uma satisfação para o ego, uma "injeção de adrenalina" que se desfaz como um sonho. Instáveis e insatisfatórios, a aquisição de poder e seu exercício repetem-se como tentativa fútil de compensar a insegurança, o vazio e o sentimento de inferioridade... tudo movido pela falta de prazer.

No atual panorama, em que o poder e o dinheiro tornaram-se um fim em si mesmos, e apesar do poder e da riqueza sem precedentes — mas nunca suficientes para muitos indivíduos —, a insegurança e o desgaste social e ambiental também são inéditos. Em minha opinião, isso é prova de que os líderes de empresas e governos extremamente poderosos e ricos substituíram o *self*, a autoexpressão e o prazer pelo ego, pelo poder e pela satisfação do ego. Esse estado, comumente chamado de "ganância", ameaça a todos nós.

Sinto orgulho de que o livro de meu pai continue relevante e atual após mais de 40 anos de publicação. Com foco no corpo humano e na psicologia, ele é atemporal e muito apreciado. O trabalho de meu pai e o trabalho de seu mentor, Wilhelm Reich, ainda não foram inteiramente explorados e utilizados. Até mesmo na área da neurofisiologia, em que se acumulou um grande conhecimento nos últimos anos, Reich e Lowen haviam reconhecido décadas atrás a associação do sistema autônomo simpático com a contração e do sistema parassimpático com a dilatação... Princípio fundamental da natureza pulsante da vida, mas não reconhecido até hoje.

Prazer – Uma abordagem criativa da vida, do psiquiatra e conselheiro Alexander Lowen, oferece ao leitor informações, exercícios e exemplos clínicos para permitir a assimilação dos fatores que restringem e impedem a capacidade de sentir prazer, ampliar a sensação de prazer e conquistar uma parte maior do *self*. É pela ligação sensorial com o próprio corpo que se encontra o eu. É a ligação com o corpo que alinha o ego ao inconsciente, às funções autônomas do corpo, à natureza e a todos os seres vivos. É a fonte da criatividade ilimitada inimaginável, na qual, nas palavras de uma música de John Lennon, não há problemas, só soluções.

Por outro lado, se o *self* associa-se ao ego, motivado por medos e desejos que não entende e limitado em sua estreita percepção consciente, ele é capaz de buscar apenas o reconhecimento dos outros por qualquer meio disponível, quase sempre contra a vida, destrutivo e explorador... sem construir, nem criar, nem melhorar a vida.

Para você, leitor, e para o terapeuta que assiste as pessoas, bem como para o aluno de Psicologia, Sociologia e Ciência Política, este estudo desenvolve o tema do prazer e da criatividade para ajudar cada indivíduo a viver com mais liberdade e se sentir mais completo, ajudando todos nós a viver juntos com maior convergência e menos conflito, menos ganância e menos líderes com problemas psicológicos.

Embora seja um fato fascinante e insólito, não se consegue estudar o prazer sem conhecer o poder.

Acredito que você gostará de *Prazer – Uma abordagem criativa da vida*.

É realmente um prazer ler esta obra de meu pai!

FREDERIC LOWEN
Vermont, Estados Unidos, setembro de 2012

Introdução

> *Vós outros, filhos legítimos de Deus! Regozijai-vos nesta mansão das perenais delícias, aqui onde o poder que vive eterno e eternamente cria vos enlaça com vínculos de amor indissolúveis. E essas do mundo cambiante cenas, ide assentando na vivaz memória!*
> (Palavras do Senhor no *Fausto*, de Goethe)[1]

O prazer não pode ser controlado nem comandado pelo homem. Na opinião de Goethe, é uma dádiva de Deus para os que se identificam com a vida e se alegram com seu esplendor e beleza. A vida, em troca, lhes dá amor e graça. Mas Deus adverte seus filhos inocentes: apesar de o prazer ser efêmero e abstrato, assenta-o na mente, pois nele está o significado da vida.

Para a maioria dos seres humanos, entretanto, prazer é uma palavra que evoca sentimentos conflitantes. Por um lado está associado com o que é "bom". Sensações agradáveis são boas, o alimento de que gostamos é bom, o livro que nos dá prazer é bom. Porém, a maioria das pessoas acharia desperdício uma vida devotada ao prazer. A reação positiva frequentemente é tolhida por receios. Temos medo de que o prazer nos leve a caminhos perigosos onde esqueceríamos deveres e obrigações, deixando que nosso espírito se corrompesse pelo gozo descontrolado. Outros veem no prazer uma conotação lasciva. O prazer, sobretudo o carnal, tem sido considerado a maior tentação do demônio. Para os calvinistas, quase todos os prazeres eram pecados.

Em nossa cultura, todos receiam o prazer. Como a cultura moderna é dirigida mais pelo ego do que pelo corpo, o poder se transformou no principal valor, reduzindo o prazer a uma situação secundária. O homem moderno quer dominar o mundo e controlar o *self*. Contudo, não consegue se livrar do medo de que isso seja impossível, nem da dúvida de que, mesmo que fosse possível, talvez não fosse bom. Como, apesar de tudo, o prazer é a força criativa que sustenta a personalidade, a esperança (ou ilusão) do homem moderno é que, ao alcançar seus objetivos, terá uma vida de prazeres. Por causa disso, deixa-se levar pelo ego perseguindo metas que prometem prazer, mas exigem uma recusa deste. A situação do homem moderno se assemelha à de Fausto, que vendeu a alma a Mefistófeles em troca de uma promessa que nunca poderá ser cumprida. Embora a promessa de prazer seja uma tentação do diabo, o prazer não pode ser proporcionado por ele.

Fausto continua tão significativo hoje como na época de Goethe, como observou Bertram Jessup no prefácio de sua tradução[2]: "Entre a magia do século XVI e a ciência do nosso século, não há diferença no empenho em dominar e controlar a vida. Ao contrário, ele aumentou com o declínio da autoridade moral de um Deus onipotente". Elias Cannetti afirma: "O homem roubou seu próprio Deus".[3] Agora tem poder para arrasar e destruir, poder que antes era prerrogativa da ira divina. Com todo esse poder e sem nada que o contenha, o que impedirá o homem de destruir a si mesmo?

É preciso compreender que todos nós, como o Dr. Fausto, estamos prontos a aceitar as tentações do demônio. Ele está dentro de cada um na forma de um ego que nos acena com a realização de um desejo desde que lhe obedeçamos. A personalidade dominada pelo ego é uma perversão diabólica da verdadeira natureza humana. O ego não existe para ser mestre do corpo, mas sim seu servo leal e obediente. O corpo, ao contrário do ego, deseja prazer e não poder. O prazer é a origem de todos os bons pensamentos e sentimentos. Quem não tem prazer corporal se torna rancoroso, frustrado e cheio de ódio. O pensamento é distorcido e o potencial criativo se perde. O indivíduo passa a ter atitudes autodestrutivas.

O prazer é a força criativa da vida. A única força capaz de se opor à destrutividade potencial do poder. Muitos acreditam que esse papel pertence ao amor. Mas, para que este não seja só mais uma palavra, terá de se basear na experiência do prazer. Vou mostrar neste livro como as experiências do prazer e da dor determinam nossos pensamentos, emoções e comportamentos. Falarei da psicologia e da biologia do prazer analisando suas raízes no corpo, na natureza e no universo. Compreenderemos então que o prazer é a chave de uma vida criativa.

1. A psicologia do prazer

A ÉTICA DA DIVERSÃO

Quem observar superficialmente os Estados Unidos pensará tratar-se de uma terra de prazeres. Todos parecem decididos a se divertir. Gastam dinheiro e horas vagas na busca do prazer. A publicidade reflete e explora essa preocupação. Quase todos os produtos e serviços são vendidos com a promessa de transformar a rotina diária em diversão. Um novo detergente evidencia que lavar pratos é divertido, um novo prato semipronto vai transformar as refeições em algo gostoso de preparar e um novo carro tenta nos convencer de que dirigir nas estradas congestionadas será ótimo. Além disso, mesmo que esses produtos da tecnologia não tragam prazer, sempre se pode pegar um jato para um local distante onde todos se divertirão.

É claro que surge a pergunta: os americanos realmente aproveitam a vida? Alguns observadores mais profundos acham que a resposta é não. Veem nessa obsessão pelo divertimento nada mais do que uma ausência de prazer real.[4] Norman M. Lobsenz, em 1960, publicou um estudo sobre a busca do prazer nos Estados Unidos: *Is anybody happy?* [Alguém está feliz?]. O autor não encontrou pessoas felizes e, em suas conclusões, perguntava se o homem algum dia seria capaz de ser feliz. Percebeu que "atrás da máscara da alegria se esconde uma crescente incapacidade para o verdadeiro prazer".[5] Observou também que nos Estados Unidos há uma nova ética da diversão: "O importante hoje em dia é se divertir, ou parecer que está se divertindo, pensar que está se divertindo ou ao menos fazer que acreditem que está se divertindo... quem não se diverte é suspeito".[6]

É suspeito de ser herege, um traidor desse novo código moral. Se fizer esforço para ser festeiro e fracassar, todos terão pena dele. Coitado! Mas, se não gostar das atitudes dos outros, o melhor é dar uma desculpa educada e ir embora depressa. Ai de quem achar os divertimentos insípidos e enfadonhos. E basta um comportamento sóbrio para que as pessoas se sintam

15

criticadas. Para elas, ele não tem o direito de destruir ilusões nem de estragar seu jogo. Se participamos do grupo, por escolha ou convite, não podemos atacar seus valores.

A ética da diversão é uma tentativa de recuperar os prazeres da infância fazendo de conta. Muitas brincadeiras infantis, sobretudo as que imitam os adultos, contêm implícita ou explicitamente atitudes de faz de conta. Uma torta de mentirinha pode se transformar numa torta de verdade, ou Johnny de repente passa a ser médico. A fantasia é importante para que a criança se entregue de corpo e alma à brincadeira. Se o adulto for brincar com as crianças, será obrigado a aceitar o faz de conta ou não conseguirá brincar. Sem o faz de conta, a criança não é capaz de se entregar totalmente — e, sem essa entrega total, não há prazer.

Quando um adulto faz de conta que está se divertindo, inverte o processo. Faz de conta que atividades sérias como beber e sexo são só diversão. E tenta transformar assuntos sérios como ganhar a vida ou criar uma família em diversão. Claro que não pode dar certo. Em primeiro lugar, essas atividades implicam responsabilidades, e, além disso, não existe o envolvimento tão característico das brincadeiras infantis. Aliás, a ética da diversão parece existir sobretudo para evitar esse envolvimento.

Uma das principais premissas deste estudo é a de que um comprometimento total com o que se está fazendo é uma das condições básicas para o prazer. A pessoa fica dividida e em conflito quando não se envolve por completo. As crianças se envolvem por inteiro com jogos e brincadeiras. Quando dizem que a brincadeira foi divertida, não querem dizer que foi só um passatempo, mas sim que, numa situação de faz de conta, se envolveram de corpo e alma com a atividade e alcançaram prazer ao se autoexprimir.

Todos sabemos que as brincadeiras infantis manifestam a ação do impulso criativo humano. Muitas vezes, envolvem um alto grau de imaginação. A facilidade com que uma criança faz de conta indica que seu mundo é, em grande parte, subjetivo, com muitos sentimentos armazenados, prontos para ser usados. Como ela está relativamente livre de pressões e responsabilidades, a imaginação consegue transformar a realidade num mundo de conto de fadas, com oportunidades ilimitadas para a autoexpressão e o prazer.

A criatividade adulta também emerge das mesmas fontes e com a mesma motivação das crianças. Resulta do desejo de prazer e da necessidade de autoexpressão. Tem a mesma atitude séria das brincadeiras e também causa prazer. Sempre há um elemento de diversão no processo criativo, pois ele começa com um faz de conta, isto é, com a suspensão da percepção da realidade, para que o novo e o inesperado apareçam. Em relação à criatividade, todos somos crianças. Os adultos realmente se envolvem num faz de conta como as crianças, embora sem a mesma facilidade. A imaginação transforma a aparência das coisas por divertimento. Por exemplo, a mulher pode imaginar uma nova decoração da sala de visitas, o que lhe trará prazer, pois estará usando seu talento criativo. Se quiser, poderá chamar essa manifestação de sua criatividade de diversão. Evidentemente, quando a redecoração é real, a diversão diminui, pois suas consequências também serão reais. A diversão, como muitas vezes acontece, pode se transformar em trabalho e, assim mesmo, continuar a dar prazer. Quando tanto a diversão como o trabalho são criativos e agradáveis, a única diferença está na importância dos resultados. Os adultos, portanto, se divertem plenamente quando não têm de se preocupar com os resultados e podem se envolver num clima de "faz de conta". É por isso que um palhaço só é engraçado quando faz de conta que é sério. Se de fato fosse sério, não seria engraçado. Todo humor se baseia na suspensão da realidade para permitir que a imaginação flua.

As coisas são divertidas quando a realidade está suspensa em nossa consciência, o que nos causa prazer. Mas o fim do prazer não é nada divertido, como qualquer criança pode dizer. Por maior que seja o faz de conta, a criança não perde o contato com seus sentimentos e permanece atenta a seu corpo. Sua realidade interna não é suspensa: se brigar, machucar-se ou, por qualquer outra razão, perder o prazer, a brincadeira acaba. A criança não tenta se enganar. Não esquece a realidade interna nem mesmo durante as brincadeiras. Sua imaginação só transforma a realidade externa.

Negar a realidade interna é sintoma de doença mental. A diferença básica entre imaginação e ilusão, entre o faz de conta criativo e o enganar a si mesmo, está na manutenção da realidade interna, em saber quem somos e o que sentimos. É a mesma diferença que há entre diversão e prazer reais e as chamadas diversões escapistas.

Nos meus devaneios, posso me imaginar como um grande cientista, um explorador intrépido ou um artista talentoso. Mas não creio ter ilusões em relação a essas imagens mentais. Minha imaginação pode explorar as possibilidades de vir a ser, mas minha percepção deve confirmar os fatos da realidade.

17

Meus pensamentos podem divagar, mas não devo tirar os pés do chão. O faz de conta só é divertido quando estamos seguros da própria identidade e nos fundamentamos na realidade do corpo. Sem um senso adequado de *self*, a fantasia se transforma em paranoia, o que não é nada divertido.

Uma das razões de não termos prazer é que tentamos nos divertir com coisas sérias e levamos a sério as atividades que são mera diversão. O jogo de bola ou de cartas, que geralmente não traz consequências graves, deveria ser praticado só para passar o tempo; porém, as pessoas se entregam a essas atividades como se fossem um caso de vida ou morte. Não estou me referindo à seriedade do jogo — as crianças levam a sério suas brincadeiras —, mas à seriedade que os adultos atribuem aos resultados e que afugenta o prazer. (Quantas vezes deixamos de ter prazer numa partida de golfe porque não conseguimos certo número de pontos?) Por outro lado, atividades que realmente são sérias, como sexo, ingestão de drogas ou direção de um automóvel em alta velocidade, muitas vezes são praticadas "para se divertir".

A atual obsessão pela diversão é uma reação às durezas da vida. O que talvez explique por que Nova York, que sem dúvida pode ser considerada a mais cruel das cidades, também é a "cidade das diversões". A busca de entretenimento surge da necessidade de fugir dos problemas, conflitos e sentimentos que parecem intoleráveis e avassaladores. É por isso que a diversão adulta sempre se associa ao álcool. A ideia de diversão, para muitas pessoas, é ficar bêbadas ou "altas", ou usar drogas para escapar da sensação de vazio e de tédio. As alucinações causadas pelo LSD são chamadas de "viagens", o que deixa clara a relação com a ideia de fuga. As drogas mudam a realidade interna das pessoas, mas a realidade externa se mantém. Ao contrário, como já vimos, a criança transforma a imagem do mundo exterior, mas mantém sua realidade interna.

A diversão como fuga se relaciona com a ideia de escapada, ou seja, a rejeição da realidade social, da realidade de propriedade, dos sentimentos e até da vida de outra pessoa. A festa ilícita com bebidas alcoólicas, a volta num carro roubado, o vandalismo são escapadas que dão aos participantes a ilusão de estar se divertindo. Quase sempre os resultados de uma escapada são bem sérios e poucas vezes, agradáveis. Os jovens costumam dar escapadas para expressar ressentimentos contra a realidade repressora que limita sua imaginação e restringe o prazer. Quando as escapadas são inocentes, quer dizer, quando não são perigosas nem destrutivas, fazem parte do mundo adolescente e servem como uma das pontes entre a infância e a idade adulta. Mas, se não for esse o caso, deixa de ser diversão para se transformar numa ação desesperada para fugir da realidade. A própria procura de diversão destrói a capacidade de sentir prazer. Este exige uma atitude séria diante da vida. Um compromisso com a própria existência e com o próprio trabalho. É uma atividade vital, quer se esteja brincando como criança ou trabalhando como adulto. A escapada, por mais divertida que possa parecer, sempre acaba em dor, como todas as tentativas de fugir dos compromissos.

Sandor Rado afirmou que o prazer é "o laço que une". Para mim, isso quer dizer que o prazer nos une ao nosso corpo, à realidade, aos amigos e ao trabalho. Se o cotidiano traz prazer, para que escapar?

A ética da diversão substituiu a ética puritana que durante séculos orientou a vida de muitos americanos. O puritanismo era um credo rígido que desencorajava qualquer frivolidade. Por exemplo, proibia os jogos de azar e os bailes. As roupas deviam ser sóbrias e as pessoas mantinham entre si uma distância respeitosa. O puritano estava comprometido com a obra do Senhor, o que na prática queria dizer ser produtivo. Se criar os filhos assim era mais fácil, não há dúvida de que não era nada fácil conseguir uma boa colheita. A vida dos pioneiros e a de seus primeiros descendentes era árdua. A luta pela sobrevivência deixava pouco tempo para a diversão ou para o faz de conta. Mas seria um erro pensar que o modo de vida puritano tivesse sido totalmente isento de prazer.

Eram prazeres simples: consistiam na sensação agradável que se tem quando a vida flui de modo sereno, em harmonia com o ambiente. A beleza tranquila de uma cidadezinha na Nova Inglaterra, ainda hoje apreciada, é um bom exemplo dos prazeres da vida dos pioneiros.

Muitos fatores contribuíram para romper essa ética. Os imigrantes da Europa Oriental e do Mediterrâneo trouxeram novas cores e sabores ao cenário americano. A industrialização provocou uma abundância que lentamente expandiu a visão puritana. E a ciência, com sua tecnologia, mudou o conceito de produtividade — que de expressão individual transformou-se em processo mecânico. O resultado foi a perda dos princípios morais que antes davam sentido à ética puritana.

As reações são sempre extremistas. Hoje, a ética da diversão adotou como lema o "vale-tudo". Seus adeptos olham a pessoa que se contém como renegada ou traidora. Ela questiona o entusiasmo e abala a credibilidade do vale-tudo. Antigamente, os puritanos criticavam os que fossem dados às diversões; estes logo eram acusados de ser seguidores do diabo, a origem de todas as diversões. Mas, obviamente, há um lugar para ele e todas as suas diabruras na nossa vida. A verdadeira diversão aumenta nossa alegria de viver. Se quisermos evitar transformarmo-nos em diabos, não deveremos adotar a ética da diversão do "vale-tudo" como código de comportamento.

Ninguém discute que o prazer é um ingrediente essencial da diversão, mas não podemos esquecer que nem tudo que pretende divertir traz prazer. A felicidade também está relacionada com o prazer. No próximo tópico, analisaremos o significado da felicidade e sua relação com o prazer.

O SONHO DA FELICIDADE

A infância sempre foi considerada universalmente a época mais feliz da vida. Mas as crianças não percebem que são felizes. Se você lhes perguntar: "Você é feliz?", não saberão responder. Aliás, duvido que saibam o que a palavra "felicidade" significa. No entanto, qualquer criança responde de imediato se está se divertindo ou não. Os adultos costumam idealizar a infância porque retrospectivamente surgem como anos felizes, sem preocupações e sem os problemas que afligem a maioridade. Mas o passado e o futuro não passam de sonhos. Só o presente é real.

Será, então, que a felicidade nada mais é do que uma idealização do passado ou do futuro? Apenas uma ilusão? Ou terá uma realidade presente? Será que existem pessoas felizes? Sinceramente, não me sinto capaz de responder a essas perguntas. Talvez alguém que tenha consagrado toda sua vida a um alto propósito seja feliz. Uma freira, por exemplo, dedicando-se por completo a Deus, da maneira que considera a mais adequada, talvez possa dizer: "Sou feliz". Contudo, sua vida é muito semelhante à de uma criança. Aos cuidados da madre superiora, ela não tem de arcar com nenhuma das responsabilidades dos adultos comuns. Sua consagração pode ter removido todas as ansiedades pessoais, deixando sua mente livre para contemplar a majestade do Senhor. Sua situação é singular e, se a compararmos com a vida de uma mulher comum, apresentará elementos irreais.

Confúcio disse que não poderia ser feliz enquanto alguém sofresse. O sofredor era apenas uma nuvem em seu céu, mas suficiente para destruir a

Prazer

perfeição. Se a felicidade for vista por esse critério, não passará de um sonho que nunca se realizará. Contudo, poderá continuar sendo um dos nossos objetivos na vida, pois sempre estamos à procura da perfeição, mesmo que intimamente saibamos que seja um ideal inatingível. A Declaração de Independência dos Estados Unidos garante a todos os homens o direito à vida, à liberdade e à busca da felicidade. Sabiamente, ela se abstém de garantir a cada indivíduo que essas metas sejam mais que objetivos legítimos.

Por vezes, ouço as pessoas dizerem "Estou tão feliz!" quando acontece alguma coisa boa. E não tenho dúvida de sua sinceridade. Se a guerra do Vietnã[7] acabasse, muitos ficariam felizes. Mas por quanto tempo? Essa euforia duraria muito? Ainda me lembro da alegria no fim da Segunda Guerra Mundial. As pessoas ficaram felizes durante um dia ou dois, em alguns casos por mais tempo, pois não teriam mais de carregar o fardo opressivo e dramático da guerra. Porém, pouquíssimo tempo depois, surgiram outros conflitos, e novas preocupações se apossaram do coração delas. A felicidade era real, mas de curta duração.

Certa vez, um monarca oriental disse: "Por mais de 30 anos só fiz o que tive vontade, deixei-me levar por todos os caprichos, mas não posso dizer que tenha tido, em todos esses anos, mais do que um ou dois momentos realmente felizes". Se nem um monarca todo-poderoso atingiu a felicidade, como as pessoas comuns poderão ser felizes? Apesar de tudo, não concordo com Lobsenz quando diz que o homem não foi feito para ser feliz. Não sei para que ele foi feito, mas para mim a felicidade é um sentimento que surge em determinadas situações e desaparece quando elas mudam.

A mãe fica feliz quando o filho volta da guerra. Antes disso provavelmente terá dito: "Como serei feliz quando John voltar para casa!" Esse retorno temporariamente a encherá de felicidade e sem dúvida ela dirá: "Estou tão feliz!" Mas o que ela de fato quer dizer é: "Estou tão feliz que John esteja de volta!" Pois nesse mesmo momento poderá se sentir infeliz porque outro filho ainda está lutando, ou o marido, doente, ou... Sua sensação de felicidade está diretamente relacionada com determinada situação e não reflete sua vida como um todo.

Hoje, se alguém diz: "Estou feliz", é normal perguntar por quê. "Ganhou na loteria?" Sempre supomos que devemos ter uma razão para nos sentirmos felizes. Não somos tão ingênuos a ponto de achar que se possa estar feliz sem razão. Ou uma tragédia foi evitada ou se alcançou sucesso, seja

21

ele monetário ou não. Só é uma razão válida se entusiasmar o indivíduo, mesmo que seja por um momento.

A sensação de felicidade surge com um arrebatamento ou quando ficamos fora de nós mesmos. Tomemos, por exemplo, a felicidade do apaixonado. Anda pisando nas nuvens e de fato seus pés não parecem tocar o solo. Não só está fora de si como fora do mundo. Nesse estado, a realidade mundana desapareceu ou está escondida como a crisálida em seu casulo. Sente-se livre de todas as preocupações do ego, e essa sensação é a base de sua felicidade.

A ideia de libertação implica a ideia de uma prisão anterior, ou seja, a felicidade é a libertação de um estado de infelicidade. Se determinada situação nos deixa infelizes, o inverso dela será vivenciado como felicidade. Como estamos infelizes com a guerra do Vietnã, ficaremos felizes quando ela terminar. Quem se sente infeliz por sua condição financeira ficaria feliz ao saber que herdou uma considerável soma de dinheiro. Como a busca da felicidade é universal, esse fato parece significar que a maioria dos homens tem problemas que lhe afligem o coração. Mas devem ser capazes de imaginar um futuro em que esses problemas deixarão de existir. Essa é a sua imagem de felicidade. Sem um sonho, é impossível conhecê-la.

Quando uma situação desagradável termina, é como se um sonho se tornasse realidade, e a euforia daí resultante tem certa semelhança com o estado onírico. Não podemos acreditar que seja verdade, parece um sonho. Quando a sensação de felicidade é muito grande, pode-se ouvir: "Não consigo acreditar que seja verdade, deve ser um sonho". A mente, arrebatada pelo fluxo de emoções, perde o controle normal da realidade. "Deixe-me abraçá-lo outra vez", diz a mãe, cheia de alegria. "Não consigo me convencer de que seja verdade." Um beliscão também pode confirmar que não estamos sonhando. Mas, como o sonho, felicidade também desaparece, deixando apenas uma lembrança. A euforia some rapidamente e as exigências e os problemas do dia a dia voltam a afligir a mente.

A felicidade e a diversão pertencem à mesma categoria de experiências transcendentais. Nas duas há uma suspensão da realidade cotidiana. O espírito alegra-se com sua libertação. Infelizmente todas as experiências transcendentais têm um tempo limitado. O espírito não permanece — nem poderia permanecer — livre. Volta ao corpo, sua residência física, e à prisão do *self*, onde novamente fica sob a hegemonia do ego e preso à sua orientação da realidade.

Prazer

Todos nós queremos que a vida seja mais do que a luta pela sobrevivência; ela deveria ser agradável, e sabemos que todos têm amor a dar. Mas quando o amor e a alegria desaparecem, sonhamos com a felicidade e procuramos a diversão. Não conseguimos perceber que o alicerce de uma vida alegre é o prazer que sentimos no nosso corpo, e que sem essa vitalidade ela se transforma na cruel necessidade de sobrevivência — em que a ameaça de tragédia nunca está ausente.

A NATUREZA DO PRAZER

Subjacente a qualquer experiência de alegria ou felicidade existe uma sensação corporal de prazer. Para que uma atividade seja divertida, deve dar prazer. Se causasse dor, seria difícil descrevê-la como divertida. Como o prazer está ausente, o "faz de conta da diversão" é uma charada cruel. O mesmo vale para a felicidade. Sem sensação de prazer, ela é apenas uma ilusão. A verdadeira diversão e a felicidade real derivam do prazer que se sente na situação. Mas não é necessário estar se divertindo ou feliz para sentir prazer. Pode-se ter prazer nas circunstâncias comuns da vida, pois o prazer é um modo de ser. A pessoa está num estado de prazer quando os movimentos de seu corpo fluem livres, ritmicamente e em harmonia com seu ambiente. Vou ilustrar esse conceito com diversos exemplos.

O trabalho não costuma estar ligado à diversão ou à felicidade; porém, como todos sabem, pode ser uma fonte de prazer. Depende, claro, das condições do trabalho e da atitude que se tem em relação a ele. Conheço inúmeras pessoas que sentem prazer no trabalho, mas nenhuma delas diria que ele é divertido ou as faz felizes. O trabalho é coisa séria; exige certa disciplina e um compromisso com a atividade. Objetiva alcançar um resultado desejado, e é para isso que se trabalha — portanto, difere da brincadeira, na qual se consegue ficar indiferente aos resultados. Mas o trabalho pode ser um prazer quando suas exigências envolvem livre e igualmente as energias do indivíduo. Ninguém pode gostar de uma atividade à qual é constrangido por uma força externa ou que exija um gasto de energia maior do que se é capaz de criar. Se, no entanto, a situação do trabalho é aceita voluntariamente, o indivíduo sentirá prazer à medida que suas energias fluam fácil e ritmicamente na sua atividade laboral. E, além da satisfação que possa derivar dos resultados, sentirá uma particular sensação de prazer nas reações rítmicas experimentadas em seu corpo.

Observe um bom carpinteiro trabalhando e notará o prazer que ele tem na coordenação dos movimentos de seu corpo. Parece não precisar fazer esforço para trabalhar, pois seus movimentos são bem fáceis e suaves. Se, ao contrário, seus movimentos fossem desajeitados e mal coordenados, seria difícil saber como poderia sentir prazer trabalhando ou mesmo ser um bom carpinteiro. Não importa se o indivíduo é um bom trabalhador porque sente prazer no serviço ou se sente prazer em seu trabalho porque é um bom profissional. As duas coisas estão claramente relacionadas. O prazer que ele sente no corpo se liga ao produto, que por sua vez reflete o prazer na boa qualidade deste.

Pelas mesmas razões, algumas mulheres gostam do trabalho doméstico; até mesmo atividades como limpar e tirar o pó podem lhes dar prazer. A mulher que sente prazer limpando na verdade gosta do trabalho físico envolvido. Ela se entrega graciosamente à tarefa e seus movimentos são relaxados e rítmicos. Por outro lado, a mulher que faz uma tarefa rápida ou mecanicamente pode conseguir um resultado positivo, mas não terá uma experiência de prazer. O que também é verdade para todos os outros aspectos de se manter uma casa. Cozinhar pode trazer prazer a quem cozinha, mas depende da identificação da pessoa com a atividade. Quando estamos identificados com determinada atividade, fluímos livre e espontaneamente. O prazer é esse fluxo de sentimentos.

A conversa, para citarmos outro exemplo, é um dos prazeres comuns da vida, mas nem toda conversa é agradável. O gago encontra dificuldade para falar e seu ouvinte também sofre. As pessoas com inibições para expressar sentimentos não são "boas de papo". Não há nada mais chato do que ouvir alguém falando monotonamente, sem sentimento. Apreciamos a conversa quando há comunicação de sentimentos. Sentimos prazer ao expressarmos nossos sentimentos e reagimos com prazer à expressão dos sentimentos de outrem. A voz, como o corpo, é um meio pelo qual fluem os sentimentos, e quando esse fluxo acontece de maneira fácil e rítmica torna-se um prazer tanto para quem fala como para quem escuta.

Como o prazer é um fluxo de sentimentos para fora em resposta ao ambiente, costumamos atribuí-lo ao objeto ou à situação que provoca sua resposta. Por isso as pessoas pensam no prazer em termos de entretenimento, de relações sexuais, de ir a um restaurante ou de se dedicar a um esporte. Evidentemente existe prazer em situações que estimulam o fluxo de sentimentos, mas a visão de prazer que o identifica com a situação é limitada e irreal. Um entretenimento só causa prazer quando se está com disposição para se divertir; na verdade pode até ser doloroso quando se deseja ficar quieto. E certas situações são mais desagradáveis ou dolorosas do que numa relação sexual em que os sentimentos não conseguem se desenvolver ou fluir. Até mesmo a especialidade de um *chef* pode não agradar à pessoa que prefira pratos simples. Da mesma maneira, assim como condições precárias de trabalho podem suprimir o prazer da atividade, boas condições necessariamente não farão que o trabalho dê prazer.

Para entender a natureza do prazer, devemos compará-lo com a dor. Ambos descrevem o tipo de reação do indivíduo a certas situações. Quando essa reação é positiva e os sentimentos fluem para fora, ele dirá que está tendo prazer. Quando a reação é negativa e não há um fluxo rítmico dos sentimentos, descreverá a situação como desagradável ou dolorosa. Como a experiência de prazer ou dor é determinada por aquilo que acontece no corpo, qualquer perturbação interna que bloqueie o fluxo de sentimentos fará surgir uma experiência de dor, não importando os atrativos da situação externa.

Prazer e dor têm uma relação de polaridade, já que o fato de libertar-se da dor invariavelmente é sentido como prazer. E, pela mesma razão, a falta de prazer nos deixa num estado de dor. Mas como associamos o prazer a situações peculiares e a dor a algumas mágoas específicas, não percebemos que nossa autopercepção consciente está sempre condicionada por esses sentimentos. O indivíduo normal nunca fica completamente sem certa percepção do seu corpo. Em resposta à pergunta "Como vai?", responderá: "Me sinto bem, mal, ótimo ou péssimo". Se dissesse "Não sinto nada", estaria admitindo a morte espiritual. Durante todas as horas de vigília nossos sentimentos flutuam no eixo prazer-dor.

Contudo, há outras diferenças entre prazer e dor. A dor parece encerrar uma característica básica: sua gravidade costuma estar relacionada diretamente com a intensidade do agente nocivo. A queimadura de segundo grau é muito mais dolorosa do que a de primeiro grau. A dor é bastante consistente no sentido de que um estímulo doloroso afeta da mesma forma a maioria das pessoas. Embora elas tenham diferentes resistências à dor, poucas discordam quanto à sua natureza ou ao seu efeito. A dor também costuma ser localizada, pois o corpo contém receptores específicos de dor e nervos que servem para localizá-la. Se esses nervos forem bloqueados por um anestésico, a dor desaparece.

25

Ao contrário, o prazer parece ser imaterial. Se um bom bife é capaz de despertar o apetite, dois bons bifes podem causar indigestão. É comum que um prato de que gostamos muito torne-se insípido se for servido novamente no dia seguinte. O prazer depende muito de nossa disposição. É difícil gostar de qualquer coisa bonita quando se está deprimido ou apreciar o perfume de uma rosa quando se está resfriado. Mas a boa disposição, embora seja indispensável para se ter prazer, não é garantia de prazer. Muitas vezes fui ao teatro ou ao cinema com uma grande expectativa e boa disposição e acabei saindo desapontado e vazio. O prazer exige correspondência entre o estado interno e a situação externa.

As diferenças em nossas reações à dor e ao prazer podem ser explicadas, pelo menos em parte, pelo fato de que a dor é um sinal de perigo. Avisa contra uma ameaça à integridade do organismo e mobiliza os recursos conscientes com urgência. Todos os sentimentos ficam alertas e a musculatura torna-se tensa e pronta para agir. Para enfrentar a ameaça é preciso conhecer a localização exata do perigo, sua intensidade deve ser avaliada e todas as outras atividades, suspensas até que se garanta a proteção. O prazer encerra um grande componente inconsciente, o que faz que tenha caráter espontâneo. Não está sujeito ao comando. Pode surgir nos locais mais inesperados: uma flor que nasceu na calçada, uma conversa com um estranho ou um encontro social indesejável que acaba se transformando numa noite agradável. Por outro lado, escapa às mais detalhadas preparações. Na verdade, quanto mais se procura, torna-se menos provável que se encontre. E, se ao descobrir o prazer, o agarramos com muita avidez, ele nos escapa entre os dedos. Robert Burns escreveu: "Os prazeres são como papoulas, / Ao colhê-las, suas pétalas se desprendem".

No prazer, a vontade retrocede e o ego se rende, perdendo sua hegemonia sobre o corpo — como alguém que assiste a um concerto e fecha os olhos, deixando-se levar pela música. Ao sentir prazer permitimos que a sensação domine nosso ser. O fluxo de sentimentos precede à deliberação e à vontade. O prazer não pode ser possuído. É preciso se entregar a ele, isto é, permitir que ele tome posse de nós.

Enquanto a reação à dor implica um aumento da autoconsciência, a reação ao prazer causa e exige uma diminuição desta. O prazer se esquiva do indivíduo autoconsciente assim como é negado ao egotista. Para tê-lo é preciso deixar as coisas "acontecerem", isto é, permitir que o corpo reaja livremente. A pessoa inibida não consegue sentir prazer facilmente porque as repressões inconscientes restringem o fluxo de sensações em seu corpo e bloqueiam sua mobilidade corporal natural. Em consequência, seus movimentos são desajeitados e disrítmicos. O egotista, mesmo que pareça agir sem inibições, não desfruta de seu exibicionismo, pois toda sua atenção e energia estão focadas na imagem que espera apresentar. Seu comportamento é dominado pelo seu ego e está voltado para conseguir poder, e não a experiência de prazer.

O PROCESSO CRIATIVO

Neste estudo, mostrarei que o prazer fornece a motivação e a energia para uma abordagem criativa da vida. Todo ato criativo se inicia com uma excitação de prazer, passa por uma fase de germinação e culmina com a alegria da expressão. A excitação inicial deve-se à inspiração. Alguma coisa entra na pessoa e toma posse de seu espírito: uma nova visão, uma nova ideia, uma substância estimulante ou um espermatozoide que fertiliza o óvulo para iniciar uma nova vida. Produz-se uma concepção que aos poucos vai tomando forma e substância pelo trabalho da ideia ou da visão. O produto final da criação é marcado pela descarga de toda tensão, por profunda satisfação e realização e pela alegria da liberdade. Do princípio ao fim, todo o processo criativo é motivado pela busca do prazer.

O prazer não só fornece a força motriz para o processo criativo como é também o produto desse processo. A expressão criativa é uma nova forma de vivenciar o mundo. Traz novos estímulos e oferece um novo canal para a autoexpressão. Literalmente, cria um novo prazer, que não existia antes, para todos aqueles que presenciam a nova concepção.

Costumamos pensar em criatividade associada à produção de uma obra de arte, cujos aspectos dinâmicos se comparam com o ato criador básico da vida, a concepção e o nascimento de uma criança. Aceitamos, portanto, que a criatividade implica a transformação de um conceito em objeto, mas deve-se reconhecer que nem toda ação criativa é transformada em objeto material. O menestrel de outrora criava canções e poemas que existiam apenas na imaginação e na lembrança. O que também é verdade para bailarinos, profetas e matemáticos cuja criatividade consiste em um novo movimento, um novo *insight,* uma nova visão das relações. O ato criativo pode ser definido como qualquer forma de expressão que traz novos prazeres e significados à vida.

Nunca duas experiências de vida são iguais, assim como dois prazeres nunca são idênticos. Todo prazer, em certo sentido, é um novo prazer. Segue-se, portanto, que qualquer ação ou processo que aumente o prazer ou melhore o desfrutar da vida é parte de um processo criativo. Esse conceito amplia o rol das ações criativas e passa a incluir uma infinidade de expressões de organismos vivos que promovem o prazer e a alegria. A palavra certa na hora certa é um ato criativo. Mas até mesmo coisas tão simples como uma refeição feita com capricho, uma redecoração da casa ou um encontro social podem ser expressões criativas se trouxerem prazer à nossa vida. Nesse sentido amplo, cada ato nosso pode ser uma oportunidade para a expressão criativa.

O prazer e a criatividade estão relacionados dialeticamente. Sem prazer não haverá criatividade. Sem uma atitude criativa diante da vida não haverá prazer. Essa dialética surge do fato de ambos serem aspectos positivos da vida. O indivíduo vivo é sensível e criativo. Por meio da sensibilidade coloca-se em harmonia com o prazer, e por meio do impulso criativo procura sua realização. O prazer na vida encoraja a criatividade e a comunicação, e a criatividade aumenta o prazer e a alegria de viver.

2. O prazer de estar cheio de vida

RESPIRAÇÃO, MOVIMENTO E SENSAÇÃO

Todos já sentiram alguma vez na vida o simples prazer que acompanha a recuperação de uma doença ou acidente. No primeiro dia em que a saúde normal retorna, sentimos com intensa satisfação a alegria de estar vivos. Como é agradável respirar bem fundo! Que emoção é mover-se fácil e livremente! A perda da saúde nos faz perceber nosso corpo e tomar consciência da importância de uma boa saúde. Infelizmente, essa percepção logo desaparece e a sensação maravilhosa que a acompanha se esvai. Assim que o indivíduo retoma suas atividades normais, é envolvido por motivações que o dissociam de seu corpo. Preocupa-se com acontecimentos e assuntos do mundo externo e logo esquece a revelação de que o prazer é a percepção de estar cheio de vida aqui e agora — o que significa estar plenamente vivo no sentido corporal.

Tendo se dissociado de seu corpo, não pensa mais em termos corporais. Ignora a simples verdade: para viver é preciso respirar, e quanto melhor for a respiração, mais vivo se sentirá. Notará, de vez em quando, que a respiração é limitada. E, em determinadas ocasiões, sobretudo em situação de estresse, poderá perceber que está prendendo a respiração, mas não levará isso a sério. Pode até reconhecer com um sorriso de resignação que o ritmo agitado de sua vida não lhe permite respirar. Porém, ao envelhecer fará a triste descoberta de que essa função, como outras funções vitais, se deteriora quando não é usada de modo adequado. Quando a respiração se torna difícil, daríamos tudo para voltar a respirar com facilidade. Já sabemos que respirar é um caso de vida ou morte — ou, para colocar de maneira positiva, a vida é consequência da respiração. Outra verdade simples que deveria ser evidente é que nossa personalidade se expressa por meio do corpo tanto quanto por meio da mente. Não se pode dividir alguém em mente e corpo. Apesar dessa verdade, todos os estudos de personalidade têm se concentrado na mente e, de certa forma, negligenciado o corpo. O corpo de uma pessoa nos conta muito sobre

29

sua personalidade. Dependendo da sua postura, do brilho nos olhos, do tom da voz, da posição do maxilar e dos ombros, da facilidade de se movimentar e da espontaneidade dos gestos, ficamos sabendo não só quem ela é, mas também se está aproveitando a vida ou está triste e constrangida. Podemos fingir que não reparamos nessas expressões da personalidade do outro, assim como a própria pessoa pode agir como se não estivesse percebendo seu corpo, mas se assim o fizer estará se iludindo com uma imagem que não tem relação com a realidade da existência. A verdade do corpo pode ser dolorosa, mas bloquear essa dor fechará a porta para a possibilidade de prazer.

As pessoas procuram terapia porque não estão contentes com a vida. Em algum ponto da mente sabem que sua capacidade de sentir prazer diminuiu ou se perdeu. Podem se queixar de depressão, ansiedade, sensação de incompetência e assim por diante; mas esses são sintomas de um distúrbio mais profundo, isto é, a incapacidade de aproveitar a vida. Em todos os casos é possível mostrar que essa incapacidade vem do fato de que o paciente não está totalmente cheio de vida nem no corpo nem na mente. Portanto, esse problema não pode ser resolvido com uma abordagem puramente mental. Deve ser abordado simultaneamente nos níveis físico e psicológico. Só quando o indivíduo se torna totalmente vivo sua capacidade de sentir prazer poderá ser restaurada por completo.

Os princípios e a prática da terapia bioenergética se baseiam na identidade funcional entre mente e corpo. O que significa que qualquer mudança na maneira de pensar de alguém — e, portanto, em seus sentimentos e comportamento — está condicionada a uma mudança no funcionamento de seu corpo. As duas funções mais importantes a esse respeito são a *respiração* e os *movimentos*. Em todos aqueles com conflitos emocionais, ambas as funções encontram-se perturbadas por tensões musculares, que são o lado físico dos conflitos psicológicos. Por meio dessas tensões musculares os conflitos se estruturam no corpo. Quando isso acontece, não podem ser resolvidos até que as tensões sejam liberadas. Para afrouxá-las, devemos vê-las como limitações da autoexpressão. Não basta ficar atentos à dor. E a maioria das pessoas mal tem consciência disso. Quando uma tensão muscular torna-se crônica, é retirada do consciente e perdemos a percepção da tensão.

As *sensações* são determinadas pela respiração e pelos movimentos. O organismo só sente o que se move dentro de seu corpo. Por exemplo, quando o braço fica imobilizado durante certo tempo, torna-se dormente e insensível.

Para que as sensações voltem é preciso que sua mobilidade seja recuperada. A mobilidade de todo o corpo se reduz quando a respiração é limitada. É por isso que prender a respiração é o método mais eficiente de eliminar as sensações. Esse princípio funciona também ao contrário. Assim como as emoções fortes estimulam a respiração e deixam-na mais profunda, a estimulação da respiração e as inspirações profundas podem trazer à superfície emoções fortes. A morte é interrupção da respiração, imobilização dos movimentos e perda de sensação. Estar cheio de vida é respirar profundamente, mover-se livremente e sentir com intensidade. Essas verdades não podem ser ignoradas se valorizamos a vida e o prazer.

COMO RESPIRAR MAIS PROFUNDAMENTE

A importância de uma respiração correta para a saúde física e mental é subestimada pela maioria dos médicos e terapeutas. Sabemos que a respiração é imprescindível à vida — o oxigênio fornece a energia que move o organismo —, mas parece que não compreendemos que uma respiração incorreta reduz a vitalidade do organismo. A queixa comum de cansaço e exaustão geralmente não é atribuída à má respiração. Porém, a depressão e a fadiga são resultados diretos de uma respiração precária. A combustão metabólica não queima bem na ausência de oxigênio, assim como uma lareira com a chaminé quebrada. Em vez de brilhar com a vida, a pessoa com má respiração é fria, inerte, desvitalizada. Não tem calor nem energia. Sua circulação é afetada diretamente pela falta de oxigênio. Em casos crônicos de má respiração, as arteríolas ficam contraídas e a quantidade de hemácias diminui.

Em uma experiência médica relatada na edição de 5 de setembro de 1969 do *Medical World News*, diversos pacientes senis de um hospital receberam uma dose maior de oxigênio, sendo colocados em uma câmara hiperbárica. A teoria subjacente a essa experiência era a seguinte: já que um fornecimento reduzido de oxigênio às células cerebrais havia provocado uma disfunção mental, o aumento do suprimento poderia levar à melhora das funções mentais. Muitos casos de senilidade são causados pela esclerose arterial no cérebro, que reduz o fluxo de sangue e de oxigênio das células cerebrais. Os resultados positivos da experiência surpreenderam os médicos. Muitos pacientes apresentaram uma melhora marcante e definitiva de suas funções mentais e de sua personalidade. "Todos os pacientes tratados dessa maneira tornaram-se mais ativos, passaram a dormir melhor, pediram jornais e revistas para ler e, o que é mais importante, retomaram o antigo hábito de cuidar de si mesmos." Em alguns casos os efeitos continuaram depois que a série inicial de tratamento acabou. Esse foi um estudo preliminar, como o próprio experimento ressalta. Será repetido e submetido a novos esclarecimentos. Seu significado, no entanto, é esplêndido.

A maioria das pessoas respira mal. Sua respiração é superficial e elas tendem grandemente a prendê-la em qualquer contexto estressante. Até mesmo em situações de baixo estresse, como dirigir, escrever uma carta ou esperar para ser atendidas numa consulta, as pessoas tendem a limitar a respiração. O resultado é o aumento de tensão. Quando se tornam conscientes da respiração, percebem quantas vezes a prendem e como a inibem. Os pacientes geralmente comentam: "Percebo como respiro pouco".

Comecei a perceber a relação entre respiração e tensão na faculdade. Como membro do Corpo de Treinamento de Oficiais da Reserva, eu participava do treinamento de tiro no quartel da vizinhança. Meus tiros não tinham direção e minha mira era ruim. Um dos oficiais, observando minhas dificuldades, aconselhou-me: "Antes de apertar o gatilho, respire fundo três vezes. Depois da terceira inspiração, deixe o ar sair lentamente e, ao fazer isso, aperte o gatilho aos poucos". Segui seu conselho e me surpreendi ao perceber que meu braço ficava firme e que eu estava começando a acertar o centro do alvo. Essa experiência mostrou-se valiosa também em outras ocasiões. Eu costumava me sentar na cadeira do dentista muito tenso, cruzando os braços com força. O que não só aumentava meu medo, mas, como depois descobri, também aumentava a dor. Ao contrário, quando prestava atenção à minha respiração, ficava agradavelmente surpreso ao descobrir que não só estava com menos medo: parecia sentir menos dor. A respiração profunda teve um efeito relaxante similar sobre meu desempenho nas provas. Não deixando a respiração ficar ofegante, consegui organizar melhor meus pensamentos.

Muitos anos mais tarde, em minha experiência profissional, compreendi que a limitação da respiração era diretamente responsável pela incapacidade de concentração e pela falta de tranquilidade que atormentava tantos estudantes. Inúmeros foram os pais que me consultaram porque os filhos tinham dificuldades na escola. O exame da criança sempre mostrava que seu corpo se encontrava tenso e sua respiração, mínima. A criança ficava agitada quando tentava prestar atenção a um livro escolar por um longo período. Seus pensamentos divagavam. Sentia vontade de se movimentar. Continuava sentada lutando contra esse impulso, mas não conseguia se concentrar nos estudos. Os adultos que não respiram bem têm o mesmo problema. Sua concentração e eficiência diminuem.

A incapacidade de respirar plena e profundamente é também responsável pela incapacidade de obter satisfação sexual plena. Prender a respiração ao se aproximar do clímax elimina as fortes sensações sexuais. Normalmente, a expiração segue o balanço para a frente da pelve. Se a inspiração ocorre quando a pelve está indo para a frente, o diafragma se contrai e evita a entrega necessária para a descarga orgástica. Qualquer limitação da respiração durante o ato sexual elimina o prazer.

A respiração incorreta provoca ansiedade, irritabilidade e tensão. É a base de vários sintomas, como claustrofobia e agorafobia. O claustrófobo sente que não consegue respirar num lugar fechado. O agoráfobo sente medo dos locais abertos porque estimulam sua respiração. Toda dificuldade de respirar causa ansiedade. Se a dificuldade é grave, pode levar ao pânico ou ao terror.

Por que tantas pessoas sentem dificuldade de respirar profundamente e com facilidade? A resposta é que a respiração cria sensações, e elas têm medo de sentir. Têm medo de sentir sua tristeza, sua raiva e suas apreensões. Quando crianças, prendiam a respiração para não chorar, puxavam os ombros para trás, tensionando o peito para conter a raiva, e apertavam a garganta para evitar um grito. O efeito de cada uma dessas manobras é a limitação e a redução da respiração. Da mesma maneira, a contenção de qualquer sentimento resulta numa inibição da respiração. Mais tarde, já adultos, continuam a inibir a respiração para manter esses sentimentos reprimidos. E, dessa forma, a incapacidade de respirar normalmente torna-se o principal obstáculo para se recuperar a saúde emocional.

Em termos gerais, uma vez que a repressão não pode ser suspensa até que a respiração completa seja recuperada, é importante compreender o mecanismo que bloqueia a respiração. Vou descrever dois distúrbios típicos dela. Num deles, ela praticamente só acontece no peito, com uma relativa exclusão do diafragma. No segundo exemplo, ela é sobretudo diafragmática, com relativamente poucos movimentos no peito. O primeiro tipo de respiração é típico da personalidade esquizoide; o segundo, da personalidade neurótica.

O abdome do indivíduo esquizoide torna-se imobilizado e os músculos abdominais, fortemente contraídos. Essas tensões eliminam as sensações da parte inferior do corpo, sobretudo as sensações sexuais da pelve. O peito esvazia-se e, geralmente, torna-se estreito e apertado. A inspiração é limitada e, em consequência, verificam-se uma oxigenação e um metabolismo baixos.

A inspiração é literalmente a absorção de ar e exige uma atitude agressiva em relação ao ambiente. A agressividade, contudo, reduz-se no indivíduo esquizoide, que se encontra emocionalmente afastado do mundo. Manifesta relutância inconsciente para respirar por estar fixado no nível uterino, quando sua necessidade de oxigênio era suprida sem que fosse obrigado a fazer nenhum esforço. Para superar o bloqueio esquizoide e ser capaz de inspirar, seu terror deverá ser liberado e sua agressão, canalizada. Precisa sentir que tem o direito de exigir coisas da vida; no sentido mais primitivo, que tem o direito de sorver vida para dentro de si.

Por outro lado, no indivíduo neurótico, cuja agressão não se encontra tão bloqueada como no esquizoide, o peito vê-se imobilizado apesar de o diafragma e o abdome superior estarem relativamente livres. O peito mantém-se numa posição dilatada e os pulmões contêm uma grande quantidade de reserva de ar. O neurótico sente dificuldade de esvaziar os pulmões por completo. Segura esse ar de reserva como medida de segurança. A expiração é um procedimento passivo, equivale a "deixar que aconteça". A expiração completa é como ceder, aceitar a supremacia do corpo. Deixar que o ar saia é vivido pelo neurótico como uma perda de controle, que ele teme. A respiração diafragmática do neurótico é mais eficiente do que a respiração torácica do esquizoide. A respiração diafragmática fornece uma quantidade máxima de ar para um mínimo de esforço e é adequada a propósitos comuns. Contudo, a menos que tanto o peito como o abdome estejam agindo durante a respiração, a unidade do corpo se quebra e as reações emocionais ficam limitadas.

A respiração normal ou sadia reveste-se de uma característica plena e única. A inspiração começa com um movimento do abdome para fora quando o diafragma se contrai e os músculos abdominais relaxam. Essa onda de expansão, em seguida, sobe para atingir o tórax. Não é interrompida no meio como acontece com pessoas perturbadas. A expiração, por sua vez, começa com o peito cedendo e segue como uma onda de contração até a pelve. Provoca uma sensação de fluxo em toda a frente do corpo, terminando nos órgãos genitais. Na respiração saudável, a frente do corpo se move como um todo num movimento ondulante. Esse tipo de respiração pode ser observado em crianças pequenas e animais, cujas emoções não foram bloqueadas. Essa respiração, na verdade, envolve o corpo todo, e a tensão, em qualquer parte do organismo, perturba o padrão normal. Por exemplo, a imobilidade pélvica interrompe esse padrão. Normalmente na inspiração há um movimento leve da pelve para trás e um movimento leve para a frente na expiração, o que Reich chamou de reflexo do orgasmo. Se a pelve estiver imobilizada em qualquer uma dessas posições, a movimentação é impedida.

A cabeça também está envolvida no processo respiratório. Junto com a garganta, forma um grande órgão aspirador que leva o ar aos pulmões. Se a garganta estiver contraída, essa ação aspirante é reduzida. Quando o ar não é aspirado, a respiração torna-se superficial. Já se observou que bebês, submetidos a alguma perturbação no seu impulso de mamar, ficaram com a respiração afetada. Tenho notado que, logo que um paciente aspira o ar como se mamasse, sua respiração torna-se mais profunda.

A relação entre sucção e respiração pode ser vista claramente no ato de fumar. A primeira tragada num cigarro é uma forte aspiração que faz que se sorva a fumaça como se deveria sorver o ar. Há uma sensação temporária de satisfação quando a fumaça enche a garganta e os pulmões e a pessoa sente seus pulmões tornarem-se vivos em reação à ação irritante do fumo.

O uso do cigarro para excitar os movimentos respiratórios cria dependência. A primeira tragada é seguida de uma segunda, uma terceira e assim por diante. Fumar torna-se uma compulsão. O fumo em si mesmo age como um depressor da atividade respiratória, apesar de sua estimulação inicial. Quanto mais a pessoa fuma, menos respira. Entretanto, por causa de sua primeira experiência não consegue abandonar a sensação de que o cigarro é essencial para ajudá-la a respirar.

O cigarro como estimulante da respiração pode ser visto em duas situações: o cigarro da manhã e o dos momentos de estresse. Com o cigarro da manhã algumas pessoas começam o dia, mas dele se tornam dependentes pelo resto desse dia. Em situações de estresse, a maioria dos indivíduos tende a prender a respiração, o que os torna ansiosos. Para começar a respirar e superar a ansiedade, fumam um cigarro. Assim, estabelece-se um hábito: pegam um cigarro quando estão estressadas. A palavra de ordem para um fumante compulsivo deveria ser: respire fundo em vez de fumar.

A profundidade da respiração pode ser medida pelo comprimento da onda respiratória e não por sua amplitude. Quanto mais profunda for a respiração, mais a onda se estenderá no abdome inferior. Numa verdadeira respiração profunda os movimentos respiratórios alcançam e envolvem a base da pelve e consegue-se realmente ter sensações nessa região. A expansão para baixo dos pulmões é limitada pelo diafragma, que separa o tórax do abdome. Portanto, quando falamos de respiração abdominal não queremos dizer que o ar penetre no abdome. A respiração abdominal descreve os movimentos corporais da respiração. Ela significa que o abdome está atuando ativamente no processo da inspiração. Sua expansão e seu relaxamento permitem que o diafragma desça. Mas ainda mais importante é o fato de que só por meio da respiração abdominal a onda de excitamento associada com a respiração é capaz de envolver todo o corpo.

Nos parágrafos anteriores ressaltei as diferenças entre respiração neurótica e esquizoide. Esta última é sobretudo restrita ao tórax, enquanto a primeira encontra-se principalmente localizada na área diafragmática. A respiração diafragmática se estende apenas na parte superior do abdome e assim, apesar de ser mais profunda que a respiração superficial do indivíduo esquizoide, não pode ser considerada uma verdadeira respiração profunda. Desse ponto de vista, a profundidade da respiração é um reflexo de nossa saúde emocional. A pessoa saudável respira com todo seu corpo — ou, mais especificamente, seus movimentos respiratórios se expandem profundamente por meio de seu corpo. Em relação ao homem, poder-se-ia afirmar, falando de maneira geral, que ele "respira pelas bolas".

A respiração não pode ser dissociada da sexualidade, pois fornece indiretamente a energia para a descarga sexual. O calor da paixão é um dos aspectos da combustão metabólica, na qual o oxigênio é um elemento importante. Como os processos metabólicos fornecem a energia para todas as funções vitais, a força do impulso sexual é, em última instância, determinada por esse processo. A profundidade da respiração determina diretamente a qualidade da descarga sexual. A respiração plena e unitária, que envolve todo o corpo, leva a um orgasmo que inclui todo o organismo. Todo mundo sabe que a excitação sexual estimula a respiração e a torna mais profunda. Contudo, a maioria das pessoas não percebe que a respiração incorreta ou superficial reduz a excitação sexual; evita que a excitação se expanda, mantendo a sensação sexual localizada na área genital. Inversamente, a inibição sexual, o medo de que sensações sexuais se espalhem na pelve e no corpo são algumas das causas da respiração limitada e superficial.

A onda respiratória costuma fluir da boca até os órgãos genitais. Na parte superior do corpo, essa onda relaciona-se com o prazer erótico de sugar e mamar. Na parte inferior, está ligada aos movimentos sexuais e ao próprio prazer sexual. A respiração é a pulsação básica (expansão e contração) de todo o corpo; portanto, é a base da experiência de prazer e dor. A respiração profunda é sinal de que o organismo vivenciou uma completa gratificação erótica no estágio oral e é capaz de uma satisfação sexual completa no estágio genital.

A respiração profunda carrega o corpo e, literalmente, faz que tenha vida. Uma das verdades óbvias sobre o corpo vivo é que ele mostra ter vida: os olhos brilham, a tonicidade muscular é boa, a pele tem uma tonalidade brilhante e o corpo é quente. Tudo isso acontece quando respiramos profundamente. Exercícios respiratórios simples em geral ajudam muito pouco a superar os problemas associados a uma respiração perturbada. As tensões musculares e os conflitos psicológicos que evitam a respiração profunda não são atingidos por esses exercícios. O maior volume de ar produzido por esses exercícios não é totalmente absorvido pela corrente sanguínea nem pelos tecidos. Apenas quando o corpo sente necessidade de mais oxigênio e faz um esforço espontâneo para respirar mais profundamente é que nos tornamos mais vivos por meio da respiração. O que não significa que devamos ignorar o componente consciente da respiração. Precisamos tentar nos conscientizar da tendência comum de prender a respiração quando estamos estressados e fazer um esforço para respirar fundo sem dificuldade. Reservando um tempo para simplesmente respirar, podemos contrabalançar até certo ponto as pressões que constantemente nos afligem.

Na terapia bioenergética, os pacientes são incentivados a fazer exercícios especiais que relaxam as tensões musculares do corpo e estimulam a respiração. Esses exercícios também são recomendados ao público geral, com a ressalva de que podem liberar certos sentimentos ou criar alguma ansiedade. Também produzirão maior autopercepção, mas nesse processo a pessoa poderá sentir dor nas partes de seu corpo que antes estiveram imobilizadas — sobretudo a parte inferior das costas. Nem a liberação de sensações, nem a ansiedade ou a dor devem assustar. Os exercícios não devem ser feitos compulsiva ou exageradamente, pois por si mesmos não resolverão os complexos problemas de personalidade que afligem tantos indivíduos.

Quando fazem tais exercícios especialmente criados para aprofundar a respiração, os pacientes em terapia quase invariavelmente desenvolvem sensações de formigamento em diversas partes do corpo: nos pés, nas mãos e no rosto; e, de vez em quando, em todo o organismo. Se esse formigamento se tornar intenso, sensações de entorpecimento e paralisia também podem ocorrer. Tais sensações, conhecidas em medicina como parestesia, são consideradas sintomas da síndrome de hiperventilação. Os médicos as interpretam como consequências da descarga excessiva de dióxido de carbono do sangue por meio de uma respiração intensificada. Não acredito que essa interpretação esteja totalmente correta. Afinal, corredores que respiram intensamente não apresentam esses sintomas. Considero-os um sinal de que o corpo da pessoa tornou-se excessivamente carregado de oxigênio, que não é capaz de utilizar. Poderá também se sentir tonta com esse excesso de oxigênio que perturba seu equilíbrio costumeiro. Tanto a tontura como a parestesia desaparecem quando a respiração volta ao normal.

À medida que aumenta a capacidade do paciente de tolerar níveis mais altos de excitação e oxigênio, a parestesia e a tontura diminuem e, por fim, desaparecem. O formigamento é uma excitação superficial que tende a se aprofundar em sensações específicas com a continuidade do trabalho de respiração. Tristeza, saudade e pranto quase sempre emergem e se expressam. Estes poderão acarretar sentimentos de raiva. O entorpecimento e a paralisia são indicações de medo e as contrações do rosto indicam aumento da excitação. Essas reações também desaparecem com o aumento da tolerância de sensações por parte do paciente.

O exercício bioenergético básico de respiração é feito arqueando as costas para trás sobre um cobertor enrolado num banquinho de 60 cm de altura (Figura 1).

Quando o exercício for realizado em casa, o banquinho deve ser colocado ao lado de uma cama de forma que os braços e a cabeça, que estarão estendidos para trás, toquem ou fiquem sobre a cama. Como essa é uma posição de tensão, a boca deve permanecer aberta para permitir que a respiração se desenvolva livre e facilmente. Muitas pessoas tendem a prender a respiração nessa posição, como fazem na maioria das situações de tensão. Essa tendência precisa ser conscientemente contrabalançada. As pernas devem permanecer paralelas, com os pés apoiados totalmente no chão a uma distância de 24 cm um do outro, e a pelve deve poder pender livremente. Se essa posição provocar dor na parte inferior das costas, é indicação de tensão nessa área. Se se relaxar nessa posição, a respiração tornar-se-á mais profunda e completa (mais abdominal e com maior amplitude). O cobertor enrolado é colocado

FIGURA 1

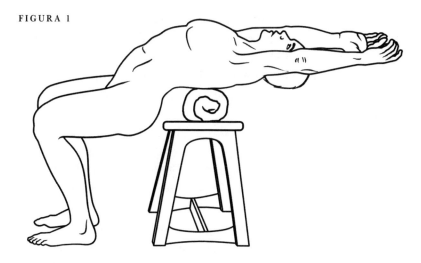

entre as escápulas, embora essa posição possa ser modificada para mobilizar os diferentes músculos das costas.

Não se deve permanecer nessa posição se ela se tornar muito desconfortável ou se houver dificuldade para respirar. É aconselhável que o principiante comece lentamente e, exceto em circunstâncias especiais, não mantenha a posição por mais de dois minutos. O propósito desse exercício é ativar a respiração, e não testar a resistência da pessoa.

A eficácia do exercício é demonstrada pelo fato de fazer que muitas pessoas chorem ou sintam ansiedade. Lembro-me de um caso no qual uma paciente entrou em pânico na sua primeira experiência com o banquinho. Havia feito diversas inspirações profundas quando de repente ficou em pé tentando respirar. Um momento depois, começou a soluçar e seu pânico desapareceu. A respiração profunda, para a qual não estava preparada, deu passagem a uma sensação de tristeza, que lhe subiu pela garganta. Inconscientemente, esta se fechou ao tentar sufocar essa sensação, impedindo a respiração. Essa foi a única vez que vi uma paciente reagir assim ao exercício, o que indica seu poder potencial.

Utilizo regularmente esse exercício para aumentar minha respiração e relaxar a tensão entre meus ombros. Tenho um banquinho em meu quarto e deito-me sobre ele quase todo dia antes do café da manhã. Ajuda a superar a tendência, observada na maioria das pessoas, de encolher os ombros e curvar as costas. O próprio exercício é um desenvolvimento da tendência natural de se espreguiçar para trás contra o encosto de uma cadeira, que muitos fazem espontaneamente depois de permanecer sentados e curvados para a frente durante algum tempo. Todos os animais se espreguiçam ao acordar, e o exercício é um espreguiçamento bastante eficaz. Depois de permanecer sobre o banquinho por mais ou menos um minuto e respirar profundamente, inverto a posição fazendo outro exercício.

Nesse segundo exercício, a pessoa se inclina para a frente para tocar o chão com a ponta dos dedos. Seus pés ficam separados 24 cm um do outro, os dedos, ligeiramente voltados para dentro e os joelhos, levemente fletidos. Não deve haver peso nas mãos; todo o peso do corpo fica sobre as pernas e os pés. A cabeça pende o mais solta possível. O peso do corpo deve cair no espaço entre o calcanhar e a parte arredondada do pé (veja a Figura 2).

Utilizamos essa posição na terapia bioenergética para fazer que o paciente entre em contato com suas pernas e seus pés. Ao mesmo tempo, estimula a respiração abdominal relaxando a parte da frente do corpo, sobretudo a musculatura do abdome, que foi alongada pelo primeiro exercício. Novamente a boca deve permanecer aberta para permitir que a respiração se desenvolva fácil e livremente. Se a respiração estiver presa, o exercício não terá nenhuma eficácia.

Quando esse exercício é feito corretamente, as pernas costumam vibrar ou tremer, o que permanecerá enquanto a respiração continuar, algumas vezes até aumentando sua intensidade. Essa vibração é normal. Todos os corpos vibram em posições de tensão.

Em geral, a respiração é uma atividade rítmica involuntária do corpo controlada pelo sistema nervoso vegetativo. Também pode ser controlada conscientemente, isto é, somos capazes deliberadamente de aumentar ou diminuir a velocidade e a profundidade da respiração. A respiração consciente, porém, não influencia o padrão típico involuntário, que está intimamente relacionado com as reações emocionais do indivíduo. A vibração involuntária do corpo, por outro lado, tem um efeito imediato no padrão respiratório. As vibrações das pernas e de outras partes do corpo estimulam e liberam os movimentos respiratórios. Quando um corpo está vibrando, a respiração torna-se espontaneamente mais profunda. Isso acontece porque o estado vibratório de um corpo é a manifestação de suas reações emocionais.

A respiração também se encontra diretamente relacionada com a emissão da voz, que é outra atividade vibratória do corpo. Inibições de choro,

FIGURA 2

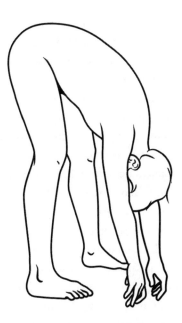

gritos e berros são estruturadas como tensões que limitam a respiração. Quem na infância aprendeu que "crianças foram feitas para ser vistas e não ouvidas" não respira livremente. A tendência natural de dizer o que se pensa, chorar ou gritar quando se sente vontade é abafada por espasmos na musculatura do pescoço. Essas tensões afetam a qualidade da voz, criando uma fala delicada demais ou muito grave, sem inflexão ou sibilante. A voz deve ser restabelecida para readquirir toda a sua amplitude; também as tensões específicas no pescoço devem ser liberadas se quisermos que a respiração recupere toda a sua intensidade.

LIBERANDO TENSÃO MUSCULAR

Todo espasmo muscular crônico é uma limitação da liberdade do movimento e expressão do indivíduo. É, portanto, uma restrição da sua capacidade de prazer. Assim, o objetivo da terapia bioenergética é recuperar a mobilidade natural do corpo. Esta se refere aos movimentos espontâneos ou involuntários do corpo sobre os quais são sobrepostos os movimentos conscientes mais amplos. A mobilidade do indivíduo se reflete na vitalidade de sua expressão facial, na qualidade dos seus gestos e na extensão de suas reações emocionais. A mobilidade corporal é a base de toda espontaneidade, que por sua vez é o ingrediente essencial tanto do prazer como da criatividade. A espontaneidade é uma expressão da criança que existe dentro de nós, e sua perda indica que estamos sem contato com essa criança e afastados de nossa infância.

A terapia bioenergética começa com a respiração, pois ela fornece a energia para os movimentos. Além disso, a limitação da respiração impõe uma limitação sobre toda a mobilidade do corpo. As ondas respiratórias associadas com os movimentos da respiração são as ondas pulsantes básicas do corpo. Quando elas passam pelo corpo, ativam todo o sistema muscular. Sua livre movimentação garante a espontaneidade dos sentimentos e sua expressão. Isso significa que, enquanto a respiração for plena e completa, não há bloqueios para o fluxo de sentimentos. A respiração leva ao movimento, que é o veículo para a expressão do sentimento.

O aprofundamento da respiração cria vibrações no corpo de todos nós. Tais vibrações começam nas pernas e, ao se tornar suficientemente fortes, podem se espalhar pelo organismo. Na verdade, elas às vezes se tornam tão fortes que nos sentimos como se fôssemos "desmoronar". O medo de desmoronar é o equivalente físico do medo de abandonar as defesas do ego e assumir o *self* verdadeiro. Ninguém realmente desmorona, assim como as defesas do ego também não evaporam por completo; entretanto, a experiência pode causar mudanças. Por meio das vibrações no corpo a pessoa se conscientiza das poderosas forças da sua personalidade que estão imobilizadas pelas tensões musculares crônicas. E também sente como a liberação dessas forças a faz sentir mais viva e contribui para seu prazer.

Uma personalidade sadia é vibrante. Um corpo sadio é pulsante e vibrante. Quando há saúde, as vibrações do corpo são relativamente leves e constantes, como o som do motor de um carro em velocidade. Percebemos quando o motor de um carro é desligado pela ausência de vibração. Da mesma forma, podemos dizer que indivíduos cujo corpo não vibra estão mortos emocionalmente. Por outro lado, um corpo que treme violentamente é como um carro cujas velas estão sujas, as válvulas, gastas ou o mancal, sem óleo. Quando o carro está bem regulado, sua vibração transforma-se num ronronar. Esse é o som de um carro bem regulado correndo na estrada. Também é assim o funcionamento de um corpo — um corpo que se move com a agilidade e a graça de um animal.

Os "problemas de regulagem" no corpo humano são tensões musculares crônicas. Estas se desenvolvem como inibições de impulsos e não podem ser eliminadas definitivamente a não ser pela liberação do movimento inibido. Mas, antes que isso aconteça, veem-se obrigadas a se tornar conscientes e carregadas de sentimentos. É isso que se pretende com as vibrações. Todo músculo cronicamente tenso é um músculo contraído que precisa ser alongado para ativar seu potencial de movimento. O alongamento do músculo, um tecido elástico, faz que ele vibre, tanto numa leve fibrilação como num forte tremor, dependendo do grau de tensão e extensão. Quaisquer que sejam suas características, as vibrações servem para afrouxar a contração crônica dos músculos. Muitas vezes dizemos que alguém está precisando de uma boa chacoalhada. É isso que o corpo tenta fazer por meio das vibrações involuntárias e clônicas, isto é, dar uma chacoalhada nos padrões de movimento estabelecidos e rígidos.

Você já notou como o queixo do bebê treme um pouco antes de ele começar a chorar? O tremor é um prelúdio para maiores vibrações ou para os movimentos convulsivos que ocorrem no choro. É comum entre meus pacientes que as vibrações que começaram nas pernas se estendam até o peito e a garganta, provocando o choro. As vibrações também podem tomar outras expressões espontâneas. Já vi chutes involuntários ocorrerem quando os pacientes estão deitados de costas com as pernas estendidas para cima. Essa posição infantil facilmente provoca um tremor vibratório nas pernas (veja a Figura 3).

A pessoa se deita com as pernas levantadas, os joelhos ligeiramente flexionados e os pés totalmente flexionados. A cabeça é mantida atrás, solta, para ficar numa posição "fora de cena", isto é, para reduzir o controle do ego. Os braços ficam pousados ao lado do corpo. Se for mantida uma pressão longitudinal nos calcanhares, haverá um alongamento dos músculos das panturrilhas e estas começarão a vibrar. Prender a respiração interromperá as vibrações, enquanto uma respiração fácil e profunda as aumentará.

Além dos movimentos vibratórios involuntários que são a base do trabalho bioenergético com o corpo, diversos movimentos exagerados também são utilizados para mobilizar e liberar impulsos e sentimentos reprimidos. Eles começam conscientemente e são realizados pela vontade, mas costumam se tornar involuntários quando uma carga emocional emerge, impregnando-os.

Um dos movimentos expressivos mais simples e fáceis, utilizados para reduzir a tensão muscular, é chutar o colchão. A pessoa deita-se numa cama com as pernas estendidas e chuta, levantando e abaixando as pernas ritmicamente. Os chutes podem ser feitos com os pés relaxados, pois assim as pernas

Alexander Lowen

FIGURA 3

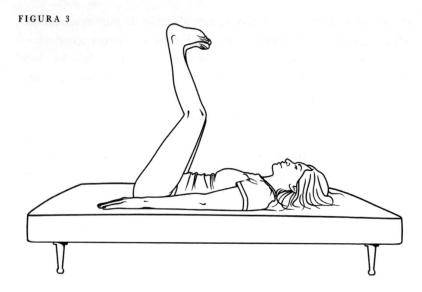

se chocam contra a cama. Quando o corpo encontra-se relativamente sem tensão, a respiração torna-se sincronizada com os chutes e a cabeça movimenta--se para cima e para baixo a cada chute, enquanto a onda de movimento passa pelo corpo. Essa reação total do corpo não acontecerá se ele estiver rígido ou se fortes tensões no pescoço evitarem que a cabeça se movimente. Ao se fazer por diversas vezes o exercício aprendemos a nos entregar ao movimento, que assim se torna cada vez mais livre e coordenado.

Os chutes são um movimento expressivo. Chutar é protestar, e todos têm alguma coisa contra o que protestar ou para chutar. É, portanto, um movimento universal. Eu o recomendo a todos os meus pacientes e sugiro que deem entre 50 e 200 chutes por dia, contando cada chute separadamente. A melhor cama para tanto é aquela cujo colchão tem 8 cm de espessura, mas qualquer uma serve. Os pacientes que praticam esse exercício regularmente afirmam que ele traz um pronunciado efeito benéfico. Sentem-se mais vivos, com mais energia e mais relaxados depois de o fazerem. Não hesito em recomendá-lo a todos os meus leitores, pois não há como fazê-lo errado e nenhum dano é provocado. Talvez você conclua que esses movimentos são desajeitados ou descoordenados, que fica cansado rapidamente e que os chutes parecem inócuos. Essa é uma indicação de que sua autoexpressão está bloqueada num estágio infantil. É mais um motivo para continuar chutando. A Figura 4 mostra essa atividade.

Para fazer que os chutes tenham um significado ainda maior na situação terapêutica, geralmente peço aos pacientes que expressem com palavras o que estão sentindo. Podem dizer "não", "não quero" ou "me deixe em paz". Essas declarações são feitas em voz alta com o som do "ão" mantido por bastante tempo. Utilizando a voz dessa maneira, mobiliza-se uma respiração mais profunda, que costuma trazer uma qualidade emocional à ação. O uso de som e palavras com o movimento também serve para integrar a atitude do ego com a expressão corporal, promovendo coordenação e controle. Quando os pacientes se entregam ao som e ao movimento, os chutes tornam-se mais rápidos e a voz aumenta de tom. Os chutes adquirem um aspecto involuntário no qual o paciente sente a ação como uma expressão emocional. Não importa a intensidade do sentimento: o paciente se percebe como um todo e pode parar os movimentos segundo sua vontade.

Um movimento igualmente expressivo pode ser feito com os braços. Nesse exercício, o paciente deita-se na cama com os joelhos flexionados. Depois, com os punhos fechados, levanta os braços acima da cabeça e os deixa cair ao lado do corpo com um baque. Enquanto faz isso, eu o estimulo a dizer "não" ou "não quero". O exercício é repetido diversas vezes para que a voz soe mais convincente e os golpes se tornem mais eficazes. Muitos pacientes têm dificuldade de expressar esses sentimentos negativos. A voz adquire um tom de súplica, choro ou medo, e os movimentos dos braços são mecânicos e fracos. Se desafiamos o paciente dizendo "Você vai conseguir" durante o exercício, teremos chance de avaliar sua capacidade de ir contra a autoridade. Alguns

FIGURA 4

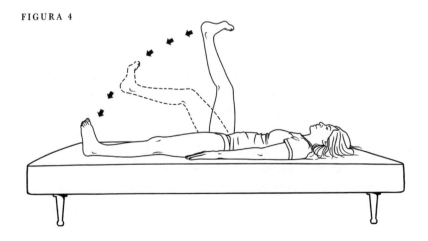

param confusos, outros mudam a frase para "eu quero". Alguns aceitam o desafio e enfrentam o terapeuta com um "não quero" mais forte.

Esses movimentos não só permitem que surjam sentimentos como também estimulam a respiração, fazendo o corpo vibrar se o paciente se permitir sentir e expressar uma atitude negativa ou hostil. Inúmeras outras expressões podem ser utilizadas com esses movimentos, como "vá pro inferno" e "eu te odeio". Qualquer contenção inconsciente se manifesta diretamente como falta de coordenação. A descoordenação fica ainda mais clara quando o paciente tenta executar os movimentos de um acesso de raiva. Nesse exercício, as pernas, com os joelhos flexionados, batem no colchão uma após outra. Ao mesmo tempo os braços socam-no de forma alternada. Quando os movimentos estão coordenados, o braço e a perna do lado direito movem-se juntos, cada lado se alternando com o outro. A cabeça gira para o lado que está fazendo o movimento para baixo. A falta de coordenação se manifesta quando o ritmo dos movimentos das pernas é diferente daquele dos braços. Nesse caso, os braços tendem a ser mais rápidos, enquanto as pernas, mais lentas. Ou então há um fenômeno cruzado: o braço direito se move sincronicamente com a perna esquerda e o braço esquerdo, com a perna direita. Esse fenômeno cruzado resulta do não envolvimento do corpo: os membros se movem independentemente, como as pás de um moinho de vento. Muitas vezes a cabeça vira na direção oposta do movimento dos braços e pernas, indicando certo grau de dissociação entre a cabeça e o corpo. Movimentos descoordenados costumam provocar uma sensação desagradável no paciente.

Recomendo a todo mundo o ato de golpear o colchão. Eu mesmo transformei o exercício em uma prática habitual, sempre que sinto tensões se formando em meu corpo ou quando experimento uma onda de raiva que não quero descarregar nos outros. Bato ritmicamente no colchão 50 ou mais vezes, usando um braço após o outro. Mais do que chutar, isso reduz as tensões da parte superior do corpo, sobretudo em volta dos ombros, e também torna mais profunda a respiração. Quando o exercício é feito harmoniosamente, com a extensão completa dos braços para cima e para baixo, ficamos com a sensação de relaxamento e estimulados. Muitas mães me disseram que, em vez de bater nos filhos quando eles estão impossíveis, preferem ir até o quarto e descarregar sua raiva contra o colchão. Dessa maneira, conseguem liberar a raiva sem sentimento de culpa. Não é preciso dizer que isso torna o lar ainda mais agradável.

Além dos exercícios citados, que desenvolvem a capacidade de expressar sentimentos negativos, hostilidade e raiva, a terapia bioenergética também utiliza movimentos que expressam ternura, afeição e desejo. Aproximar-se para beijar, mamar, tocar e abraçar não é fácil para muitos de nós. As contraturas musculares nas mandíbulas, na garganta e nos braços fazem que esses movimentos pareçam e sejam sentidos como desajeitados. Consequentemente, a pessoa hesita em fazê-los e se sente insegura quando tenta realizá-los. E, como um movimento hesitante sempre evoca uma resposta ambígua, a pessoa acaba com uma grande sensação de desajustamento e rejeição. A autoconfiança é resultado da consciência de que podemos nos expressar total e livremente em qualquer situação com movimentos adequados e harmoniosos.

Talvez seja surpreendente que a espontaneidade e o autocontrole sejam diferentes facetas da mobilidade natural, apesar de seu aparente antagonismo. O autocontrole implica a posse de si mesmo — característica daquele que está em contato com seus sentimentos e no comando de seus movimentos. Tem autocontrole porque pode escolher como se expressar, uma vez que sua mobilidade não está limitada ou restrita por tensões musculares crônicas. Assim, é diferente do indivíduo controlado, de personalidade compulsiva cujo comportamento é ditado por suas tensões e também do indivíduo impulsivo cujo comportamento é uma reação às tensões. É comum em terapia bioenergética que, à medida que a pessoa se torne mais livre, adquira maior autocontrole.

A graciosidade descreve um indivíduo cujo corpo está livre de tensões crônicas. Seus movimentos são graciosos porque espontâneos, mas totalmente coordenados e eficazes. Como a espontaneidade é um elemento essencial da graciosidade, esta não é obtida com treinamento. Os exercícios apresentados anteriormente terão pouco efeito se forem realizados sem uma consciência do resultado que se deseja atingir com eles, isto é, a liberação das tensões musculares. Quando estas são liberadas, a harmonia é o resultado natural.

SENSAÇÃO E AUTOPERCEPÇÃO

É um axioma da análise bioenergética que o que uma pessoa de fato sente é o seu corpo. Não sente o ambiente a não ser por meio da ação que ele tem sobre o corpo. Sente como seu corpo reage a estímulos vindos do ambiente e então projeta essas sensações no estímulo. Assim, quando sinto que suas mãos estão quentes e pousadas em meu braço, o que estou sentindo é o calor produzido no meu braço por sua mão. Todas as sensações são percepções corporais. Se o corpo de uma pessoa não reage ao ambiente, ela não sente nada.

A autopercepção é uma função do sentir. É a soma de todas as sensações do corpo de uma só vez. Por meio da autopercepção a pessoa descobre quem é. Está atenta ao que acontece em todas as partes do seu corpo — em outras palavras, está em contato consigo mesma. Por exemplo, sente o fluxo de sensações em seu corpo associado à respiração, e experimenta todos os outros movimentos, espontâneos ou involuntários, de seu corpo. Também está consciente das tensões musculares que limitam sua movimentação, pois estas também criam sensações. Aquele que não tem autopercepção fica desconfortável. Em vez da sensação de contato com o corpo, ele o vê de fora, distanciado, com os olhos da mente. Não estando em contato com seu corpo, este lhe parecerá estranho e desajeitado, o que o faz se sentir constrangido em seus movimentos e expressões.

A pessoa não consciente tem áreas no corpo nas quais faltam sensações e, portanto, não estão em sua consciência. Por exemplo: quase ninguém percebe as expressões do próprio rosto. Não sabem se estão com uma aparência triste, zangada ou com cara de "quem não está gostando". Alguns rostos exibem uma expressão de dor tão evidente que o observador se surpreende de que a pessoa não esteja consciente disso. Outras partes do corpo a que os indivíduos não costumam estar atentos são as pernas, as nádegas, as costas e os ombros. Todos sabemos que temos pernas, nádegas, costas e ombros, mas muitos não sentem essas áreas como partes vivas do corpo. Não conseguem dizer se suas pernas estão relaxadas ou contraídas, se as nádegas estão puxadas para trás ou contraídas para a frente, se as costas estão curvadas ou não e se os ombros estão erguidos ou abaixados.

Essa falta de percepção significa que a pessoa perdeu parte da função total dessas partes do seu corpo que estão ausentes da consciência. Aquele que não sente suas pernas não se sente seguro, pois não tem a sensação de que suas pernas o sustentarão. Não está emocionalmente seguro sobre os próprios pés e sente a necessidade de que alguém ou alguma coisa o segure. As nádegas funcionam como contrapeso para manter a postura ereta normal. Quando as nádegas estão compelidas para a frente, a parte superior do corpo tende a ceder, o que só pode ser evitado projetando-se o peito e retesando as costas. As nádegas contraídas fazem que a pessoa tenha uma postura parecida com a de um cachorro com o rabo entre as pernas. Quem mantém essa postura perdeu sua ousadia natural, que só pode ser compensada por uma pose exagerada do ego, baseada na rigidez. Por outro lado, se as nádegas estiverem contraídas, a pessoa perde a capacidade de balançar a pelve para a frente de maneira sexualmente agressiva. Seu corpo apresenta uma lordose, que é uma reentrância exagerada da parte mais delgada das costas. Sofre um desajustamento sexual em virtude da incapacidade de descarregar as sensações sexuais plena e livremente.

Em geral, a pelve se movimenta livre e espontaneamente, para a frente e para trás, com a respiração. Esse movimento aumenta durante as relações sexuais, transformando-se nos movimentos involuntários do orgasmo. Os movimentos para trás carregam a pelve com sensações e percepções, enquanto os movimentos para a frente descarregam as sensações para os órgãos genitais. As tensões pélvicas crônicas, que limitam sua movimentação, reduzem a potência orgástica. O pior dessas tensões é que elas também diminuem a percepção da pessoa, e esta fica sem saber o que há de errado com seu desempenho sexual. Poderá culpar a si mesma ou ao parceiro sem nenhuma compreensão das causas de sua dificuldade.

Em razão de tensões crônicas, a maioria dos indivíduos tem poucas sensações nas costas. Em geral, estas estão tão rígidas que não se flexionam ou tão maleáveis que são incapazes de servir como apoio ao corpo. Nesses dois casos, a pessoa acaba "dando as costas" à capacidade de apoiar seus sentimentos ou guardá-los. A rigidez em excesso leva à compulsão; muita flacidez, à impulsividade. Não tendo sensações nas costas, não pode mobilizar sua raiva para superar as frustrações. No caso do cachorro e do gato, conseguimos literalmente ver suas costas se curvarem quando estão bravos. Até o pelo das costas fica eriçado quando essa área está carregada de sensação. Os seres humanos com distúrbios ficam irritados ou com raiva, mas não têm a capacidade animal de expressá-la de forma direta.

A tensão nas costas costuma associar-se a tensões que imobilizam os ombros. Duas funções importantes são afetadas pelas tensões nos ombros: a capacidade de erguer e a de esticar os braços. Quando os ombros estão fixos numa posição erguida, a pessoa está "pendurada", como se estivesse num cabide. Ombros erguidos são sinal de medo, porque é assim que eles ficam quando se está amedrontado. Aquele que apresenta essa postura está pendurado por sua incapacidade de alcançar ou atacar; assim, é incapaz de relaxar.

A pessoa sem percepção também é descuidada. A imagem que tem de si não coincide com a imagem que apresenta aos outros, e sua ingênua aceitação dessa imagem deixa-a aberta para reações inesperadas. Aquele que pensa mostrar uma aparência viril porque seu peito está cheio fica chocado quando percebe que os outros veem nisso só pose. Por meio desse mesmo mecanismo, é facilmente enganado pelas poses e atitudes que os outros adotam. Apenas na medida em que percebe o próprio corpo é capaz de perceber os outros, e só quando percebe a si mesmo como pessoa consegue sentir por ela.

A perda da autopercepção é causada pelas tensões musculares crônicas. Estas diferem das tensões normais cotidianas por serem persistentes, por carregarem uma contratilidade muscular inconsciente que se tornou parte da estrutura do corpo ou da maneira de ser. Por causa disso, a pessoa não percebe que tem essas tensões até que elas comecem a lhe causar dor. Quando isso acontece, poderá sentir a tensão subjacente, mas não percebe o que isso significa e como ela foi criada — e fica completamente sem ação para fazer algo que libere a tensão. Na ausência de dor, contudo, a pessoa não tem a menor percepção de como é sua postura ou sua mobilidade. Sente-se confortável em suas atitudes estruturadas, sem perceber as limitações que estas provocam em seu potencial para viver.

Um músculo só se torna tenso em condição de estresse. Quando o corpo se movimenta livremente, não sente nenhuma limitação. O estresse pode ser físico ou emocional. Carregar um grande peso é um estresse físico, assim como a continuidade de um movimento ou atividade quando o músculo está cansado. Sentindo a dor da tensão, a pessoa para a atividade ou deixa de segurar o peso. Contudo, se não for possível remover o estresse, o músculo começará a ter espasmos. O estresse emocional é igual ao físico; os músculos estão carregados com uma sensação que não conseguem liberar. Contraem-se para manter ou conter a sensação exatamente como fazem para segurar um peso, e, se a sensação persistir por muito tempo, o músculo começará a ter espasmos porque não consegue se livrar da tensão.

Qualquer emoção que não possa ser liberada é um estresse para os músculos. Isso porque a emoção é uma carga que faz pressão para fora, tentando se liberar. Alguns exemplos ilustram melhor essa ideia. Sentimentos de tristeza ou dor são liberados por meio do choro. Se esse choro for reprimido por causa da proibição dos pais ou por qualquer outra razão, os músculos — da boca, da garganta, do peito e do abdome —, que em geral reagem no choro, tornam-se tensos. Se o sentimento que não pode ser liberado é o de raiva, os músculos das costas e dos ombros tornam-se tensos. Impulsos de morder, quando inibidos, geram tensão nas mandíbulas, assim como chutes reprimidos causam tensão nas pernas. A relação entre tensão muscular e inibição é tão exata que se pode dizer que impulsos ou sentimentos estão sendo inibidos numa pessoa estudando suas tensões musculares.

No que se refere ao músculo, há pouca diferença entre uma tensão externa ou interna. Ambas atingem a musculatura. As tensões físicas em geral duram menos que as emocionais, que costumam persistir, tornando-se inconscientes.

Quando um músculo entra em espasmos, contrai-se e se mantém contraído até que o estresse seja removido. Uma câimbra na perna, por exemplo, é um bom exemplo disso. Para nos livrarmos da câimbra é preciso mudar de posição e movimentar o músculo que está doendo. Uma câimbra, contudo, é uma tensão extremamente aguda que não permite alternativa. As tensões que surgem com as inibições são tensões crônicas que se desenvolvem lentamente, por meio de experiências repetidas e tão traiçoeiramente que a pessoa quase não tem consciência da tensão. Mesmo estando consciente dela, não sabe como liberá-la. É obrigada a viver com ela, e a única forma de viver com uma tensão é não prestar a menor atenção a ela.

O músculo relaxado é um músculo carregado de energia. É como um revólver carregado e pronto para disparar. O gatilho que descarrega o músculo é um impulso do seu nervo efetor. A descarga do músculo provoca uma contração, que é traduzida em movimento. O músculo contraído não pode se mexer até estar recarregado com energia. Essa energia é levada ao músculo em forma de oxigênio e açúcar. Sem o fornecimento de uma energia suplementar, é impossível liberar músculos contraídos. O fator importante nesse processo é o oxigênio, uma vez que sem oxigênio suficiente o processo metabólico no músculo é interrompido. Esse fato assinala a importância da respiração no relaxamento e na liberação da repressão. Quando se consegue tornar mais profunda a respiração de um paciente, seus músculos tensos começam a vibrar espontaneamente à medida que vão sendo carregados com energia.

Em alguns pacientes, as vibrações podem surgir como movimentos expressivos espontâneos à medida que o próprio corpo libera seus impulsos reprimidos. Em geral, os movimentos começam de forma consciente e os impulsos reprimidos são evocados quando os movimentos adquirem uma qualidade plena. O paciente pode começar chutando o colchão como exercício, mas, à medida que suas pernas entram nesse movimento, este toma todo o corpo, produzindo uma descarga emocional. Músculos tensos só podem ser liberados por meio de movimentos expressivos, isto é, aqueles nos quais a atividade expressa sentimentos reprimidos. Enquanto um movimento for feito mecanicamente, os impulsos reprimidos são mantidos e não se consegue nenhuma liberação de tensão.

Qual é o papel da análise na terapia bioenergética? Neste capítulo, estamos enfatizando o aspecto físico dessa abordagem, o que pode dar a impressão de que a compreensão analítica do caráter tem papel secundário. Isso, evidentemente, não é verdade. É tão importante que o paciente conheça as origens de seus conflitos quanto que alcance uma autopercepção por meio das suas atividades corporais. As duas abordagens devem estar sintonizadas para que a terapia seja eficaz. Todas as modalidades de psicoterapia e psicanálise são utilizadas na terapia bioenergética para aumentar a autocompreensão e a autoexpressão. Elas incluem a interpretação de sonhos e o trabalho por meio de uma situação de transferência. Ao contrário de outras formas de terapia, contudo, o trabalho corporal é a base sobre a qual as funções do ego de autocompreensão e autopercepção são construídas.

O conceito básico da bioenergética é que cada padrão de tensão muscular crônica deve ser tratado em três níveis: 1) sua história ou origem na situação pós-nascimento ou infantil; 2) seu significado atual em termos do caráter do indivíduo; e 3) seu efeito no funcionamento do corpo. Só com essa visão completa sobre o fenômeno da tensão muscular podemos mudar a personalidade com um efeito duradouro. O que leva a diversas propostas importantes:

1. Todo grupo de músculos com tensão crônica representa um conflito emocional não resolvido e provavelmente reprimido. A tensão resulta de um impulso à procura de expressão, mas que é restringido em virtude do medo. A tensão na mandíbula pode representar o conflito entre o impulso de morder e o medo de que essa ação traga medidas punitivas por parte dos pais. A mesma tensão pode estar relacionada com um impulso para chorar e o medo de que provoque a raiva ou a rejeição dos progenitores. As tensões têm múltiplas determinações, uma vez que o corpo inteiro está envolvido em toda expressão emocional. O que significa que cada tensão deve ser trabalhada em todos os movimentos dos quais os músculos tensos participam. Se possível, o conflito específico, ligado ao

Prazer

grupo muscular tenso, deve se tornar consciente, no que se refere tanto ao impulso que contém como ao medo que representa.

2. Todo músculo cronicamente contraído representa uma atitude negativa. Uma vez que está bloqueando a expressão de um impulso, na verdade está dizendo: "Não, não quero". Sem perceber o impulso e a tensão que o bloqueia, tudo que o indivíduo pode sentir é "não consigo". E, sem essa consciência, não consegue mover a parte do corpo controlada pelo músculo. O "eu não consigo" se transforma em "eu não quero" quando a pessoa passa a perceber o conteúdo da tensão. Ao expressar sua atitude negativa conscientemente, liberta o músculo da necessidade de inconscientemente bloquear o impulso, e por meio desse processo tem a possibilidade de exprimi-lo ou reter sua expressão. Por exemplo, muitos pacientes sentem-se inibidos para chorar e *não conseguem* se deixar ficar tristes. Peço a eles então que batam com os punhos no colchão, como foi descrito na seção anterior, e digam: "Não vou chorar". É surpreendente como tantas vezes isso imediatamente leva ao choro convulsivo.

A atitude negativa generalizada expressa na ação contida dos músculos tensos se estende e inclui o terapeuta e a situação terapêutica. É acobertada por uma fachada de bons modos e cooperação. É possível atravessar essa fachada pela cuidadosa análise da transferência ou sermos mais rápidos fazendo que a manifestação da expressão da negatividade transforme-se na palavra de ordem da terapia. Todo paciente em terapia bioenergética deve confrontar sua negatividade dissimulada trabalhando com a expressão de hostilidade e negatividade tanto física como oralmente.

3. O aspecto biológico da tensão muscular é sua relação com a capacidade de sentir prazer. A tensão total da morte, manifesta na condição da rigidez cadavérica, é a ausência total de qualquer capacidade de sentir prazer ou dor. Dependendo do grau com que a tensão crônica imobiliza o corpo, a capacidade de prazer será limitada. Esse conhecimento pode criar motivação para a tarefa, muitas vezes dolorosa, de liberar essas tensões. Sem esse conhecimento e sem a compreensão da dinâmica bioenergética da respiração, sem os movimentos e as sensações, fica-se impotente para recuperar a alegria de viver. No desespero, podemos desenvolver a ilusão de que o sucesso e o poder são capazes de transformar uma existência sem alegria numa vida prazerosa.

53

3. A biologia do prazer

EXCITAÇÃO E LUMINESCÊNCIA

No primeiro capítulo, fiz algumas observações sobre a natureza do prazer do ponto de vista psicológico. Em seguida, discutimos a respiração, os movimentos e as sensações e analisamos sua importância para sentir o prazer de estar cheio de vida. Neste capítulo, voltarei ao fenômeno do prazer para examiná-lo como um processo biológico.

Todos sabem que o prazer é resultado da satisfação das necessidades. Comer quando se tem fome e dormir quando se tem sono são experiências de prazer que ilustram esse princípio. A necessidade cria um estado de tensão que, quando é descarregada por meio da satisfação dessa necessidade, produz uma sensação de prazer em forma de alívio. Essa visão do prazer foi aceita por Freud. Contudo, limitar o conceito à descarga de tensão ou à satisfação das necessidades, apesar de ser obviamente aceitável, é muito limitado para se referir a todo o comportamento humano.

As pessoas, na verdade, gostam de certa quantidade e de certo tipo de tensão. Sentem prazer em contextos desafiadores, como esportes competitivos, porque a tensão aumenta a quantidade de excitação. A criação da excitação em si mesma gera prazer quando associada com a perspectiva de liberação. No sexo, esse aumento da excitação é chamado de prazer preliminar — em contraste com o prazer final, ou satisfação da liberação, ou orgasmo. Contudo, quando falta uma perspectiva de liberação ou a satisfação é adiada indevidamente, o desejo e a necessidade tornam-se estados dolorosos. Assim, tanto a necessidade como a satisfação são aspectos da experiência do prazer na ausência de conflitos e de distúrbios.

Uma vez que as necessidades do organismo encontram-se relacionadas com a manutenção de sua integridade, associa-se o prazer à sensação de bem--estar que surge quando essa integridade é garantida. Em sua forma mais simples, o prazer reflete a operação saudável dos processos vitais do corpo.

Prazer

Leslie Stephen ressalta esse mesmo aspecto quando diz: "Devemos supor, então, que o prazer e a dor são correlatos de certos estados que podem ser, de modo superficial, considerados o trabalho suave e correto da maquinaria física; e, dados esses estados, as sensações devem sempre estar presentes". Não há estado neutro. A pessoa sente-se bem ou mal, de acordo com o estado do funcionamento de seu físico. Se suas sensações forem suprimidas, tornar-se-á deprimida. Assim, define-se prazer como a sensação oriunda do funcionamento suave do processo contínuo da vida.

O contínuo processo da vida, contudo, é mais do que mera sobrevivência; isto é, mais do que a manutenção da integridade física do organismo. Encontramos a capacidade de sobrevivência em muitos indivíduos emocionalmente perturbados que se queixam de não sentir prazer em viver. Nesses casos, os processos da vida deixaram de ser contínuos. Prazer e sobrevivência não são idênticos. A vida não procura um equilíbrio estático, pois isso significa a morte; ela abrange os fenômenos de crescimento e criatividade. É por esse motivo que a novidade constitui um elemento essencial no prazer. A repetição de experiências idênticas é entediante — tanto que utilizamos a expressão "mortalmente chato" para indicar como a falta de excitação representa a negação da vida.

Biologicamente, o prazer encontra-se intimamente ligado ao fenômeno do crescimento, expressão fundamental do processo contínuo da vida. Crescemos ao incorporarmos o ambiente no nosso corpo, tanto física como psicologicamente. Esse processo implica expansão para fora, consumo de ar, de alimento e de impressões. Desfrutamos da expansão e do desenvolvimento de nosso ser, isto é, do aumento de nossa força, do desenvolvimento da coordenação motora e de habilidades, do aprimoramento das relações sociais e do enriquecimento da vida como um todo. A pessoa saudável tem apetite para viver, aprender e assimilar novas experiências.

A relação entre prazer e crescimento explica por que a juventude, que constitui um ativo período de crescimento físico e mental, encontra-se mais próxima do prazer do que a idade mais avançada. Explica também por que os prazeres das pessoas mais velhas têm uma conotação mais intelectual, uma vez que esse aspecto de sua personalidade ainda é capaz de crescer. Os jovens, como todos sabem, têm maior capacidade de excitamento do que as pessoas mais velhas.

O segredo do prazer está escondido no fenômeno da excitação. É inerente ao organismo vivo a capacidade de manter e aumentar seu nível de excitação, o que não significa a mudança da inércia para a responsividade, tal como se verifica com a máquina cujo motor ou corrente elétrica são acionados. Há uma excitação contínua no organismo vivo que aumenta ou diminui em reação aos estímulos procedentes do ambiente. Em linhas gerais, o aumento da excitação traz prazer; sua diminuição, tédio e depressão.

Os fenômenos da excitação também se verificam em elementos não vivos. Em física, diz-se que um elétron fica excitado quando se move para uma órbita mais exterior. Encontra-se, assim, num estado "mais excitado". O elétron muda de posição ao capturar um fóton, uma partícula de energia de luz. E, quando libera essa energia, novamente em forma de luz, retorna à sua órbita anterior, num estado menos excitado. A luminescência da atmosfera terrestre é outro exemplo de um processo de excitação na natureza. Quando o sol se levanta sobre o horizonte, sua energia bombardeia os gases que envolvem nosso planeta. Essa energia é absorvida pelos elétrons dos átomos da atmosfera, que ficam excitados e emitem luz. O fato de o espaço ser escuro mostra que a luz diurna é um processo de excitação em nossa atmosfera, produzido pela energia do sol. A luminosidade de uma lâmpada elétrica pode ser vista como consequência do mesmo processo. Quando a corrente elétrica passa por seus filamentos, excita os elétrons presentes ali, fazendo que forneçam luz.

A luminosidade também é um aspecto da excitação de organismos vivos. Brilhamos de prazer, resplandecemos de alegria e ficamos radiantes no êxtase. O brilho de uma pessoa viva é mais claramente observado na cintilação de seus olhos. Mas também poderá se manifestar numa compleição luminosa. Lembro-me da observação feita por meu filho quando minha mulher comentou que ele não estava sorrindo quando tiraram sua foto na escola. "Mas, mãe", ele disse, "meus olhos estão brilhando como diamantes." No prazer intenso de um orgasmo completo, desenvolve-se no corpo um sensação que é percebida como luminosidade. A radiância do indivíduo apaixonado é expressão direta de sua alegria.

A luminosidade do corpo humano não é apenas uma metáfora. Ele se encontra envolto por um "campo de força", chamado de aura ou energia. Esse fenômeno foi observado e comentado por vários autores, entre eles Paracelso, Mesmer, Kilner e Reich. A seu respeito, meu colaborador, o dr. John C. Pierrakos, elaborou um estudo especial. Esse campo (ou aura) pode ser visto a olho nu em certas condições. Aparece nas pinturas do início da Renascença na forma de uma auréola ao redor da cabeça dos santos.

Prazer

A importância desse campo para a nossa discussão reside no fato de ele revelar o nível de excitação do corpo. Como a excitação interna cresce com as sensações agradáveis, a cor desse campo torna-se mais intensamente azul e sua largura aumenta. Verifica-se uma depressão em todo o campo em estados de dor, provavelmente causada pela ação do sistema simpático adrenal ao desviar o sangue da superfície do corpo. O campo também tem pulsação, isto é, aparece e desaparece de 15 a 25 vezes por minuto em condições normais. A velocidade da pulsação, assim como a cor do campo, está ligada ao grau de excitação do corpo. Quando este entra em movimentos vibratórios involuntários resultantes de uma respiração mais profunda e de mais sensações, o ritmo da pulsação pode atingir a cadência de 40 a 50 vezes por minuto; ao mesmo tempo, a largura do campo aumenta e sua cor torna-se mais brilhante.

A excitação de um organismo vivo difere da excitação de uma natureza sem vida, geralmente porque está contida num sistema fechado. O corpo encontra-se envolvido pela pele, que funciona tanto como proteção a estímulos externos muito grandes quanto como envoltório para conter as cargas internas. O organismo vivo é capaz não só de manter seu nível de excitação acima do nível do ambiente, mas também de aumentar esse nível à custa do próprio ambiente. A vida se desenvolve contra a segunda lei da termodinâmica, a lei da entropia. A evolução e o crescimento de cada indivíduo são testemunhos do fato de a vida ser um processo contínuo em direção a uma organização maior e a mais energia.

Os indivíduos variam no que se refere à sua capacidade de se excitar e de conter a excitação. Algumas pessoas são mal-humoradas, muito sérias e reprimidas. Parece que nada consegue excitá-las. Outras são superexcitáveis, tensas, irrequietas e hiperativas. Não conseguem conter a excitação e se deixam levar por todos os impulsos. Essas diferenças podem estar ligadas a padrões de tensão muscular do corpo que determinam a estrutura do caráter dos indivíduos. Essa tese é mais bem elaborada e examinada em meu livro *O corpo em terapia*.[8]

Por constituir um sistema fechado que contém cargas internas ou excitação, o corpo vivo tem uma mobilidade que lhe é inerente. Está em movimento constante, dormindo ou acordado. O coração pulsa, o sangue flui, os pulmões se dilatam e se contraem, a digestão ocorre continuamente e assim por diante. Move-se com independência através do espaço. Em outras palavras, vive. Quando perde a mobilidade inerente, está morto.

Nos organismos mais desenvolvidos, sobretudo no homem, os movimentos do corpo são divididos em duas classes: os voluntários, efetuados conscientemente e dirigidos pelo ego; e os involuntários, que podem ou não ser percebidos pela pessoa. Entretanto, a distinção entre esses dois tipos não se encontra muito definida. Todos os movimentos voluntários são sobrepostos aos movimentos involuntários subjacentes. A decisão de andar, por exemplo, é tomada conscientemente; já os movimentos específicos que acontecem ao andar são em grande parte involuntários e inconscientes. Se nossas reações a estímulos ou a situações contêm um grande componente inconsciente ou involuntário, dizemos que são espontâneas. Um alto grau de mobilidade e de espontaneidade caracteriza a pessoa saudável. Tanto a mobilidade como a espontaneidade são menores em estados depressivos.

Essas considerações mostram a relação direta entre o processo contínuo da vida e o prazer. Vida (processo energético) → excitação → movimento → prazer. Essas relações são mais visíveis na criança que pula de alegria quando está excitada. Num estado de excitação, não conseguimos ficar parados. Sentimos vontade de dançar, correr ou cantar. A experiência de se sentir movido por dentro, ao contrário da ação deliberada para se mover, é a base de toda sensação.

O ESPECTRO PRAZER-DOR

As sensações de prazer ou de dor refletem a qualidade dos movimentos involuntários do corpo. Estes, por sua vez, expressam o tipo e o grau da excitação interna. Há estados dolorosos de excitação, assim como estados agradáveis. Cada um deles é manifestado por certos movimentos involuntários que permitem ao observador distingui-los.

Subjetivamente, o que se sente no prazer ou na dor é a qualidade da mobilidade do corpo. É isso que queremos dizer quando falamos do trabalho tranquilo ou perturbado da maquinaria corporal. A hipótese subjacente nesse conceito é que só se pode sentir o que se movimenta. A sensação é a percepção sensorial de um movimento interno.

A análise dos movimentos subjacentes nas diversas sensações no espectro prazer-dor torna mais claros esses conceitos. Esse espectro é apresentado a seguir. Vai da agonia como o extremo da dor ao êxtase como o extremo do prazer. O ponto central do espectro, "sensações boas", representa o estado normal do funcionamento corporal.

AGONIA — DOR — AFLIÇÃO — SENSAÇÕES BOAS — PRAZER — ALEGRIA — ÊXTASE

a) A agonia define uma situação dolorosa que está além do tolerável pelo organismo. Na agonia, o corpo se contorce numa série de movimentos convulsivos. A agonia da morte é uma convulsão.

b) A dor, ao contrário da agonia, implica que a perturbação não tenha excedido a tolerância do corpo. Na agonia, a integridade do organismo está sendo posta em risco, enquanto na dor está só ameaçada. A dor é expressa por movimentos espasmódicos e contorções menos convulsivos do que os da agonia. Portanto, a diferença é apenas de intensidade.

c) A aflição é uma forma suave da agitação da dor. O corpo se mexe ou se torce, mas seus movimentos não são tão espasmódicos como nas condições descritas antes.

d) As "sensações boas" representam um estado de conforto e relaxamento no corpo manifestado por movimentos calmos e harmoniosos. Esse é o estado básico de prazer expresso na frase: "Estou me sentindo bem".

e) À medida que a excitação cresce em direção ao prazer no espectro, os movimentos do corpo se tornam mais intensos e rápidos, conservando, contudo, a coordenação e o ritmo. No prazer a pessoa se sente leve, vibrante e animada; os olhos brilham e a pele fica quente. Pode-se dizer que o corpo ronrona de prazer.

f) A alegria apresenta um aumento agradável da excitação, como se o corpo dançasse. Seus movimentos são vivos e graciosos.

g) No êxtase, a forma mais intensa de excitamento agradável, as correntes no corpo são tão fortes que a pessoa fica "acesa" como uma estrela. Sente-se transportada (da terra para o cosmo). O êxtase é sentido no orgasmo sexual completo, no qual os movimentos também apresentam um caráter convulsivo, mas são unificados e rítmicos.

A diferença entre os movimentos dos dois lados do espectro é a presença ou ausência de coordenação e ritmo. Em todos os estados dolorosos, os movimentos do corpo são descoordenados e espasmódicos; no prazer, mostram-se suaves e rítmicos. O movimento é a linguagem do corpo. Pela qualidade de movimento de uma pessoa pode-se determinar seus sentimentos. As mães conseguem saber, olhando a expressão e o movimento do corpo do bebê, se ele se encontra num estado desconfortável ou se, ao contrário, está confortável e vivenciando prazer. A razão lógica das diferenças apontadas anteriormente reside no fato de que lutamos para afastar a dor ao passo que fluímos para o prazer. Com base nessa análise, é óbvio que não se pode definir o prazer como ausência de dor. Embora seja verdade que o alívio da dor costuma produzir uma sensação de prazer, este surge apenas como uma de suas consequências. A dor faz que a pessoa fique consciente de seu corpo; e por certo tempo, depois que ela passa, continuamos conscientes do prazer de estarmos vivos. Tão logo a dor seja esquecida, o prazer de aliviá-la desaparece. Com as pressões do ego no sentido de alcançarmos sucesso e *status*, rapidamente perdemos consciência do corpo. Este é atrelado à vontade, e sua mobilidade e espontaneidade se reduzem. Infelizmente, nossa experiência habitual demonstra, como Samuel Johnson exprimiu, que "a vida é uma progressão de desejo a desejo, não de satisfação a satisfação".

Faz mais sentido definir dor em termos de prazer do que o contrário. O prazer, na forma de uma sensação agradável, é o estado básico de um corpo sadio. A dor denota alguma perturbação em tal estado. Portanto, representa a perda do prazer, assim como a doença é a perda da saúde. Psicologicamente, sentimos dor como perda de prazer quando dizemos: "Senti dor porque você me rejeitou". Por outro lado, quando a relação não contém uma promessa de prazer, sua interrupção não é sentida como algo doloroso.

Não há estado neutro na natureza nem condição neutra no organismo que corresponda à ausência de prazer ou de dor. A ausência de sensações é algo patológico. Essa condição, que não é rara, mostra que as sensações foram reprimidas. A repressão de sensações é produzida por tensões musculares crônicas que restringem e limitam a mobilidade do corpo — e, por conseguinte, as sensações. Na ausência de movimentos, não há nada para sentir.

A rigidez física e caracterológica resultante de tensões musculares crônicas surge da necessidade de suprimir sensações dolorosas. Obviamente, ninguém pretende suprimir sensações agradáveis. Quando as tensões musculares crônicas são liberadas durante a terapia bioenergética, espera-se que lembranças e sensações dolorosas venham à consciência. A capacidade de cada paciente de aceitar e tolerar tais sensações dolorosas determinará sua capacidade de vivenciar o prazer. Assim, o dito popular "Não existe prazer sem dor" passa a significar que a capacidade de vivenciar o prazer está relacionada com a capacidade de sentir dor em situações perturbadoras.

A REGULAÇÃO NERVOSA DA RESPOSTA

O organismo humano dispõe de dois sistemas nervosos para integrar e regular suas reações. Um deles, o sistema cerebrospinal, coordena a ação dos músculos voluntários e a energia dos nervos proprioceptivos e exteroceptivos. Regula também a tonicidade muscular e mantém a postura. Em níveis diferentes para cada pessoa, os movimentos regulados por ele encontram-se sob controle consciente. Por exemplo, alguns indivíduos conseguem voluntariamente mexer as orelhas; outros conseguem contrair os bíceps. Os músculos controlados por esse sistema são os estriados ou esqueléticos.

O outro é o sistema nervoso vegetativo ou autônomo, que regula processos corporais básicos, como respiração, circulação, pulsação cardíaca, digestão, excreção, atividade glandular e reações das pupilas. Os músculos acionados por ele são chamados de lisos porque não têm a característica estriada dos músculos esqueléticos, que são maiores. Sua ação não está sob controle voluntário, daí a expressão "sistema autônomo". É composto por duas subdivisões, conhecidas como sistemas simpático e parassimpático, que agem antagonicamente. Por exemplo, os nervos simpáticos aceleram as batidas do coração, enquanto os parassimpáticos desaceleram-nas.

Em *A função do orgasmo*, Wilhelm Reich ressalta que "o parassimpático (*vagus*) sempre funciona quando há expansão, dilatação, hiperemia, tensão e prazer. Inversamente, os nervos simpáticos funcionam sempre que o organismo se contrai, que o sangue foge da periferia e aparecem a palidez, a angústia e a dor".[9] A identidade da enervação parassimpática com as sensações de prazer é evidente. No prazer, o corpo se expande, os tecidos superficiais são carregados de sangue e fluidos e as pupilas se contraem para obter mais foco. O sistema simpático, com a enervação das glândulas adrenais, mobiliza o corpo para enfrentar as emergências criadas pela dor ou pela ameaça de perigo. Prepara o organismo para lutar ou fugir; nesse processo, os sentidos são alertados (as pupilas se dilatam), o músculo do coração é estimulado, a pressão sanguínea aumenta e o consumo de oxigênio se eleva.

Os dois sistemas produzem efeitos opostos na direção do fluxo sanguíneo. A ação parassimpática dilata as arteríolas periféricas, aumentando o fluxo sanguíneo em direção à superfície, tornando-a mais quente. O coração desacelera, entrando num ritmo relaxado e cômodo. A ação simpática contrai as arteríolas superficiais, conduzindo o sangue para o interior do corpo, provendo os órgãos vitais e a musculatura de mais oxigenação. Dessa forma, a ação parassimpática promove a expansão do organismo, levando-o em direção ao ambiente, isto é, promove uma reação agradável. Já a ação simpática produz contração e recolhimento, ou seja, uma reação à dor.

Toda situação dolorosa é uma emergência que faz que a pessoa reaja por meio do sistema simpático adrenal com um aumento do seu estado de tensão e da consciência do ambiente. Essa tensão resulta do estado de hipertonicidade nos músculos que se preparam para agir. Difere da tensão muscular crônica descrita nos itens anteriores, que é inconsciente e representa a persistência do estado de alerta oriundo de uma situação de emergência anterior. O aumento da consciência envolve uma participação ativa da vontade. Numa emergência o indivíduo não age espontaneamente; toda ação é um movimento calculado, destinado a eliminar o perigo.

A vontade é um mecanismo de emergência, ativado sempre que um esforço acima do normal é exigido para enfrentar uma crise. Por exemplo, é preciso vontade para atacar uma posição inimiga na guerra, já que a reação natural seria escapar se fosse possível. Da mesma maneira, requer-se a ação da vontade para persistir numa atividade dolorosa, já que a tendência natural é abandoná-la. A vontade exerce a função de sobrevivência diante do que parece ser uma grande dificuldade. Quando se ativa a vontade, a musculatura voluntária do corpo se mobiliza, assim como os cidadãos de uma nação se mobilizam em tempos de guerra. O comportamento normal é suspenso para que o ego consciente possa ter o domínio total. Durante uma emergência, não se tem tempo nem propensão para o prazer. Os movimentos involuntários rítmicos e harmônicos que traduzem prazer devem dar lugar a movimentos controlados que expressam determinação. A diferença pode ser ilustrada pelo cavaleiro que aproveita a cavalgada, permitindo que seu cavalo se movimente livremente. Diante de uma emergência, o cavaleiro passa a controlar inteiramente o animal, que então pode ser levado para além de seus limites naturais; nessa situação o prazer de cavalgar desaparece, tanto para o cavalo como para o cavaleiro.

A vontade é a antítese do prazer. Seu uso implica que a pessoa está numa situação dolorosa que requer a mobilização de todos os recursos de seu organismo. Quando a vontade é empregada até mesmo para alcançar um

Prazer

objetivo menor, o corpo reage como se estivesse num estado de emergência; o sistema simpático adrenal é estimulado para fornecer a energia extra ao esforço. Se o objetivo é imperativo, a sensação de emergência aumenta no corpo: mais adrenalina é secretada, a tensão muscular cresce e mais sangue é retirado da superfície do organismo. O objetivo pode ser físico, como levantar um peso, ou psicológico, como escrever um artigo dentro de certo prazo, mas cria um estado de tensão que se situa no lado da dor do espectro. A imagem familiar de um repórter diante do computador, tenso, nervoso, frustrado, fumando um cigarro após o outro, mostra a intensidade da tensão física imposta por um objetivo psicológico.

Pela própria natureza, todo objetivo cria uma situação de emergência, uma vez que não teria sentido se não significasse um desafio e exigisse esforço. A formulação de objetivos também é uma função do processo criativo. Logo que a inspiração se cristaliza num conceito, o objetivo é formulado, isto é, estabelece-se a maneira adequada de expressar o conceito. A formulação de objetivos também faz parte do princípio de realidade, que, à égide do ego, modifica o princípio do prazer. O princípio de realidade estabelece que um indivíduo adiará um prazer imediato ou tolerará uma dor para ter um prazer maior no futuro. Na verdade, o princípio de realidade é uma formulação diferente do processo criativo. Ambos visam a um prazer maior e um deleite mais intenso da vida como consequência do esforço despendido para atingir a meta. Se, contudo, perde-se de vista esse objetivo, a meta se torna sem sentido.

Para um grande número de pessoas, a realização de metas torna-se um critério de vida. Logo que um objetivo é alcançado, propõe-se outro. Cada realização provoca uma satisfação momentânea que logo desaparece, exigindo portanto uma nova meta: um novo carro, uma casa melhor, mais prestígio, mais dinheiro e assim por diante. Nossa cultura é obcecada pelas realizações. Lutando constantemente para atingir objetivos, vivendo continuamente num estado de emergência, as pessoas acabam tendo pressão alta, úlceras, tensões e ansiedade. Orgulhamo-nos do nosso vigor, esquecendo que cada ímpeto exige a ativação do sistema simpático adrenal.

Nem todo objetivo requer um adiamento do prazer. Já vimos que um estado de tensão pode ser agradável se trouxer a perspectiva de sua liberação e a realização do desejo ou da necessidade subjacentes. A própria antecipação do prazer é uma experiência agradável. Nessa condição, os esforços tornam-se fáceis e relaxados. A atividade se processa suavemente e os movimentos do corpo mantêm um alto grau de coordenação e ritmo. É gostoso fazer um trabalho desse tipo. Porém, apenas se pode trabalhar dessa forma quando não há desespero, quando a atividade é tão importante quanto seus resultados e quando os fins não dominam os meios. Não vivemos para produzir, produzimos para viver. A preocupação com objetivos e realizações é a principal característica das pessoas que têm medo do prazer.

O MEDO DO PRAZER

Parece uma contradição falar em medo do prazer. Como podemos ter medo de uma coisa benéfica e desejável? Entretanto, muitas pessoas evitam o prazer; algumas desenvolvem uma ansiedade aguda em situações prazerosas; outras chegam a sentir dor quando a excitação do prazer se torna muito intensa. Quando apresentei as ideias deste livro numa conferência, alguém perguntou: "Como você explicaria a frase 'É tão bom que dói'?" Essa pergunta me lembrou da observação de um paciente: "Dói gostoso". É bem conhecido o fato de que algumas pessoas sentem prazer na dor. Essa aparente reação masoquista requer algumas explicações.

Consideremos a situação de alguém que descobre que seu corpo "dormiu" por ter permanecido muito tempo numa mesma posição. Estirar os músculos com câimbra é doloroso; entretanto, ao fazer isso, o indivíduo restaura a circulação e se sente bem. Outro exemplo é o da pessoa que espreme um furúnculo maduro. É claro que dói, mas quando o carnegão sai com todo o pus não há mais pressão e a sensação é de alívio e satisfação. Nesses dois casos o prazer é resultado da liberação de tensão, que não poderia ser conseguida se não passasse pela dor. Quase toda consulta ao médico ou ao dentista traz certa dor, a qual é aceita voluntariamente para que possamos nos sentir melhor depois. Suportar dor no interesse do prazer é parte do princípio de realidade. Não é uma atitude masoquista. Estamos à procura do prazer, não da dor.

O masoquista sexual que sente prazer ao ser golpeado é igualmente motivado. Precisa da dor para liberar a pressão. Seu corpo encontra-se tão contraído e os músculos das nádegas e da pelve, tão tensos que a excitação sexual não alcança os órgãos genitais com força suficiente. Os golpes, além de seus significados psicológicos, eliminam as tensões e relaxam os músculos, permitindo que a excitação sexual flua. Reich, ao estudar o masoquismo, mostrou que o masoquista não está interessado na dor *per se*, mas busca o prazer que se torna disponível por meio da dor.

O que diferencia o masoquista da pessoa normal é a sua constante necessidade de dor para sentir prazer. Ele provoca repetidamente as mesmas situações dolorosas no desespero para obter prazer. Parece não aprender com a experiência. Sua abordagem não é criativa.

O comportamento masoquista é motivado mais pelo desejo de aprovação do que pelo desejo de prazer. A aprovação exige submissão, que para o masoquista é um pré-requisito do prazer. A atitude submissa, subjacente à personalidade masoquista, corrói qualquer atividade criativa. Por outro lado, a submissão o força a ter um comportamento provocativo que acarretará o castigo. Se a culpa e o medo profundamente enraizados em sua personalidade não forem resolvidos, o masoquista permanecerá constantemente no mesmo círculo vicioso, sempre procurando a dor para obter um pouco de prazer, mas terminando toda vez com mais dor do que prazer.

É importante notar que os traumas não são sempre imediatamente reconhecidos como dolorosos. Muitas vezes o corte de uma faca afiada não é sentido antes que se passe algum tempo, quando, então, surge uma dor repentina, acompanhada de sensações na área machucada. O corte da faca provoca um choque localizado, deixando a parte traumatizada momentaneamente anestesiada. O mesmo se dá com os traumas psicológicos. Um insulto muitas vezes não é percebido no momento em que é recebido. A dor do insulto parece nos abater mais tarde, quando então reagimos com uma explosão de raiva. Talvez o insulto nos tenha pegado desprevenidos e despreparados para reagir. Mas essa interpretação não explica o atraso da reação ao corte da faca.

A dor, como qualquer outra sensação, é a percepção de um movimento. Ao contrário do prazer, em que o movimento é suave e rítmico, o movimento que nos faz perceber a dor é intermitente e espasmódico. Um corte é doloroso até que sejam estabelecidos novos canais que permitam ao sangue fluir livremente por meio da área atingida. Então, a dor desaparece. O insulto é doloroso porque provoca a raiva que não pode ser expressa de imediato. A liberação da raiva aplaca a dor. Até que o fluxo normal de sensações seja restaurado, existe uma situação de pressão (uma força ou energia em movimento se acumula atrás de um obstáculo), e essa pressão ou tensão é percebida como dor.

O melhor exemplo desse conceito de dor é o estado de enregelamento. O trauma do congelamento não costuma provocar dor, mas a recuperação é muito dolorosa. A pessoa enregelada pode não perceber seu estado até entrar num ambiente aquecido. A dor começa e se torna cada vez mais forte à medida que o sangue volta às extremidades congeladas. O congelamento de áreas do corpo frequentemente é usado como procedimento anestésico porque elimina sensações. Portanto, a dor do enregelamento é provocada pela pressão que surge quando os fluidos que levam energia ao corpo — sangue e linfa — tentam passar pelo local contraído das extremidades congeladas.

A dor é um aviso de problemas, um sinal de perigo. No caso do enregelamento, o processo de descongelamento deverá ser gradual a fim de que se evitem lesões permanentes nos tecidos. Se a pressão se tornar muito forte, as células congeladas e contraídas romperão, causando uma necrose na parte afetada. O tratamento do enregelamento requer uma elevação progressiva da temperatura a fim de evitar esse perigo. Mesmo obedecendo a esse procedimento, a pessoa poderá sentir dor e não há como evitá-la se se quiser restaurar a funcionalidade do organismo.

O medo do prazer é o medo da dor que inevitavelmente ocorre quando um impulso expansivo depara com uma área contraída e limitada do corpo. Reich descreveu o medo masoquista de prazer como o medo de explodir, se a excitação se tornar muito forte. Para compreender essa afirmação, devemos observar o indivíduo cujo corpo se encontra tenso e contraído num estado semelhante ao de enregelamento. Está congelado na imobilidade e falta-lhe espontaneidade. Numa situação de prazer, fica exposto ao calor proveniente do fluxo sanguíneo para a periferia do corpo por meio da ação dos nervos parassimpáticos. O corpo tentará se expandir e a expansão se tornará dolorosa ao encontrar a resistência dos músculos cronicamente espásticos. A sensação pode ser assustadora. O indivíduo sentirá como se fosse explodir ou "desmoronar". Sua tendência imediata será fugir da situação.

Se a pessoa conseguisse suportar a dor e permanecer nessa condição, permitindo que os movimentos de prazer fluíssem por meio de seu corpo, sentiria fisicamente um "desmoronamento". Começaria a tremer e todo o corpo vibraria. Sentiria estar perdendo o controle sobre ele. Seus movimentos começariam a ser desajeitados e seu autocontrole desapareceria. Quando isso acontece fora da terapia, as pessoas ficam tão nervosas que tendem a abandonar a situação.

Contudo, a tremedeira representa a ruptura das tensões musculares e sua contrapartida psicológica, as defesas do ego. É uma reação terapêutica, uma tentativa do corpo de se livrar da rigidez que limita sua mobilidade e inibe a expressão das sensações. É a manifestação da propriedade autocurativa do corpo. Se for estimulada, como acontece na terapia bioenergética (e puder avançar), acaba quase sempre em choro. O prazer extasiante na maior parte das vezes acarreta choro, pois elimina a rigidez do corpo. Exemplos dessa reação são numerosos. Muitas mulheres choram após uma experiência sexual agradável. Alguns se emocionam quando encontram velhos amigos ou parentes. É conhecida a expressão "estou tão feliz que poderia chorar". Como adultos, somos muito inibidos contra o choro. Nós o consideramos um sinal de fraqueza, feminilidade, infantilidade. Aquele que bloqueia o choro bloqueia o prazer. Não pode "se entregar" à tristeza e, assim, não consegue "se entregar" à alegria. Fica ansioso em situações prazerosas. Sua ansiedade decorre do desejo de se entregar e do medo da entrega. Esse conflito surge sempre que o prazer é suficientemente forte para ameaçar sua rigidez.

A descarga convulsiva do choro é o mecanismo primário de descarga de tensão no ser humano. Muitas crianças choram quando estão tristes e todas choram quando sentem dor. Em nível interpessoal ou psicológico, o choro é uma forma de chamar a mãe. Biologicamente, é uma reação ao estado de contração do corpo. Se observarmos um bebê num estado de dor ou desconforto, notaremos que seu corpo se torna tenso e rígido. Mas, em contraste com os adultos, seu corpo pequeno, vibrante e irrequieto não consegue manter essa rigidez. Primeiro suas mandíbulas começam a tremer, depois o queixo cai e logo todo o corpo fica convulsionado pelos soluços. As mães sabem que o choro do bebê é um sinal de desconforto e se apressam em eliminar a perturbação. O bebê, contudo, não chora apenas para chamar a mãe, pois muitas vezes continua a chorar depois que ela chega, até que a tensão seja descarregada.

A função do choro para reduzir tensões é estudada na prática psiquiátrica. Os pacientes invariavelmente declaram que se sentem melhor depois de chorar bastante. Alguns chegam a dizer: "Preciso chorar". Depois do choro, seu corpo se torna mais flexível, sua respiração, mais fácil e profunda, a cor da pele melhora e os olhos passam a brilhar. Constata-se a tensão abandonando o corpo à medida que se entrega ao choro. Quando o choro não provoca esse efeito, é porque o paciente encontra-se muito inibido para permitir que os movimentos involuntários se desenvolvam. Nesses casos, um toque solidário ou uma palavra de compreensão poderá eliminar a inibição, permitindo que ocorra uma descarga completa.

O medo do prazer é o medo da dor, não apenas da dor física que o prazer causa no corpo rígido e contraído, mas também da dor psicológica da perda, da frustração e da humilhação. No processo de amadurecimento, superamos as dores suprimindo as tristezas, os temores e a raiva. Restringimos nossa capacidade de amar, de nos alegrar e de sentir prazer. As sensações são suprimidas pelas tensões corporais na forma de espasmos musculares crônicos. Na verdade, reprimimos todas as sensações, o que contribui para a formação de uma tendência depressiva na personalidade. Entorpecemo-nos contra a dor, entorpecemo-nos contra o prazer.

Não recuperaremos a capacidade de ser alegres sem reexperimentarmos nossas tristezas. Não sentiremos prazer sem passarmos pelas dores do renascimento. Renascemos quando temos coragem para encarar os males da vida sem recorrer à ilusão. A dor engloba um duplo aspecto. Embora represente sinal de perigo e ameaça à integridade física, também significa a tentativa do corpo de reparar as consequências de um dano e recuperar a integridade do organismo.

Lembro-me da história que li sobre um cirurgião no Vietnã. Trabalhava num hospital na linha de frente, tratando dos feridos à medida que chegavam do campo de batalha. Os casos mais graves recebiam tratamento temporário antes de ser transportados para o hospital da base militar. Em dado momento, quando estava operando, um jovem soldado deitado na maca contorcia-se de dor aguardando sua vez.

"Por favor, doutor", gritou o soldado, "me dê um pouco de morfina. Não estou suportando a dor." O médico não atendeu seu pedido. Um repórter, observando essa cena, perguntou ao cirurgião por que ele não aliviava o sofrimento do soldado.

"Dor", disse o médico, "é a única coisa que mantém esses homens vivos." A morfina deprimiria o funcionamento vital do soldado, tornando sua morte inevitável.

Se tivermos medo da dor, teremos medo do prazer. O que não significa que devamos procurar a dor para termos prazer, como faz o masoquista. Incapaz de enfrentar a dor dentro de si mesmo, o masoquista a projeta em situações externas. Vale dizer que não devemos fugir da dor de nos encararmos honestamente se desejarmos ter alegria na vida.

4. Poder *versus* prazer

O INDIVÍDUO DE MASSA

A busca natural de prazer de um organismo costuma ser suspensa em apenas dois casos: no interesse da sobrevivência e em nome de um prazer maior. Em circunstâncias que ameaçam a vida do indivíduo, o prazer e a criatividade passam a ser irrelevantes. O mais importante é sobreviver. A pessoa suportará a dor e passará sem o prazer para continuar viva. Além disso, poderá adiar a gratificação imediata de uma necessidade ou de um desejo se isso levá-la a um prazer maior no futuro. Da mesma forma, tolerará certa dose de dor objetivando alcançar algo que prometa um prazer significativo. O processo criativo quase sempre envolve certa dor no esforço de atingir um objetivo que possa ser usufruído. Em nenhum desses casos o sacrifício do prazer pode ser considerado um ato destrutivo: o prazer continuará sendo o principal objeto do indivíduo.

Há uma condição, contudo, que acarreta um comportamento autodestrutivo. É o caso da aglomeração, ou, mais especificamente, da superpopulação. Sabe-se que, quando um grupo animal excede uma densidade ideal em termos de espaço, forças destrutivas são desencadeadas para reduzi-lo. Experiências têm demonstrado que uma população de ratos confinada em área limitada torna-se autodestrutiva quando sua densidade excede determinado número: desenvolvem-se padrões de comportamento neurótico; cria-se um desinteresse pela limpeza; as mães ratas abandonam ou exterminam suas crias e machos fortes atacam e matam os mais fracos.

A explicação para esse comportamento é que os animais perturbam-se pelo excessivo número de contatos que mantêm entre si em condições de superdensidade. Se, de um lado, são excitados e estimulados por esses contatos, de outro as descargas e a liberação de excitamento ficam limitadas. Por isso tornam-se tensos, nervosos e autodestrutivos.

A semelhança entre o comportamento neurótico dos ratos e o do homem moderno, que também vive em condições de aglomeração, não passou despercebida. Os psiquiatras, entretanto, hesitam em aceitar o simples fato da superpopulação como a causa das doenças emocionais observadas em consultório. Primeiro, porque essas doenças acometem também aqueles que não vivem em condições de aglomeração. Segundo, porque nem todas as pessoas em áreas intensamente povoadas tornam-se autodestrutivas. Terceiro, porque a maioria dos problemas emocionais foi definitivamente rastreada a partir de experiências infantis dentro da família. A semelhança entre os comportamentos, contudo, é tão surpreendente que não pode ser ignorada. Além disso, diversos estudos mostraram que a incidência de doenças emocionais é maior em áreas de baixa renda e de alta densidade populacional.

Eu sugeriria, como denominador comum de todos os padrões de comportamento neurótico, uma diminuição do senso de *self.* Essa diminuição implica a perda da sensação de identidade, a percepção reduzida da própria individualidade, o decréscimo da autoexpressão e uma capacidade menor para o prazer. As aglomerações certamente contribuem como predisposição para essa limitação da personalidade, enquanto a situação familiar age como causa efetiva. A família, como Wilhelm Reich ressaltou, é o agente operante da sociedade.

Apesar de não se conhecer a densidade ideal para a população humana, não se pode negar que estamos vivendo numa sociedade de massa e que seus membros apresentam, em certo grau, um comportamento autodestrutivo. Em vez de procurarem o prazer, que seria o padrão normal, são impulsionados a conseguir sucesso e ficam obcecados pela ideia de poder. Nem o impulso nem a obsessão proporcionam uma abordagem criativa da vida. São forças destrutivas dentro da personalidade.

Numa sociedade de massa, é o sucesso que distingue o indivíduo da multidão. Diz-se que a pessoa bem-sucedida está "realizada". O que ela realizou foi um nome para si mesma. Tendo alcançado essa distinção, supõe-se que seja capaz de descansar e aproveitar a vida enquanto o resto da multidão, os anônimos, continua sua luta pelo sucesso. O indivíduo bem-sucedido é invejado pela multidão, que vê em seu êxito uma aura de poder e imagina que por meio desse êxito todos os problemas desaparecerão — ou pelo menos serão significativamente reduzidos.

Racionalmente, sabemos que o êxito não tem propriedades mágicas. Contudo, emocionalmente somos mais ou menos envolvidos pelo sucesso de uma forma ou de outra: sucesso financeiro, político, esportivo, social e até matrimonial. Qualquer que seja a área em que decidamos nos empenhar, damos tamanha importância ao sucesso que frequentemente ele se torna o impulso dominante da nossa vida.

O que não deixa de ser compreensível, uma vez que pensar em termos de sucesso ou fracasso tornou-se natural em nossa cultura voltada para objetivos. Desde o momento em que entramos na escola, nossa vida pública é marcada pela contagem dos sucessos e dos fracassos. O progresso escolar é representado pelas sucessivas consecuções de metas, o que mais tarde se transforma em padrão para a vida adulta. Uma vez que os objetivos são inerentes aos planos (todo plano tem um objetivo), somos obrigados a seguir esse padrão, pois precisamos planejar nossas atividades na escala pessoal ou social. Não consigo imaginar o desaparecimento dessa necessidade numa sociedade complexa.

O problema que nos interessa aqui, entretanto, é a crescente tendência de o sucesso, por si só, tornar-se o objetivo supremo. Se, por exemplo, planejo escrever um livro, meu objetivo é que ele seja publicado. Quando essa meta é atingida, posso dizer que fui bem-sucedido. O que, aos olhos do público, não representa um sucesso. Mas se por acaso a obra se tornar um *best-seller*, então terei alcançado sucesso. Terei conseguido o reconhecimento que, de certa forma, é essencial à imagem do sucesso.

Pode-se dizer que a luta pelo sucesso é uma busca de reconhecimento? Há consideráveis evidências que corroboram esse ponto de vista. Em todo campo de esforços, as práticas e os procedimentos foram criados para fornecer a aprovação que o sucesso exige. No cinema existe o Oscar, no teatro nova-iorquino há o prêmio Tony. No beisebol, o *Hall of Fame*, no futebol, a Copa do Mundo. O homem de negócios bem-sucedido é homenageado em almoços e jantares, o artista, em recepções e inaugurações. Todas essas atividades recebem o máximo possível de publicidade, para intensificar a imagem do indivíduo bem-sucedido.

Quando essa imagem é apresentada ao público pelos meios de comunicação de massa, mostra o indivíduo bem-sucedido como uma pessoa feliz. Ele aparece rodeado por uma família sorridente, como se cada membro refletisse o brilho do seu sucesso. Não há nenhuma nuvem no horizonte de sua boa sorte. Essa imagem pode desvanecer mais tarde, quando seus problemas pessoais vierem a público, mas, quando isso acontecer, outros indivíduos bem-sucedidos já estarão sendo apresentados ao público para dar um novo brilho à imagem do sucesso. O público parece ter necessidade de personalidades para admirar, e os meios de comunicação suprem essa necessidade. A pessoa bem-sucedida é o "herói da era tecnológica".

Os heróis não são novidade. Toda época produz sua quota de indivíduos que se distinguem dos outros membros de sua comunidade por alguma realização. Seu reconhecimento serve como inspiração para que os outros sigam o seu exemplo. A imagem do herói é a do indivíduo que incorpora uma virtude no seu mais alto grau. Essa virtude pode ser coragem, sabedoria ou fé, mas sempre é um atributo pessoal que se torna evidente pelas realizações do herói. Este não procura o reconhecimento. A motivação para suas ações não deve ser egotista ou não será um verdadeiro herói.

Em nossa cultura, o sucesso não implica uma virtude superior. Um livro necessariamente não é melhor porque está na lista dos mais vendidos. Muitos livros que conseguem essa distinção se dirigem ao mercado de massa e, geralmente, contam com o apoio de intensa publicidade. Enquanto o sucesso no mundo dos negócios requer tino comercial do mais alto nível, essa qualidade, anteriormente, jamais foi considerada uma virtude pessoal. Hoje em dia é a realização que conta, e não as qualidades pessoais do indivíduo. Às vezes o sucesso é conseguido por tudo, menos por virtudes. Até sua queda, Hitler foi considerado um sucesso por um grande número de pessoas no mundo todo. Evidentemente, o indivíduo com capacidade superior poderá obter sucesso; entretanto, o que se reconhece não é a virtude pessoal do indivíduo, mas suas realizações.

A verdadeira realização quase sempre é relativamente desimportante. O autor de seis livros pode ter menos sucesso do que o autor de um *best-seller*. O que conta é o reconhecimento. Sem este, ninguém poderá ser considerado um sucesso público.

Obter sucesso significa destacar-se na multidão, sobressair-se da massa e ser reconhecido como indivíduo. Para o escritor, isso implica que o que ele diz ou escreve é agora importante. "Ele tem peso" é a maneira como um escritor bem-sucedido é descrito. Antes do sucesso, não "pesava", embora o que tenha escrito antes possa ter mais valor do que seu trabalho subsequente. Por meio do sucesso tornou-se importante. Presenciamos esses acontecimentos o tempo todo. Logo que a pessoa consegue sucesso, passa a ser ouvida com respeito. Uma vez "realizada", contará a todos nós, que ainda estamos lutando, o segredo de sua boa sorte. O indivíduo de sucesso torna-se importante aos olhos daqueles que desejam ser bem-sucedidos.

A visão do sucesso como força propulsora na vida das pessoas é relativamente nova. As imagens sempre tiveram um papel importante em nossa existência. No passado, contudo, as imagens dominantes eram de natureza religiosa ou de um governante todo-poderoso. Essas imagens compartilhadas serviram para unir as pessoas e ligá-las a um propósito mais elevado — isto é, um propósito suprapessoal. A imagem atua nesse sentido porque nos faz dirigir os pensamentos para determinado foco e canaliza nossas energias. Pode ser usada, também, para controlar o comportamento humano. Aprendemos a manipular o processo de formação da imagem por meio da propaganda ou pelo controle dos meios de comunicação. Essas armas capacitam os que estão no poder e têm mais acesso aos meios de comunicação a moldar os valores da sociedade. Como esses valores serão os seus próprios valores, conclui-se que o sucesso e o poder estarão entre os mais importantes entre eles.

O sucesso é o holofote que individualiza alguém. Na verdade, no mundo de hoje, não é necessário conseguir nada de especial para se obter sucesso; se o holofote individualizar a pessoa, esta já estará a caminho do sucesso. Se você foi entrevistado e fotografado pela revista *Life*, poderá considerar-se um sucesso. Se apareceu em um programa de televisão em rede nacional, você terá "conseguido". Os holofotes tornaram-se tão poderosos que a pessoa iluminada por eles, mesmo que por pouco tempo, será conhecida pelo resto da vida. Por esse mesmo processo, o resto das pessoas é lançada na mais profunda sombra.

Uma vez que, aos olhos do público, o que distingue o indivíduo da massa é o sucesso, este também é um produto do sistema que cria as massas. Pode parecer uma contradição dizer que a busca do sucesso também seja uma das importantes forças que criam a cultura de massa. Mas as verdadeiras relações são sempre dialéticas. Se a sociedade de massa alimenta a procura de sucesso, também é verdade que a imagem do sucesso se transforma em força coesiva da sociedade de massa.

Os meios de comunicação de massa não são a única força que cria o indivíduo massificado, isto é, sem uma identidade pública. O lazer e a produção em massa também fazem parte do sistema. Que individualidade se pode sentir ao dirigir um Ford ou um Chevrolet? Há praticamente milhões deles nas estradas. Para superar essa desvantagem, alguns indivíduos agressivos tentam ser os primeiros a adquirir os modelos mais recentes. Se somos forçados a comprar produtos idênticos e a morar em casas idênticas, essas importantes áreas de autoexpressão ficam bloqueadas. Mas a produção em massa também nos força a trabalhar em empregos idênticos. Podemos ser um dos vinte secretários de um escritório, um entre os cem vendedores de uma seção, um entre os mil operários de uma fábrica; somos indivíduos de massa e podemos ser substituídos sem que a rotina se altere.

O lazer massificado tem um efeito ainda mais insidioso, pois invade nossa vida privada. Como telespectadores, não somos nem ao menos conhecidos. Acomodados na penumbra, assistindo à televisão, não somos por ela requisitados nem mesmo para comprar ingresso. Somos privados da oportunidade de apresentar nossa reação por meio do aplauso. Somos o grande público desconhecido que não conta, exceto em termos de número. A única saída para nosso ego é a identificação com os indivíduos que são o centro das atenções, os bem-sucedidos.

Ao lado da busca de sucesso, a sociedade de massa também induz seus membros à obsessão pelo poder. A luta pelo êxito origina-se da necessidade de conseguir reconhecimento, alcançar a identidade (mesmo que só seja pública) e sentir-se importante. A luta pelo poder nasce da necessidade de superar sentimentos de impotência e de compensar sentimentos de desespero. Para as pessoas, o sucesso se apresenta em dois aspectos: o da riqueza e o da autoridade. Ambos proporcionam a quem os tenha uma sensação de poder que servirá para criar uma pseudoindividualidade parecida com a do bem--sucedido. A riqueza e a autoridade incentivam a autoexpressão negada aos indivíduos de meios limitados ou em posições inferiores.

Contudo, a autoexpressão pressupõe que se tenha um *self* para ser expresso. A autoridade ou a riqueza não são capazes de criar um *self* se ele não existe. Não sou o único psiquiatra que trata de pessoas abastadas com profundas perturbações emocionais, que as fazem infelizes juntamente com os seus. Na verdade, muitas delas sentem-se culpadas por terem uma riqueza que, a despeito de representar vantagens, costuma ser um peso. A autoridade poderá ser uma desvantagem ainda maior, porque impõe ao seu titular a obrigação de manter uma postura e uma posição que conflitam com seus sentimentos e desejos. O indivíduo com autoridade acredita que deve ser leal ao sistema que lhe proporcionou essa autoridade, mesmo que tal fato possa abalar sua integridade pessoal.

A autodestrutividade resultante da busca de sucesso muitas vezes se manifesta quando o êxito é obtido. Algum tempo atrás, tratei de um homem de negócios que, depois de anos de esforços, alcançara o sucesso desejado. Consultou-me porque se encontrava deprimido. O êxito não lhe produzira as boas sensações ou o sentimento de liberação que previra para si. Outro caso foi o de uma atriz que se esforçara para conseguir o tão almejado reconhecimento. Quando este, afinal, ocorreu, tornou-se deprimida. Esses incidentes são tão comuns que cheguei à conclusão de que a depressão nasce quando a ilusão se desfaz. A ilusão, nesses casos, era a de que o sucesso traria a felicidade ou promoveria o prazer.

Uma vez que os valores da sociedade de massa são o sucesso e o poder, quem aceitá-los se torna um indivíduo de massa, perdendo sua verdadeira personalidade. Não pensa mais em si como uma pessoa separada da multidão, uma vez que seu principal interesse é ficar acima dela. Por outro lado, é muito importante ser aceito por ela. Abandona a atitude discriminatória do indivíduo verdadeiro em favor da conformidade. Seu comportamento é dirigido para longe do prazer e na direção do prestígio; transforma-se em alguém que busca *status* e ascensão social. O pior é que esses valores se infiltram em sua vida familiar. Transformam-se em critérios pelos quais julga seus filhos, que serão avaliados pela capacidade de se destacar e ser aceitos.

A culpa desse estado de coisas não pode ser atribuída àqueles que controlam o sistema. O produtor de TV não é responsável por nos tornar massificados. Não se trata de falta de qualidade dos programas televisivos. O próprio sistema está todo errado, pois sua meta é atrair o maior número possível de pessoas usando como recurso o mais baixo denominador comum emocional.

Nós nos massificamos quando nos identificamos com o sistema, aceitando seus valores. Dele não podemos nos isolar facilmente, visto encontrar-se inserido em todos os aspectos de nossa cultura. Devemos comprar alguns produtos de massa por serem mais baratos, embora não necessariamente melhores. Devemos ocasionalmente ler os jornais, embora saibamos que pouco acrescentam às nossas sensações de bem-estar. E, se não quisermos deixar de ter um rádio ou uma televisão, precisamos no mínimo saber selecionar os programas. Devemos ter discernimento se quisermos evitar a lavagem cerebral promovida pela propaganda e pelos anúncios em excesso que contra nós são arremessados em favor do sistema. Só poderemos agir assim se mantivermos nossa verdadeira individualidade e não nos deixarmos ser seduzidos pelas recompensas oferecidas pelo sistema àqueles que obtêm sucesso.

O sistema realmente fornece oportunidades para que o indivíduo agressivo se torne um dos atores da peça e não permaneça apenas como parte da plateia invisível e não ouvida. Alguém precisa dirigir o espetáculo — ou, pelo menos, é o que parece. Os indivíduos que sobem ao alto da hierarquia do poder são considerados bem-sucedidos. Há hierarquia em todos os campos de atividades: negócios, política, sociedade, arte etc. Há hierarquia dentro de cada segmento dessas atividades. Estas, quando organizadas, criam uma hierarquia de poder. Em cada hierarquia, pequena ou grande, a pessoa que se encontra no topo e manipula o poder é vista como bem-sucedida pelas que ficam abaixo na escala.

Na realidade, ninguém dirige o espetáculo, ninguém realmente manipula o poder. Os que estão em cima são tão parte do sistema como os que estão embaixo. Podem ser substituídos tão facilmente como seus subordinados. Não são pessoas criativas a ponto de seu trabalho trazer a marca de sua personalidade. Sua função, como a de qualquer indivíduo massificado, é a de apresentar o espetáculo, a de fazer que o sistema continue operando, a de manter a máquina ligada. Claro, é diferente estar no topo, mas apenas em termos de poder, não de prazer. Quando está no alto, o indivíduo satisfaz seu ego porque está acima da massa, não porque é um indivíduo. Encontra-se sobre os ombros da massa, cujo apoio é necessário para sua posição. Ele não é diferente dos outros, mas um indivíduo massificado sobre quem o holofote focou sua luz por um momento. Encontra-se voltado à luta pelo poder, dissociado de seu corpo e desviado do prazer.

A VERDADEIRA INDIVIDUALIDADE

No tópico precedente, fiz um esboço dos fatores sociológicos que agem na formação do indivíduo massificado. Felizmente, nenhum ser humano é totalmente massificado. Todos nós conservamos parte de nossa individualidade que o sistema não conseguiu destruir. Cada um é capaz de experimentar certo nível de prazer e, portanto, de saber distinguir entre o que lhe é pessoalmente significativo e a propaganda do tipo "como ter sucesso". Sem certo senso de prazer, essa distinção torna-se impossível.

Não estamos acostumados a pensar no prazer como o fundamento da individualidade. Na mente do público, o indivíduo é aquele que se destaca da multidão. Mas o público não conhece a pessoa, só conhece sua imagem. Aumentada pelos meios de comunicação, a imagem parece grandiosa e impressionante. É um choque constatar que a pessoa real nada tem que ver com sua imagem. O conhecido escritor mostra-se tímido e hesitante. A atriz famosa, fora do palco, é retraída e indiferente. O homem de negócios bem-sucedido tem pouco a oferecer além dos pormenores rotineiros de seu trabalho, e assim por diante. Se não nos deixarmos ofuscar pela imagem, logo veremos que alguma coisa está faltando na vida pessoal desses indivíduos. Não é raro que o sucesso deles seja uma compensação pela falta de sentido de sua vida particular. Em nível pessoal, não conseguem impressionar com sua individualidade.

Como psiquiatra, tive a oportunidade de tratar de muitas pessoas que poderiam ser consideradas bem-sucedidas. O fato de me procurarem já indicava que haviam perdido o sentido de si mesmas, de sua individualidade e de sua identidade. Certa vez fui consultado por um famoso artista que chegara ao ponto de se perguntar: "Quem sou eu?" Sua atuação era considerada original e expressiva. Tornara-se muito conhecido e bastante admirado, mas internamente estava confuso e inseguro, incerto sobre sua identidade e carente no sentido de *self*. Sentia-se irreal porque não estava em contato com seu corpo. Embora seu trabalho artístico satisfizesse seu ego, não encontrava prazer em viver, razão única que dá sentido à existência.

Também convivi com algumas pessoas que se sentiam empolgadas com a vida. Não chegavam a ser tão entusiastas que ficassem proclamando sua devoção. Alardes como esses, suspeito, são tentativas de autoconvencimento de que a vida vale ser vivida. Não eram seguidoras de uma causa ou fanáticas por algum credo. Não se consagravam a uma grande realização. O que nelas era significativo é que, ao encontrá-las, você imediatamente percebia estar diante de um indivíduo. Não era o que diziam ou faziam que dava essa impressão, mas algo sobre sua pessoa, algo físico.

Irradiavam uma forte sensação de prazer. Seus olhos brilhavam, seus gestos eram vivos. Olhavam para você com interesse e ouviam-no com atenção. Quando falavam, expressavam seus sentimentos e o que diziam fazia sentido. Movimentavam-se com facilidade porque o corpo delas estava relaxado. Observando-os, notava-se vitalidade interna por meio da boa pele e da boa tonicidade muscular. Percebia-se, intuitivamente, que gostavam de viver. Evidentemente, não precisavam de terapia.

Quando digo que tais pessoas irradiam prazer, quero expressar a sensação agradável que se experimenta na companhia delas. É um prazer estar com elas, assim como é angustiante ficar ao lado de alguém deprimido, triste e assim por diante. O prazer, antes de tudo, é uma vibração rítmica do corpo que se comunica com a atmosfera, afetando aqueles que estão no mesmo ambiente. Eu também poderia descrever essas pessoas como personalidades vibrantes, pois é essa a qualidade que mais as caracteriza. Não devo deixar de dizer que são indivíduos e não há dois organismos com padrões rítmicos idênticos. Cada um é único, com variações sutis com que a natureza dota cada novo ser. De igual importância é o fato de essas pessoas sentirem sua individualidade e conhecerem sua identidade. Estão sempre em contato com seus sentimentos e, portanto, sabem o que querem e o que não querem. Quando falam, seus pontos de vista são sempre personalizados, pois não existem duas pessoas com sentimentos idênticos. E, conhecendo seus sentimentos, raramente sentem dificuldade de expor as razões subjetivas de um julgamento pessoal. O que é expresso em frases como "gosto da peça porque..." ou "não gostei daquela atriz; ela parecia não se sentir bem no papel, estava muito rígida e cheia de maneirismos" e assim por diante. Essas pessoas têm gosto. Sem gosto não se pode reivindicar a individualidade. Os verdadeiros indivíduos não se destacam na multidão, destacam-se da multidão.

Outras pessoas têm o que se costuma chamar de "magnetismo". Somos por elas atraídos pela sensação de poder que delas emana. Dominam grupos porque ignoram toda competição. Há uma tensão no corpo delas que cria uma aura de suspense na atmosfera. Os que as cercam ficam agitados como se algo fosse ocorrer e se tornam tensos e um tanto ansiosos. Esses indivíduos também irradiam, mas é uma irradiação desagradável. É uma força retraída cujo efeito é o de constranger seus ouvintes.

O poder cria uma sensação de individualidade, mas apenas no que se refere aos outros. A personalidade "magnética" ou, como a partir de agora a chamarei, o indivíduo de poder desaba quando se vê sozinho, uma vez que sua força só pode ser vivenciada por meio do seu poder de atrair. Torna-se hostil quando a resposta é negativa, pois a reação negativa é uma negação da sua "individualidade". Esses indivíduos precisam fazer parte da multidão, de onde se destacam por ser dominadores. Contudo, não são indivíduos verdadeiros, pois fora de seu papel — dominar — não têm uma identidade real.

A característica que distingue o indivíduo de poder é o egotismo. Ele assume a imagem de alguém superior, uma espécie de super-homem, e atua no sentido de intensificar essa imagem. Precisa ter sucesso, pois o fracasso é inconcebível, o que é muito humano e, por conseguinte, um sinal de fraqueza. Esse tipo não está identificado com seu corpo, que poderá aparentemente se encontrar em condições excelentes. Não poderá ser de outra forma se quiser manter uma imagem. Seu corpo é um instrumento de sua vontade e, tal como a máquina, é perfeito para o trabalho a que se destina, ou seja, o de apoiar o ego maciço que nele está inserido. Poderá ser um executivo bem-sucedido, geralmente um atleta de sucesso e um amante ardente. O que ele não percebe é que falhou como ser humano.

Tente conversar com um egotista sobre prazer e ele lhe falará de suas proezas. Fale de seus sentimentos e ele descreverá seus planos e projetos. Não lhe faltam palavras para falar de si mesmo, mas nunca naquele nível íntimo entre duas pessoas que mostram seus sentimentos mais profundos. Já tive a oportunidade de manter contato com tais indivíduos. Às vezes eles me procuram para uma consulta. Nenhum deles conseguiu continuar a terapia. A ideia de se submeterem a outra pessoa, mesmo que seja um terapeuta, é muito amedrontadora para esses egos de papel machê.

Para muitos, o preço do sucesso é bastante alto, e assim as recompensas se tornam carentes de significado. Rejeitam o sistema ou o *establishment*, como costumam dizer, recusando-se a ser indivíduos massificados. A saída é fugir da luta pelo poder e abandonar qualquer ambição pessoal. Pulam fora da corrida competitiva e, com outras pessoas com a mesma visão, formam comunidades *hippies* em Nova York, São Francisco e outros lugares.

O *hippie* pertence a uma antiga tradição de rebeldes que são contra os valores e costumes da sociedade de massa. Trata-se de uma tradição que, no mínimo, vem desde Jean-Jacques Rousseau. Entretanto, essa rebeldia nunca esteve tão difundida ou tão notória como atualmente. Antigamente, limitava--se aos círculos intelectuais e artísticos. A rebeldia atual mostra-se tanto anti--intelectual como antimaterialista; é, ou tem sido, fortemente influenciada pelas drogas.

Como todo ser humano, o *hippie* precisa ter uma identidade e tenta afirmar sua individualidade, o que o leva a vestir roupas diferentes e a adotar um modo de vida pouco comum. Usa o cabelo comprido para se destacar da multidão. Ao falar de seu cabelo, que chegava nos ombros, um dos meus jovens pacientes disse: "Faz que as pessoas me olhem, e gosto disso". Se cortarem o cabelo, destruirão sua imagem. O mesmo acontece em relação às roupas, que representam tanto um protesto como uma forma de autoafirmação. Quanto mais bizarro estiver o figurino, mais atenção chamará. Sem dúvida os *hippies* criaram uma moda extravagante.[10]

Será então que o *hippie* é um verdadeiro indivíduo? Tratei de vários e seu principal problema era ter o senso de *self* deficiente e o ego inseguro e amedrontado. Para compreender os *hippies,* não podemos nos deixar levar pelas conversas de amor, o que soará como algo excitante; mas, músicas à parte, não passa de um encontro de pessoas desesperadas com extrema necessidade de contato com outros seres humanos. Se o amor for mais do que uma palavra, deverá ser expresso por meio de sensações, especificamente sensações de prazer, o que, infelizmente, falta ao *hippie.*

Minha crítica poderá parecer muito severa. Baseio-me nos *hippies* que conheci e vi. Aqueles que foram ao meu consultório pareciam sem vida, sem energia e vitalidade. O corpo deles estava contraído, a respiração, gravemente limitada e as funções sexuais, perturbadas. Na verdade, alguns deles me procuraram devido à impotência sexual.

O *hippie* geralmente começa abandonando a escola, onde sente que as pressões são demasiadas e as exigências, muito pesadas. O abandono da luta é causado pela sua incapacidade de manter o esforço; mais tarde, esse fato é racionalizado pela linguagem do protesto e da oposição. Pais atormentados me trouxeram jovens que passavam por dificuldades na escola ou que haviam fracassado na vida escolar, adotando o estilo *hippie* como autodefesa. Por tal situação, os pais tendem a culpar as más companhias que levaram os filhos por maus caminhos. Não conseguem ver as condições físicas e o problema de personalidade que tornaram esse movimento inevitável.

Ilustrarei esse problema com o caso de um rapaz de 17 anos que não conseguia levar uma vida normal. Seus pais sentiam-se agredidos por seus cabelos longos e suas roupas desalinhadas. Nenhuma ameaça ou força conseguia induzi-lo a mudar sua aparência ou a se interessar mais pelos estudos. Entretanto, o que mais os aborrecia era o fato de seu filho ter inteligência para progredir. Não tinha a energia suficiente para concentrar-se nos estudos, o que, evidentemente, não era notado por eles.

Tratava-se de um jovem magro com o rosto comprido e olhos inexpressivos. Seu peito era pequeno e contraído. Precisava se esforçar para respirar profundamente. Seu corpo apresentava uma flexibilidade exagerada. Sua musculatura era pouco desenvolvida. Conversou comigo numa voz sem inflexão, sem levantar os olhos. Não me deu nenhuma informação e só respondia às minhas perguntas com sim ou não. Mais tarde, no decorrer da terapia, a comunicação entre nós melhorou.

Estudar era uma dificuldade para ele. Quando tentava se concentrar num livro, seus olhos tornavam-se pesados e sonolentos. Seu pensamento vagueava para longe do assunto e sua vontade não era suficientemente forte para manter a atenção. Dormia muitas horas por dia. Simplesmente não tinha energia suficiente para se dar um impulso. O mecanismo básico responsável pela produção de energia em seu corpo acusava defeito. Não respirava o bastante, e com insuficiente suprimento de oxigênio sua energia se mantinha num nível muito baixo. Apresentava as típicas perturbações da personalidade esquizoide, cujas causas e efeitos foram apresentados em outra obra de minha autoria.[11]

Meu paciente não tinha outra escolha a não ser abandonar a escola. Sua única alternativa era se juntar a outras pessoas com dificuldades semelhantes. Tornou-se *hippie* porque era uma saída. Entretanto, não se envolveu muito como outros *hippies*. Fumara maconha, mas nunca fizera viagens com LSD.

A relação entre o funcionamento do corpo e o comportamento era muito clara nesse paciente. Fiz poucas observações sobre sua aparência. Não sou nem contra nem a favor de cabelos compridos, mas a aparência desleixada é expressão de falta de sensações corporais. Como não se pode sentir nada com um corpo que não é uma fonte de prazer, consequentemente se ignoram o corpo e sua aparência.

Esse rapaz sentia muito pouco prazer com o corpo, o que equivale a dizer que sentia pouco prazer. Seu físico encontrava-se contraído e suas atividades rítmicas, extremamente reduzidas. A terapia foi dirigida tanto para esse problema como para os seus conflitos psicológicos. Entretanto, foi a terapia corporal que mais o afetou. Quando a respiração se tornou estimulada e seu corpo começou a vibrar, exclamou: "Puxa, como é bom. Nunca pensei que pudesse ser tão bom!"

De maneira geral, o *hippie* não se encontra ligado a seu corpo no sentido do prazer. Este se orienta fora do seu corpo. O uso de drogas, da maconha ao o LSD, é uma fuga do corpo. Essas drogas amortecem o corpo ao mesmo tempo que superexcitam a mente. Podem aumentar a extensão da percepção sensorial, mas limitam a extensão e a intensidade dos movimentos. Os *hippies* geralmente são fotografados deitados. Seu amor é erótico, isto é, sensual, não uma paixão genital. Esta exige energia.

A rejeição, pelo *hippie*, dos valores de massa da sociedade é compreensível, mas deve-se reconhecer que se baseia na sua incapacidade de competir. No seu papel de oposição, ele alcança uma pseudoindividualidade assentada numa atitude mais negativa do que positiva. Seu modo de vida não se funda na identificação com o prazer físico. Foge da dor que não pode ser evitada quando se deseja ter prazer. Ao escapar da sociedade de massa o *hippie* escapa da própria vida. O estilo *hippie* não é uma abordagem criativa do problema.

A ILUSÃO DO PODER

A atração exercida pelo poder é enorme, sobretudo para os que se sentem privados dele. Pelo poder os sindicatos fazem greve, os estudantes promovem passeatas, as nações entram em guerra. Nenhuma perspectiva causou tanto impacto na comunidade negra norte-americana como a expressão "poder negro". As pessoas demonstram ser capazes de lutar e até morrer pelo poder; mas não poderiam ou não fariam tanto em relação ao prazer. Qual será a mística do poder?

Observemos o significado do poder. De maneira geral, ele implica a capacidade de manipular ou controlar o ambiente. Nesse sentido, todos os animais têm poder; manipulam o ambiente para satisfazer suas necessidades. O castor constrói diques, a marmota escava sua toca e os pássaros fazem ninhos. O homem é o maior dos manipuladores, mas enquanto seu poder permanece individual ele não se diferencia dos outros animais. Enquanto o homem caçava com lanças, arcos e flechas, o equilíbrio ecológico não se alterou. Essa situação mudou quando o poder se tornou uma força impessoal utilizada à vontade pelo ser humano.

O aumento do poder é a história da civilização. A civilização e a cultura começaram com a domesticação de animais e o desenvolvimento da agricultura, isto é, com a produção de riqueza. O primeiro e verdadeiro poder encontrava-se nas mãos de um chefe e se baseava no seu controle sobre o excedente de alimentos armazenados em seu domínio. Por meio desse controle, ele exercia o comando sobre seus subordinados, que então punham seus esforços em troca da segurança que ele oferecia. O poder gradualmente foi crescendo na medida em que o homem aprendeu a utilizar as forças naturais e a dirigir suas energias para os fins desejados. Cresceu na proporção em que as tribos iam se transformando em estados e estes, unidos, em nações. Aumentou ainda com a máquina a vapor e com a extração da energia em

Prazer

potencial do carvão. Então, a passos rápidos, vieram o motor de combustão interna, a eletricidade e a energia nuclear. A quantidade de poder à disposição do homem é assustadora. Neste momento de sua história, acredito que tenha liberado um gênio que facilmente poderá destruí-lo se não compreender logo seu modo de agir. Há um velho ditado que diz que o poder corrompe as pessoas. Esse ditado tem sido aplicado a governantes ou a indivíduos em posição de autoridade, já que eram os únicos que tinham poder no passado. Contudo, o adágio expandiu-se o bastante para abranger todos os aspectos do poder. Quando pensamos nas características destrutivas do poder, imaginamos os horrores da guerra moderna: napalm, projéteis de artilharia e, finalmente, as armas nucleares. Porém, por mais assustadores que sejam, estou mais preocupado com os efeitos maléficos do poder sobre a personalidade humana.

O poder é antagônico ao prazer. A mesma relação que ele mantém com o prazer surge entre o ego e o corpo. O prazer se origina no fluxo livre de sensações e de energias dentro do corpo, e entre o corpo e seu meio. O poder se desenvolve por meio do represamento e do controle da energia. Temos aí a diferença básica entre o indivíduo de prazer e o indivíduo de poder. O poder se desenvolve a partir do controle e age por meio dele. Não pode funcionar de outra forma. Vou ilustrar esse conceito com diversos exemplos. O líder de mil homens livres não goza de poder, embora os homens possam representar uma efetiva força de luta quando irmanados num propósito comum. Sua liderança se baseia na influência. Por outro lado, o comandante de mil soldados tem poder, porque pode controlar e dirigir suas ações à vontade. O vento em si não tem poder; é simplesmente uma força. Tem energia. Só quando controlamos sua força, fazendo que acione as pás de um moinho, conseguimos poder. Da mesma forma, a correnteza de um rio não tem poder. O poder surge quando a força da água corrente é canalizada e dirigida para acionar as rodas de uma turbina.

O prazer é a sensação de harmonia entre o organismo e seu ambiente. Esse conceito não é estático, pois o ambiente está em constante mudança ou sendo mudado; desse modo, fornece oportunidades para novos e maiores prazeres. O poder, por seu lado, é controlador e demolidor. Ergue uma parede entre o homem e seu meio. Protege-o, mas também o isola. A pessoa que mora num apartamento numa cidade moderna, aquecido no inverno e refrigerado no verão, trabalhando em escritório em condições semelhantes é como

83

o animal no zoológico ou o peixe no aquário. Sua sobrevivência está assegurada e seu conforto, provido, mas a excitação e o prazer de espaços abertos, os estímulos das mudanças de estação e a liberdade de áreas ilimitadas lhe são negados. Não passa de um pobre peixe que trocou a liberdade e os perigos do mar ou do rio pela segurança do aquário.

Obtendo poder sobre a natureza, o homem foi obrigado a sujeitar-se aos inúmeros controles que impôs ao seu ambiente.

O insidioso perigo do poder reside no seu efeito desagregante sobre o relacionamento humano. O indivíduo poderoso torna-se uma figura superior, enquanto a que se sujeita a ele é reduzida a mero objeto. O uso do poder nega a igualdade entre os seres humanos e invariavelmente leva a conflitos e hostilidades. O que é especialmente verdade no tocante às relações íntimas e pessoais existentes no lar.

No momento em que a questão do poder se infiltra na relação marido e mulher, o casal enfrentará sérios problemas. O mais fraco sentir-se-á sempre ameaçado e uma luta interna pelo poder vai se desenvolvendo, acarretando a destruição dos bons sentimentos e do afeto que sentem um pelo outro. Mas é no relacionamento entre pais e filhos que os efeitos mais daninhos do poder são encontrados. O poder sempre é utilizado para controlar as crianças, supostamente para seu próprio bem, mas na verdade no interesse dos pais. O efeito do poder — e todo castigo é um exercício do poder — nega a individualidade da criança, reprime sua autoexpressão e anula seu direito de discordar.

Muitas vezes atendi a pais que se queixavam da falta de juízo dos filhos e não sabiam o que fazer. Um jovem, levado ao meu consultório pelos pais, sofria da incapacidade de tomar decisões. O que se verificava era o seguinte: quando criança, todos os seus desejos deviam ser aprovados pelos pais e justificados por bons motivos. Se quisesse alguma coisa, era obrigado a explicar por que a queria. Seu desejo pelo prazer não tinha importância suficiente. Em nome da racionalidade, os pais usavam o poder para controlar as ações da criança. O resultado foi a repressão do seu impulso de procura de prazer e a inibição da criatividade em sua personalidade. Essa é uma história que vi acontecer em muitos lares.

Os pais usam o poder para controlar os filhos porque também foram controlados quando jovens. Tendo sido vítimas do poder, estão dispostos a exercê-lo até mesmo sobre seus filhos, meio mais acessível para o exercício. Este restaura a ideia de que são indivíduos com direito de mandar e de expressar suas exigências. A teoria psicanalítica oferece explicações sobre como esse processo se desenvolve.

Geralmente se aceita, na psicanálise, que o bebê vem ao mundo com um senso de onipotência. Este deriva de sua vida intrauterina, onde todas as suas necessidades são automaticamente satisfeitas. A sensação de onipotência é mais tarde fortalecida pela amamentação no peito. A emergente consciência do bebê vê o mundo em termos do seio da mãe. Se este se encontra sempre ao seu alcance, sentir-se-á como se fosse o dono do universo. Mais tarde, perceberá que há outro seio, que apalpará com as mãos enquanto mama no outro. A essa altura, terá, literalmente, o mundo em suas mãos. Sua crescente consciência aos poucos o fará perceber a mãe. O corpo dela, que no início era percebido como uma extensão de si mesmo, transforma-se num objeto independente. Mas, enquanto sua mãe responder às suas exigências de ser carregado e amamentado, ainda se sentirá onipotente em sua capacidade de comandar um mundo maior.

Na relação sadia entre mãe e filho, o prazer sentido pelo bebê ao mamar é compartilhado com a mãe. Ela também gosta da experiência. Quando os olhos do bebê encontram os da mãe, o sentimento entre os dois pode ser descrito como alegria e amor. Nenhum outro contato entre mãe e filho há de ser tão íntimo e tão pleno como o da amamentação. Se esse processo pudesse seguir seu curso natural, continuaria por cerca de três anos ou até mais. Quando a criança cresce, só mama ao acordar, ao dormir e quando necessita se assegurar de que seu mundo continua intacto e seu poder de comando não tenha diminuído.

Com o tempo, a criança necessariamente será desmamada. O que representará ou não uma experiência traumática, tão inevitável como o nascimento. Nessa época, ela entra num novo mundo, no qual lentamente reconhece não ser mais onipotente; percebe que outros indivíduos têm necessidades que devem ser satisfeitas e que a cooperação mútua é necessária. Dependendo do nível em que suas exigências orais foram satisfeitas, aceitará o novo mundo com condições diferentes e com perspectivas de novos prazeres.

A criança que não foi satisfeita nesse sentido será carente. Emocionalmente, encontra-se privada do prazer a que tem direito como bebê; psicologicamente, é despojada da sensação de onipotência e importância. A privação é amenizada se a mãe carrega o bebê, ninando-o com carinho e amor, mas de qualquer maneira a perda do prazer no seio constitui uma carência.

Talvez o leitor pense que ressalto demais a importância da amamentação no seio. Freud e Reich foram criticados por dar relevância excessiva ao sexo. Mas a amamentação e o sexo são expressões primárias de nossa natureza como mamíferos. Recusá-los é negar nossa herança animal, o que constitui rejeição do corpo.

Observei as vantagens da amamentação no seio em meu filho e nos de meus pacientes. Não ouso afirmar que resolva todos os problemas. Posso categoricamente dizer que a criança satisfeita apresenta menos problemas que a carente. A amamentação no seio traz uma série de outras vantagens. Chamo a atenção dos leitores interessados por esse assunto para a existência de organizações de mães que amamentaram ou estão amamentando os filhos, como a La Leche League, que tem sedes na maioria das cidades norte-americanas.

Sempre que a criança se sente privada de prazer, luta para obtê-lo. O que poderá facilmente acarretar conflitos com os pais. Logo a solução se transforma numa questão de poder. Os pais, percebendo uma ameaça ao seu direito de controlar a situação, não hesitam em usar mais poder para fortalecer sua vontade. Recorrerão a castigos ou recusarão amor para conseguir a submissão da criança. Ocorrendo isso, traçam-se as linhas da luta pelo poder entre pais e filhos, a qual permanecerá intermitentemente por muitos anos. Os filhos sempre sairão perdendo, por serem dependentes dos pais. No fim, os pais também se prejudicam. Perderão a afeição e o amor profundos que só se desenvolvem por meio do prazer e da alegria compartilhados. Crescendo em lares como esses, as crianças não veem a hora de alcançar o poder para agir da forma como quiserem. Uma vez que a falta de poder está associada, na mente das crianças, com a ausência de prazer, parece lógico que o prazer só possa ser obtido por meio do poder.

A imagem do sucesso é a realização ilusória da criança que foi privada do seio da mãe. Quem procura o poder e luta pelo sucesso tem uma fixação em nível infantil. Seu sonho é obter poder ou sucesso, quando então poderá descansar, pois todos seus desejos serão realizados pelos outros. Terá o poder de comandar o ambiente para que suas necessidades sejam satisfeitas. Será indulgente consigo mesmo, coisa que lhe foi negada quando era jovem. Sua meta é regressiva, e quando for alcançada encerrará uma decepção amarga. Tendo conseguido o reconhecimento e o poder, sua fantasia inconsciente o levará de volta à sua mãe para ser satisfeito. Mas aí será tarde demais. Não há mais leite nos seios e o impulso de mamar ficou paralisado em sua boca rígida.

Prazer

Uma vez que o poder é antitético ao prazer, a experiência do prazer poderá ser incrementada. Para que isso aconteça, é preciso que haja criatividade. Por meio do poder estamos aptos a deixar o ambiente mais bonito, facilitar inúmeras tarefas cotidianas e ampliar nosso contato com o universo. O poder intensifica e expande o ego humano, o que acarretará um desenvolvimento positivo se o ego permanecer identificado com o corpo e dirigido para a satisfação e a expressão de seus instintos animais. Não estou com isso fazendo uma apologia do retorno à natureza. Não iríamos, nem que quiséssemos, ignorar a força inserida no poder. Este tanto pode ser construtivo como destrutivo. Contudo, os únicos que conseguem lidar construtivamente com o poder são os que foram satisfeitos na infância e sabem aproveitar a vida.

O poder carrega consigo a enorme responsabilidade de não ser utilizado para propósitos do ego. Em nossa ganância, podemos destruir facilmente a beleza da Terra. Na verdade, não estamos muito longe disso. Quando o poder está nas mãos de alguém carente, a situação torna-se perigosa. Não importa se esse poder signifique dinheiro, um carro potente ou um rifle, o risco ao bem-estar humano é grande. A pessoa carente venera o poder; seus ídolos são personificações do poder: James Bond, Super-Homem e outros. Não são essas as fantasias que povoam a mente de uma criança carente?

À medida que nosso poder aumenta, as raízes do prazer devem se enterrar mais fundo e mais firmemente na terra. Nessa direção norteiam-se nossas esperanças.

5. O ego: autoexpressão *versus* egotismo

AUTOEXPRESSÃO

O processo da evolução animal acarretou, por meio de uma crescente complexidade e de uma organização maior das estruturas, um elevado sentido de individualidade. O efeito simultâneo desse desenvolvimento foi a necessidade de expressar a individualidade. No capítulo anterior, vimos que quando essa necessidade é frustrada pelas condições da vida social, quer por meio da superpopulação, quer por meio da formação da sociedade de massa, tendências autodestrutivas se desenvolvem. Em tais condições, a necessidade de autoexpressão no homem reveste-se de aspectos neuróticos. Passa a ser a luta pelo sucesso e o desejo de poder.

Os biólogos começam a reconhecer que a necessidade de autoexpressão é pouca coisa menos importante que a necessidade de sobrevivência. Se alguém pergunta: "Sobreviver para quê?", a única resposta válida será: pelo prazer e pela alegria de viver, que não podem ser dissociados da autoexpressão. Adolph Portmann, em seu interessante estudo *New paths in biology* [Novos rumos na biologia], apresenta seu ponto de vista na seguinte frase: "O metabolismo pode servir para a sobrevivência do indivíduo. Entretanto, por mais que seja assim, devemos lembrar que o indivíduo não existe para servir seu metabolismo. Este é que deve garantir a existência individual". A autoexpressão é a manifestação da existência individual.[12]

A ênfase na autoexpressão traz uma nova dimensão para a biologia. O comportamento dos animais não pode ser avaliado simplesmente em termos de sua luta para sobreviver. A sobrevivência e a autoexpressão são funções intimamente relacionadas. Portmann deixa claro esse conceito em seu livro. Observa que "há inúmeros exemplos de como a autopreservação e a autoexpressão se combinam num único e mesmo órgão".[13] Menciona a laringe como exemplo no que tange ao canto e à fala. Os biólogos, seguindo as observações de Konrad Lorenz, chegaram à conclusão de que o canto dos pássaros servia para indicar mais a posse de um território do que a expressão de sentimentos. Para nós, que nos deliciamos com o canto dos pássaros, é agradável saber agora que ele tem essas duas funções.

A psicologia representa uma nova dimensão adicionada à biologia ao enfatizar o significado da autoexpressão. O que é expresso no exterior reflete o que ocorre dentro do organismo. A autoexpressão como manifestação da individualidade corresponde à autoconsciência e à autopercepção, que representam os mais íntimos aspectos psíquicos da existência individual. Segundo Portmann, "a aparência exuberante [entre os animais] sempre é reflexo de um exuberante mundo interno"[14]. Mas esse mundo interno não é apenas um fenômeno mental. Para citar novamente Portmann: "Não se pode localizar o mundo interno, pois embora apreciemos a importância preponderante do cérebro sabemos que a vida interna como um todo envolve o corpo inteiro"[15].

Os seres humanos, mais desenvolvidos que os outros animais, têm uma necessidade maior de se expressar. Uma vez que são mais conscientes de sua individualidade, sua autoexpressão traz um componente mais consciente. Se não temos a plumagem brilhante dos pássaros ou o pelo colorido de outros mamíferos, sabemos substituí-los por meio das cores e da variedade de produtos criativos. Nossas roupas, casas, artes e ofícios, música e dança são manifestações desse impulso básico de autoexpressão. Quaisquer que sejam os valores práticos, seu papel de satisfazer a necessidade de autoexpressão não pode ser ignorado.

A autoexpressão em nível consciente é função do ego e do corpo. Difere, portanto, das formas inconscientes de autoexpressão, que são manifestações exclusivas do *self* corporal. A cor dos cabelos ou dos olhos de alguém é uma forma de autoexpressão corporal, que não envolve o ego. Todas as ações criativas, porém, são necessariamente conscientes. O ego, por evidente, representa um papel importante na formulação e na execução do impulso criativo. Tal impulso, contudo, não surge no ego. Sua gênese está no corpo, sua motivação, na busca do prazer, e sua inspiração, no inconsciente.

A autoexpressão, a criatividade e o prazer encontram-se intimamente relacionados. Toda forma de autoexpressão carrega elementos criativos, acarretando prazer e satisfação. Ao assar um bolo, por exemplo, a dona de casa está expressando sua individualidade nesse ato criativo. Sente prazer pela atividade e uma sensação de satisfação ao realizá-la. Além disso, há uma satisfação especial durante a tarefa. "Fiz um bolo" é a autoexpressão em nível corporal, o que satisfaz a necessidade física de fazer algo ativo e criativo. "Eu fiz um bolo" é a autoexpressão no nível do ego, trazendo satisfação especial para ele. Neste tópico, analisarei a relação entre essas duas satisfações.

A aquisição de conhecimento e de habilidades é uma importante função do ego, além de grande fonte de satisfação egótica. O "eu" quer saber e ser capaz de fazer. Deseja ser uma força ativa para moldar a vida. Poucos de nós conseguem se lembrar do excitamento que experimentamos ao aprender a andar, falar ou ler. Porém, muitos vivenciaram o entusiasmo que acompanha realizações como aprender a andar de bicicleta, fazer um bolo, esquiar, dirigir ou falar uma língua estrangeira. Elas trazem satisfações para o ego, que não devem ser separadas do prazer do processo de aprendizado ou dos prazeres que essas habilidades prometem proporcionar no futuro.

Todo projeto que empreendemos e cumprimos preenche duas satisfações: uma, em nível físico, por meio do prazer das atividades; outra, em nível do ego, por meio da consciência da realização. Essa dupla recompensa corresponde à dualidade da natureza humana. De um lado, somos atores conscientes no teatro da vida e, portanto, atentos aos nossos papéis individuais. Porém, a autoconsciência quase sempre nos impede de ver que, de outro lado, como os animais, fazemos parte da natureza, vivendo com nosso corpo e dependentes dos prazeres físicos numa relação harmoniosa com a natureza.

Quando estamos assim, cegos, tornamo-nos conscientes do ego, isto é, egotistas. O egotista confunde o ego com o *self* e acredita que tudo que favoreça o ego favorece o interesse do *self*. O que é verdade até certo limite, que será definido mais adiante. Colocar o ego em primeiro plano inverte a relação normal entre o ego e o *self* corporal, podendo acarretar um comportamento destrutivo. O *self* corporal é a base sobre a qual o ego se assenta. Fortalecendo a base aperfeiçoa-se toda a estrutura da personalidade. Consertar o telhado pouco adianta para o alicerce. Quando o prazer é sacrificado por um ego dirigido ao sucesso, o resultado poderá ser desastroso.

Consideremos, por exemplo, o indivíduo que vive além de suas possibilidades para impressionar os vizinhos. O fato de ter uma casa grande ou um carro caro satisfará seu ego, mas quando for obrigado a gastar para garantir as respectivas manutenções sofrerá e se angustiará. Só poderá ignorar a angústia dissociando-se da realidade. Reprimindo a dor, também suprime todas as possibilidades de prazer. O sacrifício do prazer põe em xeque o valor da satisfação do ego derivada de suas posses.

Mesmo que a pessoa ganhe, por meio de esforços próprios, o suficiente para criar e manter uma vida bem estabelecida, a satisfação do ego daí decorrente dificilmente será compensatória considerando-se o tempo e a energia despendidos. Uma coisa é trabalhar por algo que de fato nos proporcionará prazer; outra é quando o objeto servirá apenas para realçar nossa imagem. Como nós, humanos, somos seres autoconscientes providos de ego, não negligenciamos nossa imagem. Esta é importante por representar a pessoa, mas não é a pessoa. Quem se identifica mais com sua imagem do que com o *self* corporal é um egotista.

Nenhuma imagem é suficiente para proporcionar as satisfações físicas que dão sentido à vida. O ego que não for alimentado a partir de suas raízes por prazeres físicos permanecerá com uma fome insaciável. O indivíduo dominado por um ego insaciável viverá constantemente pressionado a expandir sua imagem. O impulso egótico assume um aspecto insaciável que anula todas as considerações pessoais para atingir seus objetivos. A pessoa que se lança nessa direção não tem como parar. Se conseguir um milhão de dólares, continuará se esforçando para conseguir um segundo milhão, depois um terceiro, e assim por diante. Dificilmente o excesso de dinheiro aumentará sua segurança ou contribuirá materialmente para o seu prazer. Mesmo assim o impulso para continuar a ganhar dinheiro parece se intensificar a cada aumento de renda. Seu ego é como um balão de gás que sobe cada vez mais alto, sempre se expandindo até explodir.

O dinheiro exerce uma atração irresistível sobre o ego porque representa poder. Cada aumento de riqueza ou de poder possibilita uma medida da satisfação ao ego, levando-o a pensar que é o dono de seu mundo. Parece haver uma pequena diferença entre a aquisição de conhecimentos e o domínio das técnicas para a conquista da natureza, mas essa diferença separa o homem integrado do egotista, alienado e obcecado pelo poder. A necessidade de poder é um reflexo de insegurança e um sinal do desajustamento do ego. Mesmo que o poder e a riqueza contribuam para o prazer de viver, só funcionam assim quando não representam a meta principal da vida.

O dinheiro não é a única área em que o ego funciona. O público de competições esportivas está carregado de interesses egóticos. Podemos compreender mais a fundo esse fenômeno por meio de uma análise. Durante um evento esportivo em que torce para um dos times, o espectador fica consideravelmente satisfeito com a vitória da sua equipe. Se se tratar de um fanático, não será necessário nem comparecer pessoalmente à competição ou assisti-la pela TV. Só a ideia de que seu time vai ganhar ou perder já lhe traz uma forte carga emocional. Para um aficionado, o prazer de assistir ao jogo geralmente é secundário. Se seu time perder, cairá num desânimo que varrerá qualquer prazer. Reações fortes como essas são compreensíveis se a pessoa tiver interesse pessoal no resultado. Evidentemente, muitos fazem um grande investimento egótico em seus jogadores ou times prediletos, sentindo-se compensados ou arrasados pelo desempenho deles.

O torcedor se identifica no nível de ego com o objeto de sua admiração. Por meio dessa identificação, a realização de seu herói, em certo sentido, é a sua realização. Dessa maneira, obtém satisfação pessoal com as façanhas de seu herói, embora não tenha participado da ação. Para o torcedor, a identificação com um herói faz as vezes de sua função de autoexpressão. Para o atleta, o desempenho é uma forma de se autoexprimir verdadeiramente; todo o seu ser está envolvido na competição. Como apenas o ego do torcedor encontra-se envolvido, seu compromisso é limitado e seu papel se restringe ao do espectador, embora reaja emocionalmente como se estivesse de fato envolvido. Na verdade, está se expressando por meio das identificações de seu ego.

Toda identificação feita por meio do ego é uma forma de autoexpressão. O indivíduo, em nosso primeiro exemplo, que comprou uma casa grande, está dizendo ao mundo: "Veja, eu sou o dono desta casa. Identifico-me com ela". Entretanto, apenas o seu ego identifica-se com a casa, a menos que ele próprio a tenha projetado e construído. Da mesma forma, a pessoa que acumulou uma considerável soma de dinheiro se sente identificada com ele. Quando diz: "Tenho dois milhões de dólares", na verdade está querendo dizer: "Sou dois milhões de dólares." O torcedor identificado no nível do ego com o New York Giants reage com a sensação: "Sou o New York Giants". O que na verdade quer dizer "Nós ganhamos o jogo".

A autoexpressão por meio da identificação do ego pode parecer um pobre substituto da coisa real, que é a autoexpressão por meio da atividade criativa. No entanto, é tão grande o poder do ego de afetar o comportamento que a pessoa sente como se a identificação fosse um fato verdadeiro. Deverá existir um pouco de realidade em todos os tipos de identificação. Quando se é membro de um clube, é bom sentir orgulho de seus sucessos. Muitos se identificam com sua universidade a ponto de sentirem as conquistas e os fracassos de seus estudantes refletirem sobre si mesmos. Embora possa ser excessiva em alguns casos, essa identificação tem uma base legítima no fato de que, como membro do corpo discente, o aluno se envolve ativamente nos programas e assuntos da escola. O patriotismo no estado moderno é outra identificação com base real, pois vem do fato de se pertencer a uma comunidade. Por meio de identificações egóticas, o indivíduo se sente parte da sociedade, envolvido com suas lutas e compartilhando seus fracassos e realizações. Sem essas identificações do ego, sentir-se-ia eliminado dos fluxos e dos movimentos da situação social e isolado dos interesses da comunidade. Seria forçado a procurar prazer e sentido dentro dos limites do *self*, o que ninguém consegue inteiramente, uma vez que o prazer depende da relação harmoniosa com o ambiente. Por meio de suas identificações, o ego amplia os limites do *self*, aumentando assim as possibilidades de prazer e satisfação.

Os problemas surgem quando o indivíduo passa do limite, isto é, quando sua identificação egótica compensa uma falta de autoidentificação. Na pessoa saudável, o ego alicerça-se nas sensações do corpo e identifica-se com o *self* físico. A autoexpressão aparece assim, em primeiro lugar, na forma de vida criativa e, só depois, na forma de identificações egóticas. Quando as identificações com o corpo são fracas e tênues, a identidade da pessoa é imprecisa e sua autoexpressão na vida criativa, muito reduzida. Aquele que está alienado de seu *self* corporal precisa procurar a identidade e um meio de autoexpressão por meio de identificações egóticas, o que se torna seu modo principal de autoexpressão. Nesse caso, trata-se de um substituto pobre para a coisa real.

Um investimento exagerado nas identificações egóticas desvia energia do *self*, que se torna vazio à medida que o ego infla. A satisfação do ego obtida dessa forma não contribui para o prazer da vida. Assim como as ilusões — outra função do ego dissociado — poderão sustentar o espírito, mas nada trarão ao corpo. Ouvi muitas pessoas bem-sucedidas reclamar de que não sentem "verdadeira satisfação" por seu aparente sucesso.

Há ainda outro aspecto da função do ego na autoexpressão: a necessidade de reconhecimento. Cada ato consciente de autoexpressão sente-se incompleto até provocar a reação dos outros membros da comunidade. Se a reação é favorável, consegue-se uma satisfação extra com a realização. Se é negativa, tal satisfação se reduz. A ação criativa que passava despercebida costuma deixar seu autor frustrado. O escritor fica desapontado se ninguém lê seu livro, o artista, desanimado se ninguém reage às suas pinturas e a cozinheira, infeliz se o seu trabalho não é notado. Parece que todos nós precisamos de certo reconhecimento de nossa individualidade. Sem ele, é difícil manter a identidade ou sustentar o *self*.

Dotados de ego, temos consciência de que somos indivíduos, mas também de que estamos separados e sós. Por mais que queiramos ser um indivíduos, também desejamos ser aceitos em um grupo. O primeiro desejo é satisfeito por meio dos atos de autoexpressão; o segundo, por meio da aprovação desses atos. Desde que ambos os desejos fluam por meio do ego, sua realização acarreta satisfação egótica. Podemos também perceber um fator quantitativo nesse processo. O ego mais forte associa-se a níveis mais elevados de individualidade, a maiores necessidades de autoexpressão e de reconhecimento. O ego mais fraco dispõe de impulso menor para se autoexprimir, satisfazendo-se com menos reconhecimento.

O desejo de ser reconhecido encontra-se subjacente ao fenômeno de *status*. O grau de reconhecimento determina o *status*; o impulso em busca deste provém da necessidade do ego de ser reconhecido. O *status* é um fenômeno que nós, seres humanos, compartilhamos com diversos animais. A hierarquia entre as aves na hora de ciscar, a ordem de se alimentar num bando de animais selvagens, a prioridade na seleção dos parceiros no acasalamento são frequentemente determinadas pelo *status*. Para as espécies, o *status* serve para assegurar a sobrevivência dos mais capazes. Em termos de indivíduo, expande o senso de identidade e apoia seu ego. Enquanto o ego estiver identificado com o corpo, como nos animais, o *status* reflete os dotes físicos do indivíduo. Entre os seres humanos, porém, muitos fatores não relacionados com o corpo determinam a posição ou o *status* do indivíduo na comunidade. Hereditariedade, riqueza, maneira de falar, relações familiares desempenham papel importante na determinação do *status*.

Quando não significa um verdadeiro indício das qualidades pessoais do indivíduo, o *status* age como força desintegradora, dissociando o ego do corpo. O *status* molda a imagem do ego individual. Quanto maior o *status*, maior a imagem, pois só podemos nos ver por meio dos olhos dos outros. Contudo, sentimo-nos internamente se estivermos em contato com o corpo. Nenhuma dificuldade surge quando a imagem corresponde à realidade do corpo, isto é, quando a maneira como nos vemos corresponde à maneira como nos sentimos. Sem essa correspondência há uma perturbação no nosso senso de identidade. Ficamos confusos sobre quem somos. A mente consciente é tentada a se identificar com a imagem e a rejeitar a realidade do corpo. Essa dissociação entre ego e corpo acarreta uma vida irreal. A pessoa torna-se obcecada por sua imagem, preocupada com sua posição e entregue à luta pelo poder para aumentar seu *status*. O prazer e a criatividade desaparecem.

O PAPEL DO EGO NO PRAZER

O ego tem papel importante no prazer quando se identifica com o corpo. O ego forte permite que se aproveite mais a vida, enquanto o fraco diminui a capacidade de prazer. Essas afirmações podem ser compreendidas se imaginarmos o corpo como um arco e o ego como a força consciente que puxa a corda e curva o arco. Nessa imagem, o voo da flecha é a experiência do prazer, pois representa a liberação da tensão do arco. O ego forte criará uma tensão maior no arco ou suportará uma tensão maior no corpo. Haverá, portanto, um amplo arremesso da flecha quando o arco for acionado. Quando o arco não for plenamente esticado porque o ego é fraco, a flecha cai impotentemente no chão. Esquecendo por um momento se o alvo foi ou não atingido pela flecha, veremos que o prazer é representado pelo voo livre dela. É de fato um prazer lançar uma flecha ao ar e sentir seu voo como a expressão do nosso esforço.

Atirei uma flecha ao ar.
Caiu no chão, não sei em que lugar.

Muitas pessoas, excessivamente conscientes do ego, não se satisfazem com prazeres simples. Se atiram flechas, exigem alvos que desafiem sua habilidade. Mirar o alvo traz outro elemento a essa imagem. Atingindo-o, consegue-se uma satisfação adicional do ego originada do sucesso que aumenta o prazer da atividade. O fracasso em acertar o alvo produz um desapontamento do ego que neutraliza o simples prazer de atirar flechas. A satisfação extra pelo sucesso serve também como incentivo para um esforço maior. O ego é estimulado pelo sucesso e pode, em realizações posteriores, exercer uma força maior. É diminuído pelo fracasso, que enfraquece a vontade. Quando o ego identifica-se com o corpo, o sucesso aumenta a capacidade dele para tolerar tensão e, portanto, para experimentar prazer. Quando essa identificação não existe, o sucesso sobe à cabeça da pessoa, inflando seu ego e tentando-a a se expandir além de sua capacidade.

O ego também pode ser comparado com um general. É o chefe da personalidade, mas, ao contrário do general, que é o líder do exército, encontra-se na linha de frente de todos os contatos com o mundo exterior. Eu o localizei no lobo frontal, perto dos olhos e de outros órgãos do sentido. É a região do corpo que mais recebe estímulos do ambiente, o que facilita a função de percepção do ego. Por meio do controle do movimento voluntário, o ego estabelece a tônica do nosso relacionamento com o ambiente. Em geral, sua expansão em reação a respostas positivas do ambiente (reconhecimento da autoexpressão) aquece o corpo inteiro com excitamento. Quando sofre um colapso porque suas bases no corpo são frágeis e não recebe reconhecimento externo, ocorre a depressão.

Na extremidade inferior do corpo situa-se o aparelho genital, o centro das funções sexuais. Sexo é o epítome de prazer e criatividade. O que não quer dizer que todo prazer seja sexual, nem que todas as atividades sexuais sejam agradáveis. A sexualidade é o principal canal do corpo para a descarga de tensão e a mais importante expressão criativa do indivíduo. Entre esses dois polos do organismo há uma pulsação de energia. Essa polaridade se baseia no fato óbvio de que a extremidade superior ou dianteira do corpo está relacionada sobretudo com a ingestão ou carregamento, enquanto a extremidade inferior ou posterior relaciona-se com o processo de eliminação e descarga. O fluxo de energia ou de sensações entre os dois polos do corpo é pendular, sendo seu ritmo determinado pelos processos energéticos do corpo. Quando ocorre um contato agradável com o ambiente, a energia e as sensações fluem para a metade superior do corpo. O ego estimula-se e o corpo excita-se. Depois de a excitação alcançar certa intensidade, a direção do fluxo é invertida. A energia e as sensações fluem para baixo, para os canais de descarga, sexualmente ou por meio de outros movimentos. Como animais da terra, movemo-nos em relação ao chão. Assim, quando uma criança está animada, pula de alegria. Os animais pulam e saltam e os adultos dançam. Toda energia é, enfim, descarregada na terra.

Em todo fenômeno pendular, o movimento numa direção é igual àquele em direção oposta. O fluxo de sensações em direção aos órgãos sexuais não é maior, portanto, do que o fluxo para cima, em direção à cabeça, e vice-versa. Isso significa que a força do ego determina a intensidade do impulso sexual e que a quantidade de prazer sexual e de satisfação influencia a força do ego.

A relação entre o ego e a função sexual pode ser ampliada para todas as formas de prazer. Quanto mais forte for o ego, maior o prazer. Alternadamente, o prazer alimenta o ego. Quanto mais prazer se tem, mais forte se torna o ego. O ego mais forte suporta uma excitação maior, que então é transformada em prazer e satisfação quando ocorre a liberação.

O balanço pendular de energia entre os dois polos do corpo, isto é, entre as metades superior e inferior, é contínuo durante as horas de vigília. Cada passo que damos envolve uma consciência de direção e uma sensação de contato com o solo. Inexistindo esta última, estaremos andando mecanicamente ou flutuando como espíritos. Quando essa pulsação de energia ou de sensação flui livremente, cada passo e cada movimento são um prazer. Em atividades mais intensas, a pulsação aumenta em nível e ritmo. O nível mais alto de excitação em geral é acompanhado por um ritmo mais rápido, como quando corremos ou dançamos. Essas duas atividades, em comparação com o andar, envolvem maior consciência do objetivo da ação e maior noção do corpo em movimento. De um lado, há mais envolvimento do ego; de outro, a liberação é mais agradável. Não importa o que estejamos fazendo, a presença da pulsação garante que a mente e o corpo funcionem juntos harmoniosamente para promover o ajustamento e a eficiência da ação e garantir prazer e satisfação ao realizá-la.

Sente-se prazer, em qualquer atividade, quando ocorre a relação total entre a mente e o corpo. O prazer é o resultado da entrega total ao impulso e às sensações conjugadas à consciência de que o objetivo e o ajustamento da ação estão corretos. Se, além disso, o objetivo é alcançado, atinge-se uma profunda sensação de satisfação. Três fatores se combinam para produzir tal sentimento: uma onda interna de excitação, a coordenação e o ajustamento conscientes do movimento e o resultado exterior desejado. Quando o corpo, a mente e o movimento unem-se num momento de verdade pessoal, a sensação resultante é de satisfação. No momento da fusão, o excitamento transcende as fronteiras do *self* e transporta o indivíduo para as alturas da alegria.

Aqueles que viveram essas experiências sabem que elas têm um caráter quase místico. Momentos antes do acontecimento final, intuitivamente se sabe o que vai acontecer. No beisebol, antes de a bola bater no taco, o batedor sente o golpe que lhe permitirá completar o circuito das bases. Antes de o clímax sexual de fato acontecer, o amante já sabe dentro de si que o orgasmo será extasiante. Antes de as palavras serem escritas no papel, o escritor sabe que formarão uma frase bonita. Talvez o exemplo mais comum seja o boliche, no qual o jogador sente que vai derrubar todos os pinos assim que atira a bola. Quando esses fatos acontecem, é como se forças estranhas guiassem nossas ações.

O jogador chamará de ajustamento o fato de acertar a bola, o amante falará de suas sensações e o escritor, de sua imaginação. Esses termos simplesmente denotam que se conseguiu perfeita harmonia entre o *self* e o mundo, a qual fez que a ação fluísse sem esforço e o resultado fosse inevitável. Em suas atividades mais limitadas, o animal selvagem percebe essa alegria da harmonia perfeita. Seus movimentos geralmente são seguros, seu controle, incrivelmente apurado e seu compromisso com a vida, sempre total. O animal selvagem, claro, vive em harmonia muito maior com seu ambiente do que nós com o nosso.

O sentimento de completa harmonia com o ambiente que pode levar à ação perfeita é o princípio fundamental dos mestres zen. O zen budista alcançou um grau de integração no qual se mantém uno com suas ações e seu mundo. É totalmente ele próprio e, ao mesmo tempo, completamente altruísta. Essa contradição explica-se pela identificação total do ego com o corpo. A distinção entre vontade e querer é eliminada. Apenas quando o ego deseja o que o corpo quer este responderá sem vacilar ou errar ao desejo do ego.

Seria ingênuo pensar que essa harmonia perfeita pode ser obtida em todas as áreas da vida e em todos os momentos. Felizes os que a alcançaram em alguma esfera de atividade. Nessa área suas ações trarão a marca da mestria. Outros a tiveram por momentos: foi o que Abraham Maslow chamou de "experiência culminante", que é a base da sensação de alegria. É o princípio subjacente à abordagem criativa da vida.

O PAPEL DO EGO NA DOR

O ego funciona com imagens, e sua satisfação deriva da materialização dessas imagens. Por exemplo, todos nós temos uma autoimagem para cuja concretização constantemente lutamos. Essa imagem representa um potencial que esperamos alcançar. Inspira nossos esforços, dirige e coordena nossas atividades. Sua realização promete felicidade. O homem que trabalha duro sonhará com uma vida de lazer, a mãe, com o futuro de seus filhos, o escritor, com o grande romance que vai escrever e assim por diante. As imagens fazem parte da vida de todos nós. São criadas pelo fluxo ascendente e para fora de sensações no ego em direção ao mundo. Ampliam nossas perspectivas e expandem nosso espírito. Excitam o corpo e criam sensações de prazer — prazer antecipado, porque o verdadeiro prazer espera a concretização da imagem e a descarga da excitação que então acontece.

Todo projeto que se empreende envolve uma imagem. O empresário que abre uma nova firma já se imagina dirigindo-a. A dona de casa que planeja uma nova decoração se imagina vivendo com ela. Essas imagens são excitantes porque se antecipa que a vida será mais agradável após sua realização. Mas às vezes isso não acontece.

Se o ego encontra-se dissociado do corpo, o fluxo descendente da excitação não se verifica. Não ocorrerá a descarga agradável da excitação. A liberação de excitação por meio de movimentos corporais coordenados e harmoniosos está bloqueada por tensões musculares crônicas que representam impulsos reprimidos negativos e hostis. A liberação não consegue achar sua saída natural no amor por ansiedades sexuais reprimidas. É perturbada por inseguranças latentes originadas da relação inicial com a mãe, as quais mais tarde afetam o relacionamento com o solo e a terra, extensões simbólicas da figura materna. A pessoa que não se encontra, literal e simbolicamente, bem alicerçada sente medo de "deixar acontecer" ou de "deixar cair". Está, como dizemos hoje, "no ar". Daí resultam a incapacidade de sentir prazer e o aumento nos estados de tensão e dor.

A excitação bloqueada, que não pode fluir para baixo, sobrecarrega o ego e cria novas imagens que devem ser concretizadas antes que o prazer seja vivenciado. Novos projetos são empreendidos, outros esforços são feitos, mas seus efeitos apenas aumentam a tensão e a dor. É fácil ver como se desenvolve a espiral autodestrutiva. O indivíduo se vê compelido a subir cada vez mais alto na escala social; cada ascensão gera uma satisfação momentânea do ego que logo se transforma em descontentamento. É preciso ganhar mais dinheiro, comprar uma casa maior, conseguir posição política mais alta, escrever mais livros e assim por diante. Cada movimento ascendente não é acompanhado de um movimento descendente correspondente, e a descarga da excitação serve apenas para aumentar o estado de dor — que, então, amplia a dissociação entre ego e corpo.

O ego dissociado confunde imagem com realidade. Vê a imagem como fim e não como meio. Suas metas adquirem uma característica compulsiva e perde-se o prazer de viver. É triste constatar, como vários psicólogos ressaltam, que somos pessoas dirigidas pelas metas. Confundimos objetivo com prazer e não vemos que a meta é uma promessa de prazer e não garantia dele. Tendemos a considerar a realização do objetivo a própria recompensa. Inevitavelmente, portanto, a meta é substituída por outra, enquanto o adiamento do prazer continua indefinidamente. O progresso *per se* transforma-se no objetivo final, e a vida é atrelada a tabelas estatísticas ou a gráficos. O resultado final da luta do ego é a depressão ou a morte. O adiamento dos prazeres corporais exaure as boas sensações da pessoa e esgota suas energias. Cedo ou tarde o esforço sofre um colapso e o ego, como um balão que subiu muito alto, cai, mergulhando o indivíduo na depressão. Quando isso acontece, a vida é poupada, pois a depressão interrompe a luta sem sentido, permitindo que o corpo se recupere. Em algumas pessoas, contudo, o ego mantém seu comando até o final amargo. O colapso que se verifica nessa situação é mais físico que psicológico. Quantas vezes ouvimos falar de gente que parecia estar no auge de suas realizações e acaba morrendo de ataque cardíaco, câncer ou causas semelhantes? Conheci pessoalmente diversos casos assim.

Há um limite para a tolerância de estresse pelo corpo. Quando esse limite é ultrapassado, desenvolve-se alguma doença.

EGOTISMO

Às vezes os psiquiatras são chamados de "encolhedores de cabeça"[16]. Isso significa que uma de suas principais funções é reduzir o ego inflado de seus pacientes. O que na verdade fazem, evidentemente, é trazer o paciente de volta à terra. Eliminando as ilusões, o paciente passa a ter um bom contato com a realidade e sua vida melhora. Popularmente, tal fato é visto como um processo de "encolhimento"; o ego é reduzido ao tamanho do corpo e alicerçado nas funções do corpo. Claro que o ego do paciente não é atacado diretamente pelo psicoterapeuta. Essa abordagem teria um efeito desastroso, pois a pessoa encontra-se identificada com seu ego. O colapso do ego, como já mencionei, pode mergulhar o indivíduo na depressão ou levá-lo ao suicídio. Em vez disso, o paciente é colocado em contato com a realidade de sua existência como ser físico, isto é, com seu corpo e seus sentimentos. Dependendo do nível em que aceita seus sentimentos e se identifica com seu corpo, libertar-se-á da dor de tentar preencher a imagem imposta por seus pais e pela sociedade.

A imagem que domina a maioria dos indivíduos atualmente é a do sucesso. De uma forma ou de outra, muitos lutam pelo êxito. As mulheres se empenham em ser boas esposas, mães e profissionais. Os homens lutam para ser amantes, empresários ou profissionais bem-sucedidos. Se alguém não alcança o sucesso, será considerado um fracasso. A tendência de julgar a vida de alguém em termos de sucesso e fracasso mostra em que grau somos dominados pelo ego. Julgar a vida dessa maneira traduz uma ação destrutiva muito mais séria que os juízos relacionados às emoções de culpa, vergonha e vaidade. É como se tivéssemos escapado do peso de culpa que atormentou nossos ancestrais e tivéssemos aceitado o peso ainda maior da responsabilidade pelo sucesso ou fracasso. Ao assumir essa responsabilidade, o homem torna-se egotista. Vê a si mesmo como governante do mundo e mestre de seu espírito. Nunca em toda sua história o homem teve tanta arrogância. Em épocas passadas, via a si mesmo como sujeito a uma lei superior, como parte de uma ordem mais ampla e instrumento de um poder mais alto. Sempre houve indivíduos cujo egotismo os colocou acima dos princípios morais, revestindo-os de uma identidade divina. Suas conquistas traçaram caminhos de dor e sofrimento. As feridas que causaram ainda não estão totalmente cicatrizadas. Esses conquistadores representaram um fenômeno passageiro. Seu poder desapareceu quando morreram e sua influência foi anulada pelas profundas convicções religiosas das pessoas.

A situação mudou rápida e drasticamente no século 20. A ciência eliminou e a tecnologia abalou a crença do homem em forças sobrenaturais capazes de moldar sua vida e traçar seu destino. Duas guerras mundiais abalaram sua fé na lei moral e na justiça natural. A ascensão da psicologia tornou-o consciente dos fatores emocionais que determinam seu pensamento. Por fim, com o advento do automóvel e com a dispersão da vida comunitária, cada pessoa transformou-se num indivíduo responsável pela própria vida. Essa é uma responsabilidade considerável, que só um egotista pode encarar com serenidade. Ingênua e cegamente, o homem moderno foi preenchendo o papel deixado por Deus, sem perceber que nesse processo estava perdendo a alma.

Falar de alma é complicado. Ninguém sabe o que ela é e muitos argumentarão que não existe. Eu a descreveria como uma qualidade do ser. A pessoa que não sente que integra um esquema maior, que não sente sua vida como parte de um processo natural maior que si mesma pode ser considerada sem alma. É ela que une o homem ao passado e o compromete com o futuro. Liga-o à terra e a todas as criaturas vivas. É a base de sua identificação com os fenômenos cósmicos e a fonte de sensação oceânica de união com o cosmo. Se tiver alma, o homem pode ultrapassar as estreitas fronteiras do *self* e experimentar a alegria e o êxtase da identidade com o universal. Se não tiver alma, estará trancado na prisão de sua mente e seus prazeres limitar-se-ão às satisfações do ego.

O indivíduo sem alma é egotista. Vê o mundo apenas em termos de si mesmo. A esposa e os filhos são extensões de sua autoimagem. Seus interesses refletem as necessidades do ego. Se esquia, por exemplo, o faz para provar sua capacidade e impressionar os outros. A magnitude da montanha coberta de neve, sua solidão, as árvores congeladas não o impressionam. Se faz amor com uma mulher, o faz com pouco sentimento. O bem-estar do ego na conquista ou na satisfação da mulher é mais importante para si que a experiência do amor. Poderá ser consciente dos problemas sociais, mas sua participação nessas causas deriva da identificação de seu ego. Poderá se considerar "bem-sucedido" ou um fracasso, pois seu ego é o árbitro de todas as suas ações.

O egotista se acha criativo, pois está sempre se expressando. O que realmente manifesta é a imagem que faz de si mesmo, imagem essa destituída de beleza, graça ou verdade. Tais qualidades fazem parte do indivíduo que está em contato com as forças profundas da vida, as forças que a criam e a mantêm — não apenas a vida humana e, certamente, não apenas a de um único ser humano. Verdade, beleza e graça definem a relação do organismo com seu ambiente. Expressam o fato de essa relação ser harmoniosa, geradora de prazer e dirigida para o deleite da vida. Todo animal, da minhoca na terra à toninha que se diverte no mar, tem essas qualidades. Tem alma e, portanto, é autoexpressivo e criativo. Sem alma não haverá verdadeira criatividade, nem verdadeira arte. Mas, enquanto o animal vive sua arte, o homem a projeta. Em ambos os casos, a verdadeira arte é a expressão dos sentimentos profundos do organismo, a manifestação de sua alma.

O século 20 presenciou o nascimento do homem egotista e o desaparecimento da verdadeira arte. Esta é uma frase de efeito e encerra uma vasta generalização, mas inúmeras evidências a validam. Uma vez que a arte do século 20 é expressionista, toda expressão será considerada arte. Não importa mais o que é expresso. Beleza, graça e verdade são irrelevantes. A situação seria cômica se o artista, egotista que é, não fosse mantido pela crítica e pelos *merchands*, que também são egotistas. Os críticos decidem o que é significante com base em suas ideias e os negociantes decidem o que é vendável baseando-se na popularidade e na moda. O mercado de arte transformou-se num mercado de moda no qual ninguém sabe quem estabelece as tendências. Estas, uma vez adotadas, determinarão o sucesso.

Não apenas na arte, mas também na arquitetura, na economia e na transformação da natureza o egotista tem a arrogância de pensar que tudo que faz é expressivo e significante. Sabe que suas cidades são feias, que o campo encontra-se devastado, os rios, sujos e o ar, poluído, mas ingenuamente acredita que com bastante dinheiro e poder é capaz de criar o paraíso. Será que não percebe que a busca de domínio sobre a natureza destruiu a base de um relacionamento criativo entre si e a própria natureza? Que a tecnologia o alienou do processo vital? E que a ciência roubou sua espiritualidade? Não, não compreende essas coisas. Vê a mente como a essência de sua personalidade, enquanto o corpo é considerado simplesmente o lugar onde a joia da mente brilha e cintila. A consequência dessa atitude é que o corpo não passa de um mecanismo refletindo o funcionamento da mente. É possível, claro, ampliar o conceito de mente no sentido de incluir o corpo, para fazer o *self* psíquico sinônimo do *self* somático. Todavia, essas ampliações com frequência são simples racionalizações no intuito de mascarar a propensão do homem pela mente em detrimento do corpo.

A alma do homem encontra-se em seu corpo. Por meio deste a pessoa é parte da vida e da natureza. No crescimento e na formação de seu corpo, passa por todos os estágios da evolução. Ontogenia, dizemos, faz uma recapitulação da filogenia. O corpo incorpora, portanto, a história da vida na terra. Inclui muitos dos elementos comuns da natureza, embora estes estejam combinados em formas exclusivas. Está sujeito às leis da natureza, da qual incontestavelmente faz parte. Então, por que o preconceito contra o corpo? Por que este é depreciado em favor da mente?

Muitas respostas surgem, embora nenhuma pareça definitiva. O corpo humano não difere muito dos demais mamíferos, embora a mente consciente lhe seja exclusiva. Tendo descoberto esse fato bem tarde no decorrer de sua história evolutiva, o homem domina todos os outros animais, considerando-os com desdém e desprezo por serem estúpidos e ignorantes. Voltou-se contra seu corpo tanto porque ele representa sua natureza animal como porque faz parte da natureza, enquanto sua mente é exclusivamente sua. O homem acredita que tem a posse de sua mente, mas nunca possuirá totalmente seu corpo. Neste se verificam processos que ela jamais compreenderá nem conseguirá controlar: as batidas do coração, o aparecimento de emoções, a ânsia de amor. Como a mente não pode controlar inteiramente o corpo, terá medo dele, assim como das forças desconhecidas da natureza.

O corpo é físico; cresce e se deteriora. A mente, ao que parece, é etérea, pura e incorruptível. O corpo é pesado e sujeito à lei da gravidade. A mente é leve e seus pensamentos transcendem tempo e espaço. O corpo é vulnerável; pode ser machucado e danificado. Ao contrário, a mente parece invencível. As crianças têm um ditado que ilustra essa ideia. Ao ser provocadas pelos companheiros, respondem: "Paus e pedras podem quebrar meus ossos, mas palavras não me machucam". Comparado com o dos animais predadores do início da história, o corpo humano era frágil e relativamente indefeso. A mente, contudo, era poderosa. O homem conseguiu enganá-los e, por fim, acabou vencendo-os.

Mas o corpo tem sentimentos e só ele pode experimentar prazer, alegria e êxtase. Só ele tem beleza e graça, pois fora dele essas palavras não fazem sentido. Tente definir beleza sem se referir ao corpo e perceberá que é impossível. Se disser que beleza é algo que agrada aos olhos, terá incluído duas referências físicas — prazer e olhos — em sua definição. É o nosso corpo que aprecia o frescor de um riacho, o frescor agradável da água pura, a visão do céu azul, o canto de um passarinho, o perfume de uma flor e assim por diante. Se estivermos em contato com nosso corpo, nos alegrará ser parte da natureza e capazes de compartilhar seus esplendores. Se estivermos identificados com nosso corpo, temos alma, pois por meio dele nos identificamos com toda a criação.

Como psiquiatra, diariamente vejo o sofrimento dos seres humanos egotistas. Quer se considerem um sucesso ou um fracasso, sua queixa básica reside na insatisfação, no vazio e na incapacidade de experimentar prazer e alegria. Estando sem contato com o corpo, não sentem sua dolorosa condição; não estão conscientes das tensões musculares crônicas que bloqueiam a autoexpressão. Seus problemas derivam da dissociação entre pensamento e sentimento, da desconfiança contra os sentimentos como guias de comportamento e do medo das reações involuntárias do corpo. Colocando sua fé no ego dissociado, confiam no pensamento "racional" e na ânsia de respostas que deveriam ser emocionais e motivadas por sentimentos agradáveis. Não é de surpreender que, cedo ou tarde, tornem-se deprimidos e achem a vida vazia e sem sentido.

Chamo esse paciente de egotista porque ele quer saber como agir melhor e como concretizar a imagem de seu ego. A ênfase no "como" e não no "por quê", típica de nossa atual abordagem da vida, caracteriza a atitude egotista. Pressupõe que o homem possa fazer qualquer coisa desde que tenha a informação certa. Mostra a arrogância da mente, pois ignora o fato de que o pensamento está condicionado pelos sentimentos e que a criatividade é uma função do corpo na procura de prazer. Como todos os psiquiatras, devo diminuir o ego inflado de meus pacientes, mas eles não me descrevem como um "encolhedor de cabeça", uma vez que trabalho tanto com o corpo quanto com a mente. O objetivo da terapia bioenergética é recuperar a unidade da personalidade, restabelecer a identificação do ego com o corpo e libertar o corpo das tensões musculares crônicas que bloqueiam sua mobilidade e restringem a respiração.

Na personalidade integrada, as distinções que tracei entre o pensamento e o sentimento, entre os movimentos voluntários e involuntários do corpo e entre o ego e o corpo não existem, a não ser como construções artificiais — por exemplo, recursos de oratória. Os diferentes níveis de funcionamento não são discerníveis a olho nu. Nenhum pensamento é expresso sem algum grau de sentimento na voz. Nenhuma palavra é escrita sem que traga certa carga emocional. Nenhum movimento físico acontece sem que se sinta prazer ou dor. O ego não funciona como uma entidade separada. Faz parte da estrutura unitária a que chamamos de indivíduo. É um aspecto ou visão (olhando de cima) da personalidade única de uma pessoa.

O indivíduo existe, simples assim. Como todos os outros organismos animais, tenta levar sua existência da forma mais agradável possível. Poderá, contudo, atingir esse objetivo partindo de dois pontos. Se o fizer partindo do corpo, perceberá que o prazer é um estado de harmonia com o ambiente natural e humano. Sentirá que a alegria é a união do interno com o externo e que, no êxtase, as fronteiras do *self* se dissolvem por completo. Saberá que o ego, ao definir sua individualidade, potencializa sua entrega. Essa é a abordagem da pessoa com alma. Se, por outro lado, quiser atingir o objetivo partindo do ego, lutará para obter poder e sucesso. Suas realizações lhe darão, momentaneamente, sensação de satisfação do ego, mas seu prazer será mínimo e limitado à gratificação sensual. Superconsciente de seu ego, não poderá experimentar a alegria de se entregar. Confundirá a imagem de individualidade com a verdadeira individualidade. Essa é a abordagem do egotista, a pessoa sem alma.

6. Verdade, beleza e graça

VERDADE E ASTÚCIA

Já há algum tempo, os biólogos vêm se surpreendendo com a dominação crescente do homem perante o reino animal. Em vista do imenso poder a seu dispor, hoje ninguém questiona sua supremacia. Mas nem sempre foi assim. Antes de conseguir esse poderio, o ser humano enfrentava uma relativa desvantagem física diante dos animais que caçava ou pelos quais era caçado. Não dispunha de muita velocidade nem de muita força. Faltavam-lhe os longos caninos com os quais os babuínos se defendem. Encontrava-se nu, exposto e vulnerável. Em algum momento, durante o desenrolar de seu desenvolvimento, aprendeu a usar o tacape e a faca de pedra, mas estas não eram armas extraordinárias. A grande vantagem do homem, na luta pela sobrevivência, foi o seu cérebro bem-dotado. Se não conseguia vencer outros animais numa luta ou correr mais rápido, pôde — e de fato conseguiu — ser mais esperto.

Mais do que qualquer outro animal, o homem vive por sua perspicácia. No ambiente natural, a sobrevivência frequentemente depende da inteligência. A caça tem de estar sempre alerta contra a possibilidade de perigo e ciente dos meios para escapar. O caçador precisa conhecer os hábitos da presa, como dela se aproximar e como matá-la. Deve também saber usar de artimanhas e artifícios, pois em geral a presa cautelosa tem de ser pega desprevenida. Nessa luta pela sobrevivência, o homem superou seus adversários.

Nas discussões sobre verdade e astúcia, devemos reconhecer que a malícia tem um papel importante nas disputas entre o homem e o animal. Em diversas áreas da vida reveste-se de valor positivo. No futebol, por exemplo, admiramos o jogador que sabe utilizar artifícios para driblar seu adversário e conseguir vantagem. As jogadas são escondidas e camufladas pela mesma razão. No boxe, a naturalidade da astuciosa provocação contra o adversário é considerada jogada de mestre. A maior parte da estratégia militar é baseada no uso da astúcia. Nenhum general no uso de suas faculdades mentais telegrafaria ao inimigo avisando-o de um ataque; ao contrário, faria todo o possível para esconder e mascarar seus movimentos. Mas não é apenas na esfera do combate físico que a malícia desempenha papel importante. O pôquer perderia a graça se o blefe fosse proibido. O xadrez não seria o desafio que é se a astúcia não fizesse parte dele. Em numerosas situações, a aplicação correta da astúcia poderá significar a diferença entre vitória e derrota.

De maneira geral, a capacidade de ser ardiloso representa vantagem nas situações de oposição ou disputa. Assim, em todos os contextos em que a predominância ou o poder é a questão, seríamos ingênuos se não nos mantivéssemos alertas em relação à utilização de truques. A astúcia não caberá, revestindo-se de evidente valor negativo, em situações que exigem cooperação e compreensão. Enganar a pessoa por quem alguém diz ter amor será um ato de traição. O engodo destrói o prazer que o relacionamento deve promover. Existindo o engano com o *self*, depararemos com uma consequência ainda mais séria, pois enganar a si mesmo é desastroso.

Em situações de conflito, o uso consciente de astúcia requer um grau de objetividade que aumente o nível de percepção. Para avaliar adequadamente a importância da artimanha, devemos nos colocar na posição do adversário. O mais importante na mente do ardiloso é a reação de seu opositor. "Se eu agir assim ou disser tal coisa, o que ele vai fazer ou pensar?" O sucesso do ardil depende da exatidão com que se avalia essa reação. O uso eficiente da artimanha exige que se saia do *self*, permanecendo-se consciente tanto do outro como do *self*.

O significado do ardil para a autopercepção me chamou a atenção depois do comentário de uma paciente. Ela contou que se lembrava do momento em que, pela primeira vez, se sentira consciente de si mesma ou de sua individualidade. Tinha 4 ou 5 anos e seus pais haviam exigido explicação sobre alguma coisa que fizera, não aprovada por eles. Rapidamente passou por sua cabeça o pensamento de que não era obrigada a responder com sinceridade. "Nesse momento", disse, "tornei-me consciente de mim mesma como um ser independente. Compreendi que tinha o poder de enganá-los." Apesar de ter ouvido essa declaração há mais de 20 anos, não a esqueci; ela me impressionou por conter um *insight* importante sobre a personalidade humana.

A consciência surge do reconhecimento das diferenças. Esse conceito foi apresentado e desenvolvido por Erich Neumann em seu livro *História e origem de consciência*[17]. Significa que, se nos tornarmos conscientes da luz, é porque experimentamos a escuridão. A pessoa ou o animal que vivesse apenas na luz ou na escuridão não se tornaria consciente delas. Da mesma forma, para sabermos o que "em cima" significa, precisamos entender o que "embaixo" representa. Para se ter consciência de si mesmo é preciso perceber o outro. A autoconsciência deve depender, da mesma maneira, do reconhecimento de um par de opostos ou alternativas de autoexpressão. Se um indivíduo só pode falar a verdade, não terá escolha. Sem poder escolher, sua autoexpressão está limitada e sua percepção, reduzida. Admitindo que se pode optar por responder francamente ou não, reforça-se o domínio do ego sobre o comportamento, uma vez que o ego, funcionando por meio do intelecto, é o juiz da verdade. Essa escolha, de fato, coloca o ego no banco do motorista da personalidade. Por meio de sua capacidade de discriminar entre verdade e mentira, certo e errado, o ego, identificado com o intelecto, transforma-se no centro da consciência de si mesmo.

Será que determinada pessoa adquirirá a capacidade de discriminar entre o real e o falso sem explorar a esfera da astúcia? Acredito que não. Muitas crianças passam por uma fase inicial de desenvolvimento na qual contam mentiras. A mentira costuma ser a negação de um ato que os pais considerariam errado. Por exemplo, a criança pode pegar dinheiro que esteja em algum lugar e escondê-lo. Quando for interpelada pelos pais, convencidos de que tenha pego o dinheiro, da maneira mais inocente negará que saiba algo sobre o assunto. Algum tempo depois admitirá a ação ou o dinheiro terá sido encontrado entre suas coisas. Muitos pais farão uma cena terrível e a punirão por ter mentido, mas se forem compreensivos considerarão o incidente uma incursão infantil no campo da astúcia, acreditando que possa aprender a utilizá-la adequadamente.

A repressão à capacidade da criança de ser ardilosa terá efeito destrutivo no desenvolvimento de sua personalidade. Não pensei muito sobre esse problema até que uma paciente o trouxe à tona após uma palestra que dei sobre o papel da astúcia no pensamento. Ela sofria de uma grave deficiência no seu sentido de *self*. Até perdera a fachada normal com a qual muitas pessoas enfrentam o mundo. Era bastante franca ao expressar sentimentos, mas eles não eram sinceros. Suas reiteradas declarações de sua intenção de melhorar, de cuidar mais de si mesma, por exemplo, não produziam nenhum efeito em seu comportamento. Apesar das minhas constantes observações sobre o contraste entre suas declarações e seu comportamento, ela não conseguia compreender que suas palavras eram frases vazias, ditas exclusivamente para angariar minha aprovação. Sua atitude era única no sentido de se mostrar avessa a qualquer sugestão de que sua aparente cooperação acobertava uma negatividade subjacente. A palestra provocou essa paciente e produziu o material a seguir. Transcreverei suas declarações.

"Nunca fui capaz de dizer uma mentira. Sempre fui obrigada a dizer a verdade. Tudo que eu pensava, sentia ou desejava interessava à minha mãe. Sentia-me muito orgulhosa por ela se interessar tanto. Não sei como ela me impôs a ideia de que eu não poderia esconder nada dela."

"Não conseguia ser astuciosa, mas sempre admirei essa capacidade. Não tinha medo de ser uma menina malvada, mas de ser uma garota que escondia coisas. Sentia que não tinha o direito de esconder nada da minha mãe. Ela estava sempre certa. Tinha o dom extraordinário de detectar algo que fosse omitido. Eu mantinha um diário, o qual ela lia. Queria sua aprovação, mas ela nunca aprovava. A única forma de conseguir amor era fazer seu jogo. Nunca senti que pudesse ter alguma privacidade."

O que aconteceu com essa paciente é que sua necessidade de privacidade, de reter informações pessoais, de manter a percepção do *self* e de ser astuciosa se necessário para proteger o *self* transformou-se em autoengano pela repressão de suas tendências naturais. Tendo entregado sua privacidade, perdeu a percepção do *self*. Incapaz de mentir, não conhecia a verdade. Poucas vezes encontrei casos tão difíceis no decorrer de minha prática clínica.

Ao mesmo tempo que a paciente era proibida de ser ardilosa, sua mãe praticava essa arte com ela. Seu suposto interesse era o disfarce de seu desejo de dominação. "Fui criada como uma experiência. Era obrigada a ser diferente", disse minha paciente. Apesar dessas declarações, não conseguia reconhecer a extensão da destrutividade de sua mãe. Nunca percebera os estratagemas da progenitora.

Em nossa cultura, as crianças são criadas para acreditar que falar mentira é ruim, errado ou pecado. Essa prática baseia-se no fato de que é destrutivo mentir em relacionamentos calcados na confiança e no afeto ou nas situações que exigem esforço cooperativo no alcance de um bem comum. A mentira corrói a confiança e gera antagonismos que destroem o prazer que tais relacionamentos oferecem. Entretanto, se a honestidade expõe a pessoa à punição ou à dor, será preciso força de vontade para ser honesta, uma vez que a tendência natural de todo organismo é evitar a dor. Pode-se fazer esse esforço se a ameaça de dor for leve. Porém, quando tal ameaça excede um nível aceitável, forçar a pessoa a dizer a verdade, contra seus próprios interesses, coloca-a num conflito pessoal e rompe a integridade de sua personalidade. Os governos democráticos protegem seus cidadãos contra esse efeito daninho fornecendo garantias constitucionais contra autoincriminação. Infelizmente, o relacionamento entre pais e filhos não oferece essas salvaguardas.

Há um ditado bastante conhecido que diz que as regras foram feitas para ser transgredidas, e as crianças são exemplos notórios de transgressões às regras. Desejando liberdade e buscando prazer, naturalmente se rebelam contra os impedimentos. Se os pais aplicam punições para reforçar as regras, é difícil imaginar como as crianças deixarão de mentir. A única alternativa para a criança que transgrediu uma regra é não dizer absolutamente nada. Infelizmente, o direito ao silêncio não é respeitado na maioria dos lares. O resultado será a criança que mente ou que não consegue mentir porque foi destituída de seu senso de *self*.

O direito de estabelecer regras e infligir punições é um exercício de poder. Baseia-se na pressuposição de que forças hostis e negativas na comunidade só podem ser controladas por esses meios. Mas o próprio poder cria antagonismos que interferem na vida cooperativa e comunitária. Devemos aceitar o fato de que essas forças existem nas comunidades em que vivemos e que, realisticamente, alguns poderes e leis são necessários para seu funcionamento tranquilo. Mas se introduzirmos esse conceito na situação doméstica e familiar, solaparemos as respectivas bases de prazer e alegria. Quando o poder entra numa casa pela porta da frente na forma de pais punidores, a desconfiança e as artimanhas entram pela porta dos fundos na forma de crianças rebeldes e mentirosas.

O lar que é regido pelo princípio do prazer, ao contrário do que é governado pelo poder, produz crianças seguras de si mesmas, cientes da diferença entre verdade e mentira e capazes de cooperar para promover prazer e alegria. Isso não quer dizer que tais crianças não possam mentir ocasionalmente. Em todos os lares há certas regras; há sempre alguma ameaça de punição, algum exercício de poder. Para que haja confiança e afeto que unem a família, as regras devem ser mantidas num mínimo e estabelecidas para aumentar o prazer de todos os membros. O uso de punições e de poder é uma clara manifestação de que a confiança e o afeto estão enfraquecidos e de que a cooperação e o prazer mútuo diminuíram. A mentira em si mesma nunca é punida, pois é um claro indício de que mais confiança deve ser oferecida.

O direito de punir a criança é uma traição à confiança que ela deposita em seus pais. Ela confia que eles nada farão para lhe causar dor, mas farão tudo para lhe dar prazer e promover sua felicidade. Quando, porém, os pais estabelecem esses objetivos com palavras, mas infligem dor e castigo, a criança se sente traída e enganada. A ideia de que a punição é dada para o bem da vítima é reconhecida hoje como racionalização. Encarceramos o condenado para proteger a sociedade e punimos as crianças para assegurar sua submissão à vontade e ao poder dos pais. Todavia, muitos pais acreditam que as punições são boas para os filhos. "É de pequenino que se torce o pepino" é um ditado antigo que pertence a uma cultura hostil ao sexo e negadora do prazer. Representa uma abordagem não criativa da vida.

Nenhum fator é mais responsável pela perda do potencial criativo do que o autoengano. Este adquire diversas formas. No primeiro capítulo, assinalei como nos enganamos por meio da ética da diversão. A fé no poder é outra forma de nos enganarmos, o egotismo, a terceira e a crença de que a punição tem efeito positivo, a quarta. A pessoa se ilude cada vez que não é franca consigo mesma. Mas, para ser verdadeira consigo mesma, será preciso que saiba quem é e o que sente. Se seus sentimentos estão reprimidos, seu comportamento será o reflexo de ideias que nela foram projetadas e não a expressão do seu verdadeiro ser ou *self*.

O enganar a si mesmo é resultado de uma perda de contato com o *self* corporal. Aquele que não sente o que está acontecendo em seu corpo está sem contato consigo mesmo. Sua percepção e, portanto, seus sentidos estão distorcidos. Incapaz de confiar neles, acredita no que lhe dizem ou no que lê quando do isso lhe é apresentado como um fato objetivo, porque não tem como avaliar a verdade. É suscetível à propaganda e aos *slogans* e vulnerável às grandes mentiras. Seguindo a moda, acredita ser um indivíduo quando, na verdade, não passa de uma pessoa massificada. Ninguém escolhe se enganar. O autoengano se desenvolve quando a pessoa foi tão profundamente ludibriada em seus relacionamentos pessoais que não acredita mais em seus sentidos.

PENSAR E SENTIR

Pensar é geralmente considerado o oposto de sentir. A pessoa reflexiva é contrastada com a impulsiva, a que age segundo seus sentimentos sem pensar.

"Pare para pensar" é a ordem da razão. Parecerá contradição afirmar que o que se sente encontra-se intimamente ligado ao que se pensa. Porém, ao examinar o processo de nossos pensamentos, ficaremos surpresos ao constatar como eles se reportam aos sentimentos, em quanta base emocional se alicerçam. Nossos pensamentos comuns, em geral, são subjetivos: pensamos sobre nós mesmos, em como nos sentimos, no que vamos fazer, em como o faremos e assim por diante. É necessário um esforço da vontade para nos tornarmos objetivos em nosso processo de pensar. O pensar desempenha um duplo papel em relação ao sentir. Quando a pessoa tenta pensar objetivamente, o pensar se opõe ao sentir. Em outros momentos, o pensamento é subjetivo e bastante colorido pelo sentimento. Quando pensamos subjetivamente, a linha de pensamentos corre paralela à dos sentimentos. Quando pensamos objetivamente, ela correrá na direção contrária à dos sentimentos, isto é, veremos nossos sentimentos criticamente. Esse duplo papel do pensamento em relação aos sentimentos sugere que haja uma relação dialética entre os dois processos. Ambos demonstram ter uma origem comum no inconsciente, mas divergem e tornam-se opostos no nível da consciência.

Do ponto de vista da consciência, o pensar e o sentir representam aspectos diferentes da função de percepção. O sentimento é a percepção sensorial do processo corporal, trazendo carga energética ou emoção. Os sentimentos podem ser diferenciados de modo quantitativo. O rancor, por exemplo, tem uma intensidade ou carga afetiva distinta da raiva. Essas diferenciações quantitativas nos permitem construir um espectro emocional de sentimentos de rancor. Mas o próprio rancor sujeita-se a variações de intensidade. Pode-se estar mais ou menos rancoroso. O pensamento, por outro lado, é a percepção psíquica do processo corporal na forma de imagem. Esta ou o pensamento não carregam nenhuma carga e não têm aspecto quantitativo. Mas como duas imagens não são idênticas, serão qualitativamente diferentes. A força motriz ou a carga subjacente ao pensamento derivam do sentimento que as acompanha. A relação entre pensar e sentir encontra-se ilustrada na Figura 5.

A identidade funcional do pensar e do sentir deriva de sua origem comum no movimento do corpo. Cada movimento corporal, percebido pela mente consciente, origina sentimentos e pensamentos. A percepção do sentimento ocorre numa parte do cérebro diversa daquela onde se forma o pensamento. Os centros de sentimento, de prazer, de dor e das variadas emoções localizam-se no

Prazer

FIGURA 5 — Processos corporais bioenergéticos

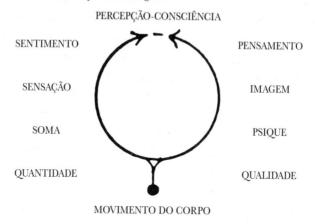

mesencéfalo e no hipotálamo. Quando os impulsos nervosos provocados pelos movimentos corporais chegam a eles, percebemos os sentimentos. Entretanto, o impulso não para nesses centros inferiores. Por meio de outros nervos, dirige-se aos hemisférios cerebrais, onde se verifica a formação de imagens e do pensamento simbólico. Como os hemisférios cerebrais são as porções mais novas e evoluídas do cérebro, comprova-se que o processo do pensamento representa o nível mais alto da consciência. O que explica por que podemos pensar sobre nossos sentimentos, mas não sentir nossos pensamentos. Porém, como a percepção é, em geral, função da consciência, enquanto estivermos conscientes e em movimento teremos sentimentos e pensamentos.

A ideia de que movimentos corporais acarretam sentimentos e pensamentos vai de encontro às opiniões correntes. Estamos acostumados a ver o movimento como consequência de pensamentos e sentimentos, e não o contrário, porque encaramos aquilo que nos acontece por meio do ego, que se encontra no topo da pirâmide hierárquica das funções da personalidade. Visto de baixo, o movimento não apenas precede como fornece substância para os sentimentos e pensamentos. Esses movimentos informativos são os movimentos corporais involuntários. Os voluntários, por outro lado, derivam dos sentimentos e do pensamento.

Para colocar o pensamento e o sentimento em primeiro lugar na ordem dos acontecimentos corporais, é preciso ignorar a prova substancial que nega esse fato. A característica fundamental do organismo vivo é sua mobilidade espontânea. Está vivo porque se move, e percebemos que está morto quando

113

se torna imóvel. No caso do ser humano, ouvimos as batidas do coração ou procuramos sinais de respiração. Ao concluirmos se há ou não vida, não procuramos sentimentos e pensamentos. Percebemos, com razão, que eles estão ausentes no cadáver e que só poderão estar presentes na pessoa viva. Do ponto de vista da consciência, não estão sempre presentes. Quando a consciência obscurece no sono, os sentimentos conscientes e os pensamentos também desaparecem. Surgirão em sonhos, mas hoje já se sabe que o sonho é acompanhado do aumento das atividades corporais, sobretudo dos movimentos rápidos dos olhos. Na ausência de movimentos, o sentimento desaparece. Quando deixamos de movimentar o braço por muito tempo, ele ficará dormente e não conseguiremos senti-lo. Dizemos que dormiu. Mesmo que possamos mexê-lo conscientemente, faltará a sensação. Reativando a circulação, recobramos a sensação. Esse fenômeno também é observado na esquizofrenia, em que pode ocorrer a perda de sensação em todo o corpo. O paciente talvez se queixe de que o corpo está morto. Esse sintoma, conhecido como despersonalização, é superado pela estimulação da respiração e dos movimentos, restabelecendo-se a ligação entre pensar e sentir.

A relação entre o pensamento e o movimento tem sido descrita por diversos autores. Sándor Ferenczi assinalou que a atividade muscular auxilia o pensamento. Andamos de um lado para o outro quando tentamos resolver um problema. Silvano Arieti traça o desenvolvimento do pensamento a partir do *exocept*, uma simples representação interna dos movimentos motores e das reações aos complexos conceitos de filosofia e ciência. Já se afirmou que todo pensamento é um ato incipiente, que pode ser testado na mente antes de ser executado. Nesse aspecto, o pensamento difere do sentimento, que impele a pessoa à ação imediata.

Se o pensamento deriva do movimento, conclui-se que a maior capacidade de pensar do homem vem, em última instância, da maior extensão de movimento que ele é capaz de produzir. A maior extensão de movimentos exige, para sua coordenação, um mecanismo nervoso mais elaborado. Essa conexão significa que, na área motora do cérebro, mais espaço e mais neurônios sejam dedicados aos movimentos da mão do que a qualquer outra parte do corpo. O que mostra os intrincados e complexos movimentos que a mão humana é capaz de elaborar.

A relação entre movimento e pensamento explica por que muitos deficientes intelectuais têm movimentos desajeitados e estranhos. O que também

Prazer

explica por que crianças com lesões cerebrais não conseguem desenvolver a coordenação motora e as habilidades da pessoa sadia. Por outro lado, vem-se demonstrando que, mesmo na presença de lesão cerebral, todo progresso significativo na coordenação motora, obtido por meio de exercícios, melhora globalmente o raciocínio da criança. Na ausência de lesão cerebral comprovada, ainda não se concluiu o que é causa e o que é efeito. É lógico supor que a criança cuja expressão motora esteja gravemente inibida torne-se apática, podendo até mesmo aparentar deficiência intelectual. Abordarei esse assunto no próximo capítulo.

A capacidade superior de pensar do homem em comparação com outros animais também é uma função de sua consciência mais desenvolvida. O homem é mais consciente de si e de seu ambiente do que qualquer outro animal. Embora o fenômeno da consciência permaneça ainda um mistério, a elevada consciência do homem não implica um desenvolvimento isolado: este vem acompanhado, na outra extremidade do corpo, por uma sexualidade mais elaborada. O homem sente desejo sexual com mais frequência, sensações sexuais mais fortes e maior resposta sexual do que qualquer outro animal. É dotado, em outras palavras, de mais energia sexual. Uma vez que não há energia sexual específica, conclui-se que ele tem mais energia tanto em relação à sua sexualidade como em relação à sua consciência.

SUBJETIVIDADE E OBJETIVIDADE
Pensamos subjetivamente quando nosso ponto de referência está dentro de nós e nosso pensamento encontra-se dirigido para a expressão de nossos sentimentos e para a satisfação de nossas necessidades. Para pensar objetivamente, o ponto de referência deve situar-se fora do *self* e a compreensão da relação causal não pode ser influenciada por sentimentos pessoais e por desejos. O pensamento objetivo procura definir relações causais tendo em vista a ação em vez de sentimentos, pois os atos são visíveis, são acontecimentos públicos, enquanto os sentimentos são fenômenos internos e particulares. Os sentimentos não se comprovam objetivamente; assim, não ocupam lugar no pensamento objetivo.

Surge a seguinte questão: pode o pensamento encontrar-se totalmente apartado do sentimento? Na verdade, quando se pondera sobre a natureza do pensamento objetivo, isto é, o pensamento não emocional, ele parece mais contraditório que o pensamento emocional ou subjetivo. Se a mente estiver completamente separada dos aspectos sensíveis do ser, transformar-se-á num computador que funciona tão somente baseado nas informações que lhe são fornecidas. Trata-se do pensamento programado. Em certas situações, a mente humana pode funcionar dessa maneira. O pensamento de um estudante resolvendo um problema de geometria lembra as operações do computador. Ele levanta todas as informações que já absorveu sobre geometria para resolver o problema. Se as informações não forem corretas, não resolverá o problema, uma vez que nem seus sentimentos nem sua experiência pessoal serão capazes de ajudá-lo.

Enquanto a pessoa estiver viva, seu corpo enviará impulsos ao cérebro, informando-o de suas atividades e produzindo sensações, sentimentos e pensamentos. Até em meio às nossas deliberações mais abstratas a mente não fica livre da intromissão de considerações pessoais. Percebemos as sensações de irritação, de frustração, de excitação ou de relaxamento. As intromissões dificultam o esforço de pensar objetivamente exigindo uma considerável força de vontade para manter a atenção focada nos problemas impessoais. As intromissões são mínimas quando o corpo se encontra num estado de prazer e o problema gera um desafio criativo. Em tais condições, a mente tenderá a divagar menos. Todavia, essas condições são raras numa cultura ou num sistema educacional que nega o papel do prazer no processo criativo.

Quando o indivíduo é obrigado a lutar contra sensações dolorosas que entram na consciência, o pensamento objetivo se torna um caso de autodisciplina. As sensações dolorosas sempre acarretam mais perturbação do que as que produzem prazer, uma vez que a dor é interpretada como sinal de perigo. Pensar objetivamente quando o corpo se encontra num estado de dor ou sem prazer só é possível mediante o seu amortecimento, a fim de que se reduza a sensação dolorosa. Esse "amortecimento" dissocia a mente do corpo, tornando os pensamentos mecânicos ou computadorizados. O pensamento criativo, que depende do fluxo livre de ideias conscientes, apenas ocorre quando o corpo está mais ativo e aliviado. Não podemos deixar de concluir que as características do pensamento, e provavelmente seu conteúdo, também não podem ser totalmente divorciados do tom emocional do corpo.

O pensamento objetivo se torna ainda mais difícil quando a pessoa tenta ser objetiva a respeito do próprio comportamento. Uma vez que este é, em grande parte, determinado por sentimentos, ela se vê obrigada a conhecer seus sentimentos para, de forma objetiva, avaliar seu comportamento. Por exemplo, se não estiver consciente de sua hostilidade, explicará suas reações negativas como consequência da agressividade dos outros contra si. Não vê seus atos como os outros os veem e, portanto, será incapaz de avaliar seu papel como gerador de reações negativas. Sem a percepção das emoções e das motivações, não podemos ser totalmente objetivos a respeito de nós mesmos. O olho do intelecto só pode avaliar a lógica de uma racionalização com base em sentimentos percebidos. Porém, se a pessoa estiver consciente de seus sentimentos e conseguir expressá-los subjetivamente, ficará numa posição de fato objetiva. Dirá, por exemplo: "Sinto que estou sendo hostil e compreendo por que os outros reagem negativamente". A verdadeira objetividade exige uma subjetividade correspondente.

Somos muitos mais objetivos em relação ao comportamento dos outros do que em relação ao nosso. Descobri, ao aconselhar casais, que cada cônjuge via claramente as falhas do outro, mas ignorava as próprias. Um antigo provérbio francês diz que as pessoas são como o carteiro com uma sacola dupla pendurada no ombro. Na metade dianteira da sacola encontram-se todas as falhas dos outros; na metade traseira, as suas. Isso quer dizer que todos nós somos cegos aos próprios defeitos. Não conseguimos nos ver completamente, apenas sentimos o que acontece em nosso corpo. Por essa razão, habituei-me a não interpelar ninguém que criticasse minha conduta. Compreendi que sempre há algo válido na crítica.

Para ser realmente objetivo, devemos reconhecer e expressar nossas atitudes pessoais ou nossos sentimentos. Sem essa base subjetiva, a tentativa de ser objetivo acaba sendo pseudo-objetiva. O termo psicológico para pseudo-objetividade é racionalização. O mecanismo da racionalização é utilizado para negar o sentimento subjetivo que motiva o pensamento ou a ação e para justificar atitudes ou comportamentos por meio de uma razão causal. Quando alguém diz: "Fiz isso porque...", está colocando a responsabilidade de seu comportamento em uma força exterior. O que, às vezes, é verdade, mas quase sempre constitui uma desculpa para o fracasso ou a mediocridade. Raramente tais autojustificativas satisfazem os outros. Em vez de oferecer razões, é muito melhor expressar sentimentos e desejos. Will Durant assinala que "a razão, como qualquer estudante hoje dirá, pode ser apenas a técnica de racionalizar um desejo"[18].

O pensamento objetivo pouco ajuda a resolver a infinidade de problemas e conflitos que enfrentamos todos os dias. A mãe não consegue reagir ao filho com base no pensamento objetivo. Se interpretar corretamente o choro do bebê, será porque percebe o sentimento atrás do choro e reage com sentimento às suas necessidades. A mãe que tenta ser objetiva em relação ao filho rejeita sua função natural e, na verdade, abandona a criança. Deixa de ser mãe para se transformar numa força impessoal. Não se pode manter um relacionamento com outra pessoa objetivamente, porque o relacionamento objetivo reduz as pessoas a objetos.

O pensamento nunca pode ser apartado do sentimento. Como tudo que a pessoa faz é determinado pelo seu desejo de prazer ou pelo seu medo de dor, nenhum ato será totalmente imparcial, nem deixará de conter algum interesse pessoal. Todo pensamento relaciona-se com um sentimento: apoiará o sentimento ou se oporá a ele segundo a estrutura do caráter do indivíduo. Na pessoa sadia, pensamentos e os sentimentos caminham paralelamente, refletindo a unidade da personalidade. No neurótico, o pensamento costuma opor ao sentimento, sobretudo nas áreas onde existam conflitos. A esquizofrenia caracteriza-se pela dissociação entre pensamento e sentimento, um dos típicos sintomas dessa doença.

O ponto que se sobressai em todo trabalho psiquiátrico é a incapacidade do pensamento puramente objetivo de resolver problemas emocionais. Esse pensamento é, na verdade, uma forma de resistência ao esforço terapêutico, uma vez que mantém o estado de dissociação, subjacente à perturbação emocional. Todo procedimento analítico, da psicanálise à análise bioenergética, visa romper a pseudo-objetividade do paciente para atingir seus sentimentos. Até que se consiga esse estágio, a comunicação entre paciente e médico se traduz num exercício intelectual que não produz nenhum efeito sobre o comportamento do paciente. O paciente mais difícil de tratar é aquele que mantém um distanciamento intelectual em relação ao esforço terapêutico.

Em vista dessas considerações, justifica-se por que o pensamento objetivo recebe uma importância tão relevante e por que a capacidade de pensar abstratamente é considerada a mais alta realização da mente humana. A principal ênfase em nossa educação está dirigida para o desenvolvimento dessa capacidade. Sempre que alguém quiser saber o porquê dessa ênfase, tão generalizada, inúmeras razões surgirão para explicá-la. O pensamento objetivo, sobretudo o abstrato, é a fonte primordial do conhecimento, e conhecimento é poder. As sociedades civilizadas são hierarquias de poder. A pessoa com poder ou que possa fornecê-lo ocupa uma posição superior nelas. O

Prazer

poder do conhecimento é também uma das maiores vantagens para a segurança da comunidade. Contudo, tem pouco valor na determinação do bem-estar emocional do indivíduo.

O pensamento criativo, ao contrário, encontra-se profundamente enraizado na atitude subjetiva. Os grandes pensamentos filosóficos contêm uma forte conotação subjetiva, perceptível ao leitor sensível. Essa tendência pessoal ou subjetiva não só acrescenta sabor ao escrito filosófico como também transforma o trabalho intelectual em documento humano. Os trabalhos sem essa características são áridos e sem graça. Todas as demais formas de pensamento criativo, seja na ciência, nas artes ou simplesmente na vida, provêm de uma base subjetiva. O indivíduo criativo não é incapaz de pensar abstratamente; muito pelo contrário. Suas abstrações, entretanto, surgem de seus sentimentos, refletindo-os. As bases subjetivas e o desenvolvimento abstrato do pensamento criativo são uma unidade orgânica que não está presente no chamado pensamento puramente objetivo.

As pessoas não pensam criativamente porque seu pensamento subjetivo está prejudicado. Aprenderam que 1) deveriam considerar o pensamento subjetivo inferior, 2) precisam desconfiar de seus sentimentos e justificar seus atos com razões e 3) o prazer não é um objetivo suficientemente forte na vida. Devido a essa distorção, sua capacidade intelectual é utilizada para racionalizar seu comportamento ou desviada para assuntos impessoais. Não é raro existir um bom pensador abstrato carente do chamado bom senso.

O pensamento começa com sentimento e se desenvolve com a necessidade de adaptar nossos atos à realidade da situação. O que leva à sabedoria, que é a valorização da relação do homem com o universo do qual faz parte. A essência da sabedoria, como o ilustre Sócrates assinalou, é "conhecer a si mesmo". Aquele que não se conhece não pensará por si mesmo — nem pensará criativamente.

BELEZA E GRAÇA

As pessoas sentem que a verdade é bela e a falsidade e a desonestidade são feias. Há também certa crença de que o bonito é verdadeiro. Nesta seção, discutirei a relação entre a beleza e a saúde, pois esta última poderá ser considerada a verdade do corpo.

Em geral, a beleza não é integrada na esfera dos estudos da psiquiatria. A ideia de que a beleza, de alguma forma, está ligada à saúde mental parecerá estranha. Vários psiquiatras já declararam que entre os insanos há mulheres bonitas e homens bem apessoados. Minha experiência diz o contrário. Nenhuma paciente esquizoide que tratei achava seu corpo bonito. Concordo com essa autopercepção. Seria bastante estranho se não houvesse nenhuma relação entre o bonito e o saudável. Parece-me que nossas ideias sobre a beleza e a saúde necessitam ser revistas.

Crianças saudáveis nos chamam a atenção por sua beleza; admiramos seus olhos brilhantes, a pele lisa e o delicado corpo bem formado. As reações diante de um animal se baseiam nas mesmas qualidades: vitalidade, graça e exuberância. Vemos o animal sadio — seja um gato, um cachorro, um cavalo ou um pássaro — como belo. Inversamente, a doença nos provoca repulsa. É difícil ver beleza na doença. No pensamento utópico de Samuel Butler, descrito em sua obra *Erewhon*, a doença era o único crime pelo qual as pessoas seriam presas. Essa é uma visão extrema, que fere nossa sensibilidade. Relutamos em pensar numa pessoa doente como feia. Compadecemo-nos de seu infortúnio, sobretudo se for de alguém próximo. Em consequência, rejeitaremos a repugnância que a doença possa nos causar. Esses sentimentos são particularmente humanos; os animais selvagens matam seus doentes.

Se a beleza estiver dissociada da saúde, encontrar-se-á apartada do aspecto mais significativo da existência. Criará um mundo de valores separados, uns promovendo o bem-estar físico dos indivíduos, outros ocupando-se dos conceitos abstratos de beleza que nada têm em comum com a saúde. Os gregos, cuja cultura é uma das bases da nossa, não faziam essa distinção. A beleza corporal era admirada como expressão de saúde física e mental. Seus filósofos identificavam-na com o bem. Suas esculturas e sua arquitetura evidenciam a reverência que sentiam pelo belo como atributo divino.

A tradição grega de beleza, transportada para a cultura romana, pode ser comparada com a atitude religiosa dos antigos judeus que proibiam a adoração de figuras ou imagens. O Deus hebreu era uma abstração que não podia ser representada fisicamente. Seus mandamentos eram uma lei moral que só podia ser apreendida mental ou psicologicamente. A vida correta para o hebreu se baseava em seguir a Lei, que, na medida em que proporcionava o bem-estar dos membros da comunidade, adicionava um elemento de beleza à vida. Mas a beleza era secundária à moralidade.

As duas culturas entraram em conflito durante a era cristã. O cristianismo incorporou elementos de ambas e tentou uma síntese na figura de Cristo,

Prazer

que personificava tanto o conceito de beleza como as ideias de justiça e de moral provenientes dos hebreus. Essa síntese, porém, nunca foi totalmente realizada, pois o corpo era considerado inferior ao espírito. A opressão romana proibia que os primeiros cristãos tivessem uma vida de prazeres na Terra. Sua salvação residia no reino dos céus, alcançado somente por meio da devoção e da fé. À medida que a igreja cristã cresceu e ganhou poder, voltou-se contra o corpo e contra os prazeres físicos. A beleza transformou-se num conceito espiritual.

A separação entre corpo e espírito ou entre corpo e mente tornou-se parte da cultura ocidental. É a responsável pela dicotomia existente na medicina moderna, que vê as doenças físicas e mentais como dois fenômenos não relacionados. O médico é treinado para ver a enfermidade como um fenômeno acidental, sem relação com a personalidade. Essa atitude foi desenvolvida em reação ao misticismo do cristianismo medieval, que encarava a doença como castigo pelos pecados. Porém, isso leva a uma visão mecanicista do corpo, na qual a beleza física também é uma característica não planejada, sem relação com a saúde.

A medicina vê a saúde como ausência de doença, assim como o prazer é visto como ausência de dor. Como ficam desconfiados em relação às pessoas que fingem estar doentes, os médicos relutam em descrever um distúrbio como doença, a menos que exista uma lesão evidente que a justifique. No intuito de evitar a subjetividade, ignoram os sentidos e confiam nos instrumentos. Estes realmente ajudam nas medições fisiológicas e determinam a eficácia mecânica de um órgão ou sistema. Mas nenhum instrumento pode medir o estado de funcionamento do organismo. Para tanto, precisamos de um conceito positivo de saúde. Ao formularmos esse conceito, não podemos ignorar o significado do prazer, da beleza e da graça.

Quando olhamos uma criança sadia, não vemos seu estado de saúde. O que vemos é uma criança que impressiona nossos sentidos por ser saudável, graciosa e bonita. Interpretamos esses sinais físicos como manifestações do corpo sadio. A determinação de saúde ou de doença é um julgamento. Fazemos esse julgamento com base nas impressões captadas pelos sentidos. Será ele válido?

Uma das teses deste livro é a de que o prazer denota um estado de funcionamento sadio no organismo. Se assim for, então a beleza também é manifestação de saúde — desde que se estabeleça a relação entre o belo e o agradável. Pensamos na beleza como algo agradável aos olhos — uma bela mulher, por exemplo, ou um quadro bonito. A beleza, em seu significado mais simples, representa a harmonia dos elementos de uma cena ou de um objeto. É destruída pela presença de evidentes desproporções ou irregularidades. Mas um quadro estático não é belo. A harmonia ou a ordem deve vir do excitamento interno que o objeto irradia, unindo todos os seus elementos. Essa característica, que faz que um objeto pareça bonito aos nossos olhos, também é encontrada na música quando ela agrada aos nossos ouvidos. A cacofonia, ou mesmo uma nota dissonante, poderá nos fazer estremecer de dor.

    O prazer do belo repousa na sua capacidade de estimular nosso ritmo corporal e o fluxo de sentimentos no nosso corpo. Se reagimos com prazer a algo belo, é porque a excitação no objeto comunicou-se conosco. Nós, também, ficamos excitados. Se faltar essa reação, não sentiremos prazer. Vale dizer que não sentimos nenhuma beleza no objeto. Talvez isso se deva a uma deficiência de nossa percepção ou à falta de graça do objeto. Dificilmente um objeto que não nos empolga é considerado belo ou o indivíduo não empolgado sente a beleza.

    Nossas reações às pessoas são semelhantes às reações aos objetos do nosso ambiente. Somos excitados por uma pessoa bela porque ela é excitante. Sentimos prazer na companhia de uma pessoa bonita porque ela se sente bem consigo mesma. Temos razão de considerá-la saudável. Já a pessoa doente não consegue nos impressionar da mesma maneira. Faltam-lhe o excitamento interno que nos estimule e a sensação de prazer que nos faça sentir bem. Se chegar a provocar algo, será exercendo uma influência deprimente. Só por meio de um grande esforço de imaginação, poderíamos considerá-la bonita.

    O excitamento e o fluxo de sentimentos associados com o prazer são manifestados fisicamente como graça. A graça é a beleza dos movimentos e complementa a beleza das formas num organismo saudável. Tal como o belo, é manifestação de prazer. Num estado de prazer, movemo-nos graciosamente. A dor acarreta efeitos perturbadores em nossos movimentos.

    A palavra "graça" traz conotações que sugerem características pessoais superiores. É usada como termo de reverência. A forma de tratamento "Vossa Graça", para aqueles que inspiram respeito, é equivalente a "Vossa Excelência". Sugere que a pessoa tratada assim tenha um poder pessoal especial, uma graça, que deriva, em última instância, de seu parentesco com a divindade.

Prazer

Nos tempos antigos, acreditava-se que os reis exerciam a autoridade por delegação divina, que conferia a si o especial atributo da graça.

Diz a Bíblia que o homem foi criado à imagem de Deus, presumindo-se então que todo homem tenha um pouco de graça, isto é, assemelhe-se a Deus. Freud tentou demonstrar que o homem criou Deus segundo a imagem de seu pai. Para as crianças, o pai é uma pessoa de virtude superior, cheio de graça, semelhante a Deus. Segundo a Bíblia, o homem perdeu a graça divina ao comer a fruta da árvore do conhecimento, aprendendo o que era o bem e o mal. Quando o homem começou a pensar no certo e no errado, deve ter tido a mesma sensação da centopeia que ficou paralisada ao tentar descobrir qual de suas patas se movimentava primeiro. Assim que se pensa no movimento, o fluxo espontâneo de sentimentos através do corpo é interrompido. A quebra no movimento rítmico produz uma condição de ausência de graça.

Todos os animais têm movimentos graciosos. Quando observamos um passarinho voando, ficamos impressionados por vermos algo bonito se movimentando. Os saltos da gazela ou os pulos do tigre denotam imponência. Os povos primitivos retiveram muito dessa graça, que progressivamente foi desaparecendo no processo civilizatório. A pessoa perde a graça quando não se encontra livre para seguir seus instintos e sentimentos.

Com a perda da graça, perde-se também a graciosidade. O indivíduo dotado de graça é gracioso: aberto, caloroso e comunicativo. É aberto porque nenhuma tensão restringe o fluxo de seus sentimentos. Não desenvolveu nenhuma defesa neurótica ou esquizoide contra a vida. É caloroso porque sua energia não está presa a conflitos emocionais. Tem mais energia e, portanto, mais sentimento. Comunica, sem esforço, prazer aos outros, pois cada movimento de seu corpo é fonte de prazer para si mesmo e para os demais.

No ser humano, a falta de graça física deve-se às tensões musculares crônicas que bloqueiam os movimentos rítmicos involuntários do corpo. Cada padrão de tensão representa um conflito emocional que foi determinado pela inibição de certos impulsos — o que não implica uma solução autêntica, uma vez que os impulsos reprimidos encontram saídas para a superfície em formas distorcidas. A tensão muscular, a inibição e a conduta desvirtuada são sinais de que o conflito ainda se agita em nível inconsciente. A pessoa que sofre com esses conflitos não tem graça, nem é graciosa. Não é mentalmente saudável e, diante do estresse físico criado pelas tensões musculares, não pode ser considerada fisicamente sadia.

O argumento levantado contra esse conceito é o de que muitas pessoas aparentemente graciosas têm perturbações emocionais. Consideremos os bailarinos e os atletas, cujos movimentos são tidos como graciosos. Todavia, a graciosidade dessas pessoas é uma reação aprendida, não tendo nada que ver com a graciosidade do animal selvagem. Os artistas mostram sua graciosidade apenas quando se encontram nas atividades especiais que dominam. Mesmo assim, seu desempenho demanda esforço. Só a distância não se nota esse esforço. Nos bastidores, esses artistas muitas vezes têm um comportamento desajeitado. O verdadeiro teste de graciosidade reside nos movimentos do cotidiano: andar, conversar, cozinhar ou brincar com uma criança.

A beleza da forma corporal e a graça dos movimentos físicos são manifestações externas ou objetivas da saúde. O prazer representa a íntima e subjetiva experiência de saúde. Esta é indivisível; inclui a ideia de bem-estar tanto físico como psicológico. Não se pode estar mentalmente sadio e fisicamente doente — ou vice-versa. Só se pode chegar a um julgamento dividido como esse ignorando-se a personalidade como um todo. O médico mediano, fazendo seus exames de rotina, deixa de ver os olhos vazios, a mandíbula inflexível e o corpo congelado que caracterizam a personalidade esquizoide. Mesmo que observe essas expressões de perturbação emocional, não as relacionará com a saúde física. Seu exame em geral limita-se a checar os diferentes sistemas orgânicos que podem revelar uma lesão orgânica, mas não um distúrbio no funcionamento global da personalidade. O psiquiatra comum, por outro lado, não olha o corpo de seus pacientes. Não percebe a respiração limitada, o físico imobilizado e os olhos amedrontados. Mesmo que perceba esses sinais de perturbação emocional, não os relaciona com os problemas que o paciente apresenta. Sem critérios positivos de saúde não se podem avaliar as condições das funções totais do indivíduo. Os critérios que considero mais válidos a esse propósito são a beleza e a graça corporal.

O senso de beleza e graça é inato nas pessoas. As crianças são especialmente sensíveis a essas qualidades. Quando a criança vê uma mulher bonita, exclama: "Você é bonita!" Os indivíduos, na maioria, são como a multidão na história da roupa nova do imperador que, negando seus sentidos, aplaudem as vestes invisíveis do soberano até que uma criança observa que ele está nu. As pessoas sofreram uma lavagem cerebral para aceitar os ditames da moda mesmo que contradigam as verdades subjetivas de seus sentidos. Aquele que é escravo da moda entregou seu gosto pessoal ao conformismo. Essa situação

Prazer

agravou-se tanto que o físico magro, macilento e esquizoide tornou-se modelo de beleza feminina. Só posso atribuir esse estado de coisas ao fato de que a maioria das pessoas abandonou seus sentidos.

A beleza e a graça são as metas às quais muitos dos nossos esforços conscientes são dirigidos. Queremos ser mais bonitos e mais graciosos, pois sentimos que essas qualidades trazem alegria. A beleza é a meta de toda ação criativa — em nível pessoal, em casa e nos ambientes que frequentamos, e artisticamente em nosso trabalho. Apesar desse interesse pelo belo, o mundo fica cada vez mais feio. Acredito que isso aconteça porque a beleza tornou-se um adereço e não uma virtude, um símbolo do ego em vez de uma forma de vida. Estamos presos ao poder, e não ao prazer, como forma de vida. Em consequência, a beleza perdeu sua verdadeira significação como imagem do prazer.

7. Autopercepção e autoafirmação

CONHECER E RECUSAR

Os indivíduos não conseguem perceber sua individualidade a menos que tenham o direito e a capacidade de afirmá-la. Em outras palavras, a autopercepção depende da autoafirmação. Afirmar-se implica a ideia de oposição e, nesse aspecto, difere da autoexpressão. A autoafirmação é a declaração da individualidade perante forças que a negam. Essas forças existem na sociedade e em casa. Para salvaguardar a individualidade da pessoa, a constituição dos Estados Unidos contém a garantia da livre expressão, cujo elemento essencial é o direito de discordar. Sem o direito de expressar a opinião própria, a individualidade é enfraquecida e a criatividade, minada.

Quase sempre me impressiono ao observar que a incapacidade do paciente de conhecer a si mesmo emparelha-se com sua incapacidade de dizer não. Diante de questões como "Você teve alguns acessos de raiva quando criança?" ou "Você foi amamentado no peito?", ele responderá invariavelmente: "Não sei". A falta de conhecimento sobre o início da própria vida é de certa forma compreensível diante da demonstração de Freud de que as primeiras lembranças da infância são reprimidas. Contudo, até mesmo questões relacionadas com o presente, como "Por que você está sorrindo?", "O que está sentindo?", "O que você quer?", trazem sempre a mesma resposta: "Eu não sei".

A incapacidade de dizer não se manifesta na conduta do paciente que se encontra em situação de estresse na vida. Não pode dizer não às autoridades, não pode educadamente recusar pedidos que considerar abusivos e não consegue resistir às pressões de seu meio social. A mesma dificuldade se evidencia na terapia, quando o paciente tenta gritar ou falar alto "não", "não vou", enquanto golpeia ou chuta o divã. Sua voz carece de convicção e ressonância. Seus movimentos são descoordenados e fracos. Um tom de medo muitas vezes pode ser detectado na voz pela presença de uma inflexão ascendente — ou então esta é curta, dando a impressão de um protesto ineficaz. O observador, vendo o comportamento do paciente num filme, ficará impressionado com sua falta de autoafirmação.

O paralelo entre a falta de conhecimento do *self* e a fraqueza caracterológica da capacidade de dizer não me fez concluir haver relação lógica entre as duas. Quando o paciente diz "não sei", também está dizendo "não digo não"? Em inglês, a semelhança dos dois sons *know* (saber) e *no* (não) representará talvez uma coincidência, mas levanta a seguinte questão: até que ponto a negativa é um ingrediente essencial do conhecimento? O conhecimento é função do discernimento. Para saber o que A é, deve- -se saber tudo o que não é. O conhecimento surge por meio do reconhecimento das diferenças. A primeira diferença que o organismo reconhecerá reside entre o que é bom ou agradável ao corpo e o que é doloroso. Até mesmo distinções elementares como dia e noite, claro e escuro, em cima e embaixo são incompreensíveis para o recém-nascido. Até que os seus olhos se abram, vive ele num mundo no qual o *self* corporal é o universo e o outro, ou não *self*, não existe na sua percepção. À medida que diferentes aspectos do mundo exterior começam a ser distinguidos de forma isolada, serão identificados na mente do bebê por meio de sensações corporais. A mãe torna-se a pessoa que transforma sofrimento em contentamento, fome em satisfação. Nesse nível inicial, porém, o comportamento do bebê é puramente impulsivo. Suas reações têm uma característica involuntária. Não aprendeu a pensar, nem adquiriu nenhum conhecimento.

A passagem da reação impulsiva ao pensamento exige a introdução da frustração e da negação. Se as reações impulsivas do organismo fossem capazes de preencher todos os seus desejos e necessidades, o pensamento consciente seria desnecessário. A necessidade de pensamento consciente surge apenas quando os padrões automáticos de comportamento não conseguem satisfazer o organismo. Em todas as experiências de treinamento com animais, a frustração é a alavanca que os força a aprender o novo comportamento a fim de conseguir o objetivo desejado. Numa das mais famosas experiências desse tipo, uma banana foi colocada fora da jaula do macaco, um pouco além do seu alcance. Depois de uma série de tentativas infrutíferas de alcançar a fruta com o braço, o macaco finalmente percebeu uma vara deixada em sua jaula. Utilizando-a com o braço esticado, foi capaz de puxar a banana. Em ocasiões subsequentes, tentando algumas vezes mais alcançá-la com o braço, recorreu ao uso da vara. Conclui-se que o macaco aprendeu uma nova habilidade, que o aprendizado envolveu pensamento e que, nesse processo, ele adquiriu o conhecimento de como utilizar a vara de uma nova maneira.

O papel da frustração no pensamento é claro; já o da negação é obscuro. A frustração não acarreta necessariamente o pensamento; pode transformar-se em rancor e raiva. Estas, na verdade, são as reações mais naturais à frustração. O pensamento só se verifica quando a energia do desejo frustrado é desviada dessas formas de liberação. Algum dia, antes que a frustração se torne dominante, o animal deve interromper seus esforços inúteis. "Pare para pensar" é uma máxima antiga. O "parar", tão essencial para o pensamento, é o não implícito, a ordem negativa vinda do centro mais alto que retém a reação emocional, permitindo que uma faculdade maior assuma o controle.

Essa ordem, interrompendo o esforço inútil e reencaminhando a energia do impulso para outro canal, é a voz do ego em sua função criativa. Três elementos integram o impulso criativo: o primeiro é o ímpeto forte, que busca a satisfação do prazer; o segundo é a frustração, que impede a satisfação por meio de ações costumeiras; o terceiro é uma medida de autocontrole ou autodisciplina que impede o impulso frustrado de transformar-se num comportamento destrutivo. Se a motivação para o prazer for fraca, o esforço pode se converter numa sensação de resignação. Se a autodisciplina for fraca, transformar-se-á em raiva.

O ego sadio segura as rédeas das reações involuntárias do corpo. Não substitui suas ilusões pelos desejos do corpo. Sua influência é restritiva, motivando o autocontrole. Ilustremos o assunto com o seguinte incidente: conheci um rapaz que caiu numa correnteza e percebeu que, apesar de seus grandes esforços para nadar, não conseguia sair dela. Sentindo que começava a ficar apavorado e desesperado, disse a si mesmo: "Nada de pânico". Então, seu pensamento instruiu-o a economizar suas forças e a pedir socorro. Agiu assim e foi salvo. Esse exemplo pode ser multiplicado diversas vezes.

Sustento que a capacidade de dizer não a si mesmo e a capacidade de dizer não aos outros são simplesmente lados opostos da mesma moeda. Se o direito e a capacidade de afirmar nossa oposição são negados, necessariamente a autodisciplina e o autocontrole sofrerão.

Vamos, agora, apresentar essa questão de maneira um pouco diferente. À medida que os bebês crescem, inevitavelmente entram em conflito com os pais. Mas imaginemos que a criança tenha uma natureza diferente, que ouça tudo que a mãe diz e siga ao pé da letra suas ordens. "Coma o purê", a mãe ordena, e a criança obedece sem pestanejar. Se esse episódio continuar em todos os níveis, como a criança conseguirá aprender a pensar? Não terá necessidade de pensar, uma vez que a mãe sabe o que é melhor para ela. Não terá necessidade de aprender, pois a mãe vai prever todos os problemas e contorná-los. Não adquirirá nenhum conhecimento, pois dele não tem necessidade. Felizmente, nenhuma criança normal nasce com tal disposição, pois acabaria idiotizada. Quando a criança obedece a uma ordem, é privada da oportunidade de aprender e adquirir conhecimento. O que não significa que não se deva dar ordens às crianças. Elas são necessárias em emergências, mas não em situações de aprendizado. Estas requerem a associação livre de vontades se quisermos que surja o pensamento. O "não sei, não" começa em casa, quando os pais oprimem a oposição da criança e impõem sua vontade sobre as suas objeções. É tão comum esse quadro que quase sempre passa despercebido. Afinal, o que a criança sabe? Os pais sabem mais e certamente "dizem não" melhor. Mas os problemas dos quais surgem os conflitos entre pais e filhos raramente são solucionados pelo conhecimento superior. A criança passeia pelos corredores do supermercado e a mãe, atenta, ordena-lhe que volte. Se a criança não obedecer rápido, correrá o risco de levar um safanão da mãe enraivecida. Já vi essa cena acontecer inúmeras vezes. Em geral, é chocante a rispidez com que as ordens são dadas. "Pare com isso", "Fique quieto", "Não corra", "Não mexa" são expressões ditas com tanta autoridade que nos surpreendemos ao observar que algumas crianças cometem a temeridade de resistir. O observador, vendo o que ocorre entre pais e filhos, concluirá que não se trata da questão "a mãe sabe mais", mas sim de autoridade e obediência. A criança precisa ser ensinada a obedecer aos pais; caso contrário, eles temem perder o controle e ela poderá acabar mal. Esse medo ignora o fato de que a criança é um ser social cujas ações espontâneas são autoexpressivas e não autodestrutivas. Desde o nascimento, suas reações são governadas por impulsos cujas raízes encontram-se na sabedoria do corpo. Se partirmos da premissa de que a disciplina deve ser imposta de fora, a verdadeira autodisciplina não poderá se desenvolver. A criança passa a ser submissa por medo, o que não é o mesmo que ter autocontrole. A "boa" criança, obediente, ao sacrificar seu direito de dizer não, perde a capacidade de pensar por si mesma.

A ideia de que as crianças "irão mal" se a disciplina não for imposta denota falta de fé na natureza humana. Não são monstros em potencial, mas poderão sê-lo se os pais forem hostis e reprimirem sua independência. Aos olhos da criança, pais como esses são monstros que só podem ser enfrentados utilizando-se seus próprios métodos. Assim, a criança torna-se igual aos pais. É surpreendente verificar com que facilidade as pessoas esquecem a lei fundamental da reprodução — tal pai, tal filho. A qualidade monstruosa dos pais é a falta de respeito pela individualidade da criança. É desumano o pai que não aceita seu filho tal como ele é e tenta moldá-lo segundo a imagem, que tem na mente, de como a criança deve ser.

Todas as crianças passam por fases negativas no curso do seu desenvolvimento. Entre os 18 meses e os 2 anos de idade, dizem não a muitas ordens e ofertas dos pais. Esse "não" expressa a consciência em crescimento para que possa vir a pensar sozinha. É tão espontâneo que a criança chega a dizer não a alguma coisa de que goste. Lembro-me de ter oferecido ao meu filho um dos seus doces favoritos. Antes mesmo de ver o que era, virou a cabeça num gesto de rejeição. Uma olhada rápida, entretanto, convenceu-o de que se tratava de um objeto desejado e ele o pegou. Qualquer insistência de minha parte teria recrudescido sua recusa inicial.

Dependendo das circunstâncias de cada situação, devemos ou não permitir que a criança faça escolhas próprias. Em princípio, precisamos sempre respeitar o seu direito de dizer não. Na prática, é aconselhável deixá-la agir à sua maneira sempre que possível — o que permite que a criança desenvolva o senso de responsabilidade pelo próprio comportamento, tendência natural de todos os organismos. Quando os esforços iniciais da criança para estabelecer um padrão de autorregulação são mal recebidos pelos pais, os conflitos que daí surgem são muito difíceis de superar. A criança que tem o direito de dizer não aos pais torna-se um adulto que sabe quem é e o que quer.

A imposição de padrões de raciocínio é popularmente chamada de lavagem cerebral. As pessoas só sofrem lavagem cerebral quando sua resistência e sua vontade encontram-se dominadas. Serão obrigatoriamente privadas do direito de dizer não. Enquanto tiverem esse direito, tentarão descobrir as coisas por si mesmas. Cometerão erros, mas vão aprender. Os pacientes incapazes de verbalizar sua oposição não conseguem descobrir nada por si mesmos. Esperam que o terapeuta dê respostas que não têm. Não sabem de fato o que querem ou quem são. Felizmente, poucos passaram por uma lavagem cerebral completa. A maioria sofre de certa limitação em sua capacidade de se afirmar. Tal limitação é responsável por suas dificuldades e sua falta de autoconhecimento.

AUTOCONTROLE E "NÃO"

Todo organismo é envolvido por uma membrana que o separa do ambiente e determina sua existência individual. Trata-se, pois, de um sistema energético fechado, e todas as trocas com o ambiente ocorrem por meio dessa membrana. A saúde do organismo depende obviamente do funcionamento normal da membrana. Se for muito porosa, o organismo vai se espalhar ao seu redor; se for impermeável, nada poderá entrar. Toda membrana viva é dotada de permeabilidade seletiva, que, por exemplo, permite a entrada de alimento e a expulsão de resíduos.

No ser humano, a membrana funcional do corpo é composta da pele, da gordura subjacente, do tecido conjuntivo e dos músculos estriados ou voluntários. Estes se encontram inseridos na membrana porque formam um revestimento ao redor do corpo todo logo abaixo da pele e, como ela, desempenham um papel no funcionamento da percepção. A pele e os órgãos do sentido na superfície do corpo recebem todos os estímulos do exterior. Os músculos voluntários, juntamente com os nervos proprioceptivos, são acionados na percepção de impulsos. Há outras membranas de superfície no corpo humano, como o revestimento do tubo digestivo e do sistema respiratório, mas não estão diretamente relacionadas com a personalidade.

A relação da membrana funcional com a consciência pode ser mais bem compreendida ao olharmos o corpo como se fosse uma única célula. Os estímulos que agem na superfície, vindos de fora, provocam sensações se sua intensidade for suficiente para produzir um efeito nessa superfície. Da mesma maneira, os impulsos vindos de dentro do corpo são percebidos quando alcançam a superfície. A consciência é um fenômeno dessa superfície; envolve a superfície tanto da mente como do corpo. Freud descreveu o ego, que abrange as funções de percepção e consciência, como "a projeção de uma superfície sobre outra". Os acontecimentos que se verificam na superfície do corpo são projetados na superfície da mente, onde ocorre a percepção.

Muitos acontecimentos ou movimentos ocorridos no corpo não alcançam a consciência. Não percebemos, normalmente, as batidas do coração, os movimentos intestinais, nem a produção e o fluxo interno de urina. As sensações surgem e ocorre a percepção quando uma atividade interna afeta a superfície do corpo. Por exemplo, quando o coração pulsa com muita força, causando palpitações no peito, sentimos o coração batendo. Em tese, os

Alexander Lowen

FIGURA 6

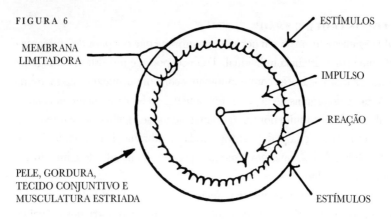

impulsos brotam do centro do organismo e são dirigidos para fora rumo a objetos do mundo exterior. Contudo, não somos conscientes desses impulsos até que atinjam o sistema muscular — onde a ação poderá acontecer, satisfazendo o objetivo do impulso. A percepção não depende de uma contração real dos músculos. O impulso é percebido quando estes se encontram "armados" ou "prontos" para reagir.

O sistema muscular muito flexível ou sem coesão permite que os impulsos o atravessem sem o controle adequado do ego e antes de serem totalmente registrados na consciência. O comportamento das pessoas com essa característica será impulsivo ou histérico. Apesar da hiperatividade ou das explosões violentas, o sentimento nelas encontra-se reduzido. Mostram-se deficientes no autocontrole e seu ego é fraco. A impulsividade e o comportamento histérico são comuns em certas personalidades esquizoides. Por outro lado, a membrana inflexível proveniente de um padrão de rigidez muscular bloqueia a expressão de sentimentos e limita a liberação dos impulsos. A pessoa rígida mostra falta de espontaneidade e seu comportamento tende a ser compulsivo e mecânico. A rigidez muscular também diminui os sentimentos, porque o sistema muscular não consegue reagir ou responder livremente.

A membrana limitadora, sobretudo a pele, também serve como função protetora em relação às forças vindas de fora. Permite que o indivíduo filtre os estímulos e separe os que necessitam de resposta dos que podem ser ignorados. Quando a pele apresenta resistência muito baixa, como na esquizofrenia, o indivíduo é facilmente dominado pelos estímulos que vêm do ambiente. Costumamos relacionar a hipersensibilidade à pele fina e a insensibilidade à pele

Prazer

grossa. Qualquer parte do corpo que permaneça temporariamente sem pele torna-se tão sensível que até um sopro nessa área é bastante doloroso.

O "não" funciona como uma membrana psicológica que, de certa maneira, pode ser comparada com a membrana fisiológica já descrita. Previne o indivíduo de ser dominado por pressões externas, preparando-o a distinguir as exigências e os estímulos aos quais se vê constantemente sujeito. Protege-o contra a impulsividade exagerada, pois aquele que diz não aos outros também pode dizer não aos próprios desejos, quando necessário. Estabelece as fronteiras do ego, assim como a membrana física delimita as fronteiras do corpo.

Dizer não é manifestação de oposição, pedra fundamental da sensação de identidade. Opondo-nos aos outros, estaremos com efeito dizendo: "Eu sou eu, não sou você; tenho mente própria". Mas o que dizer da pessoa que diz não o tempo todo, não conseguindo dizer sim? Essa questão sempre surge quando apresento o assunto em palestras. Aquele que não consegue dizer sim tem medo de que sua afirmação o coloque irremediavelmente no curso de uma ação. Não acredita que tenha o direito de mudar de opinião, e sua posição negativa é uma defesa contra o medo de ser controlado. Sua negativa não é uma declaração de oposição, mas de retirada ou não participação. É uma retração passiva, não um ato de oposição aos outros. Quando testado no divã, o seu "não" contém uma força verbal fraca e não se coordena com os movimentos físicos. Em geral, entra em colapso diante de um desafio.

O não, como expressão de autoafirmação, deriva sua força do conhecimento do *self*. Para sermos capazes de dizer não de maneira eficaz, é preciso saber quem somos e o que queremos. Os desejos e os impulsos só podem ser conhecidos quando alcançam a superfície ou a membrana limitadora do organismo. A força dessa membrana depende, portanto, da carga interna do organismo. Ao mesmo tempo, protege sua integridade. O direito de dizer não assegura o direito de conhecer. Há uma relação em mão dupla entre a procura do prazer e a capacidade de dizer não, entre a autoafirmação e a autoexpressão.

A autoafirmação significa que se tem opinião própria. Implícitos nesse conceito estão o direito e a capacidade de mudar de opinião. Tendo manifestado uma opinião ou afirmado a própria individualidade, ficamos mais dispostos para ouvir o ponto de vista do outro. A mudança de um não para um sim é relativamente fácil; o procedimento contrário é muito mais difícil. Além disso, o não dá à pessoa tempo para pensar e mudar de opinião, e seu

133

consentimento final poderá ser dado, portanto, com fundamento numa deliberação madura. Para conhecer sua opinião, é preciso pensar no seu não. Sem a capacidade de dizer não, o consentimento é uma forma de submissão, e não da expressão livre de uma vontade. "Vaquinha de presépio" é uma popular expressão de desdém pela pessoa que tem medo de opinar. Suspeitaremos que haja uma camada de negatividade reprimida, subjacente a essa atitude de submissão, e instintivamente desconfiaremos daquele que não consegue dizer não. Em meu trabalho terapêutico, repetidamente vi como os pacientes que desenvolvem a capacidade de dizer não se tornam mais positivos em suas atitudes e mais cientes da própria identidade. Adquirem autocontrole. Essa evolução encontra-se ilustrada no caso a seguir.

Há alguns anos tratei de uma jovem, Lucy, de 18 anos, acentuadamente atrasada em seu desenvolvimento emocional e intelectual. Além disso, sua coordenação muscular encontrava-se bastante afetada, condição típica das pessoas com déficit intelectual. Superficialmente, Lucy era uma pessoa muito agradável, que fazia um leve esforço para realizar os exercícios e os movimentos sugeridos por mim. Porém, seus movimentos tinham duração limitada e representavam mais um gesto de cooperação do que um envolvimento sério na atividade. Diversas vezes, por exemplo, chutava o divã dizendo "não" em voz baixa e sem convicção. Depois parava, após alguns poucos minutos de atividade, e olhava para mim para ver se eu estava aprovando ou não. Era óbvio que precisava de minha aprovação, e eu a dava ao mesmo tempo que a incentivava a se entregar mais a essas expressões.

Chutar é um padrão infantil de movimento corporal e Lucy gostava de regredir. Também é uma forma de oposição; chutar alguma coisa é protestar. Gostava de chutar, mas não associava essa atitude com autoafirmação. No início não dizia não num tom alto de voz. Era quase impossível fazê-la gritar ou falar bem alto. Parecia ficar muito assustada com qualquer autoafirmação mais forte.

Durante o tratamento, pude captar lampejos ocasionais de uma inteligência alerta atrás da máscara de deficiência. Havia momentos em que os olhos dela encontravam os meus, dando a impressão de estar entendendo. Quando assim acontecia, seus olhos temporariamente perdiam a apatia e tornavam-se brilhantes e sensíveis. Eu tinha a impressão de que ela estava me estudando para saber até que ponto podia confiar em mim. Em outras ocasiões, quando eu lhe pedia que abrisse bastante os olhos numa expressão de medo, ela se encolhia, permanecendo completamente imóvel. Certa vez, pressionei com os polegares os músculos ao longo do nariz que ativam o reflexo do sorriso para impedi-lo. Seus olhos reviraram nas órbitas e seu rosto contraiu-se numa expressão grotesca. Parecia uma idiota completa; percebi que havia rompido seu contato comigo e se recolhido no alheamento por causa de um profundo medo interno. Era uma defesa incomum, mas muito eficaz. Diante dessa aparente idiotia, os pais se sentiriam impotentes para impor sua vontade à criança.

O terror é o fator etiológico em nível psicológico para predispor o indivíduo à esquizofrenia. É uma emoção paralisante que congela o corpo e dissocia a personalidade. Na personalidade dissociada, a conexão entre a mente e o corpo é prejudicada, resultando na perda do senso de realidade. A insanidade funciona como defesa e negação contra o terror. Este perde força quando a realidade perde o significado. Da mesma maneira, a idiotia pode ser uma defesa contra a ameaça de destruição que a criança sente ao se opor a pais dominadores. A resistência da criança deixa de ser um desafio para o ego dos pais. Pelo menos, a criança com déficit intelectual pode sem medo mostrar resistência sem que esta seja vista como oposição.

Seguindo esse raciocínio, passei a tratar Lucy tentando fortalecer seu ego por meio de suas manifestações de oposição e desenvolvendo melhor sua coordenação muscular. Seus chutes passaram a ser mais fortes e demorados e suas negativas, altas e claras. Chegou a bater repetidamente no divã com uma raquete de tênis, dizendo "eu não quero". Exercícios bioenergéticos também foram utilizados para aprofundar sua respiração e soltar seu corpo. Eu me comprazia ao observar, no fim de cada sessão, que ocorrera uma notável melhora na paciente. Ela falava alto com mais facilidade e suas ideias começaram a fluir mais livremente. Acima de tudo, a apatia de seu olhar e de suas maneiras diminuiu.

Era de esperar que seu ego em desenvolvimento a levasse a se opor aos pais. Avisei-os dessa possibilidade e eles concordaram em lhe dar mais liberdade. O resultado foi um gradual desenvolvimento da personalidade da paciente, aparente a todos. A resposta positiva à terapia foi, em grande parte, baseada na relação que se desenvolveu entre Lucy e eu. A garota sentia que eu a apoiaria se ela expusesse seus sentimentos e manifestasse suas oposições, mesmo contra mim. Acredito que também sentisse que eu a considerava uma pessoa inteligente, embora o alcance de seus interesses fosse pequeno e suas ideias, limitadas. Compreendia o significado do que estávamos tentando realizar e participava do trabalho da melhor forma que conseguia.

Sua capacidade de expressar sentimentos estava bloqueada por tensões corporais extremas. Os músculos atrás do pescoço mantinham-se contraídos em caroços duros. A tentativa de relaxá-los com massagem era dolorosa e eu sempre parava quando ela ficava amedrontada. Entretanto, a cada sessão eu conseguia trabalhar com um pouco mais de força. No início, Lucy não suportava a pressão por mais do que alguns minutos. Aos poucos, sua tolerância foi aumentando à medida que as tensões cediam e sua respiração tornou-se mais livre e profunda. De início, ela movia os braços e as pernas como uma boneca, sem ritmo ou sentimento. Tão logo adquiriu senso de liberdade para se exprimir, seus movimentos tornaram-se mais carregados de sentimento. Batia e chutava com mais vigor e sua voz aumentou de tom e intensidade quando dizia "não" e "não quero". O resultado foi uma consistente melhora em sua coordenação.

Um dos procedimentos mais eficazes era uma brincadeira. Cada vez que ela dizia "não", eu dizia "sim"; se dissesse "não quero", eu opunha um "você quer". Não demorou muito para que sua voz ficasse mais alta que a minha. E ela persistia quando eu já estava resolvido a parar. Muitas crianças gostam desse jogo. Se a força física é eliminada e não se utilizam ameaças, sentem-se em pé de igualdade com o oponente. De vez em quando, eu fazia uma espécie de cabo de guerra com Lucy usando uma toalha. Surpreendi-me com o medo que demonstrava ao exercer sua força contra mim. Até mesmo esse medo diminuiu com a continuação da brincadeira.

A terapia de Lucy terminou quando sua família se mudou para outro estado. Trabalhamos juntos, semanalmente, por cerca de dois anos. No final, um observador casual pensaria que Lucy era normal. Fizera consideráveis progressos e eu esperava que, com estímulo e apoio, continuasse a fazê-los. Tivera sorte de ter esse apoio de um dos membros de sua família.

O atraso intelectual muitas vezes é causado por lesão cerebral, e os casos mais graves provavelmente têm essa origem. No caso de Lucy o histórico médico não revela nenhum trauma ou moléstia que pudesse ter causado seu estado. Fora da prática clínica, vi dois outros casos em que a apatia emocional e intelectual se desenvolveu em crianças normais, dominadas pelos pais e submissas por causa do medo. Sem dúvida o medo, sobretudo aquele constante, tem um efeito estupidificante na personalidade. O indivíduo só é passível de sofrer lavagem cerebral quando o medo o fez perder a astúcia.

Prazer

O não da criança pode ser reprimido, mas não eliminado. Continua funcionando no inconsciente e se estrutura em tensões musculares e crônicas, sobretudo na região do pescoço e da cabeça. Os músculos que promovem a rotação da cabeça de um lado a outro permanecem presos e espásticos para inibir o gesto de negação. A pessoa fica com o pescoço duro e a sua negativa não dita transforma-se numa teimosia inconsciente. Os músculos da mandíbula se contraem, deixando-a rígida, desafiante ou retraída. Tensões musculares se desenvolvem na garganta para reprimir o grito de oposição. Essas tensões musculares crônicas representam a negação inconsciente. Como a mobilidade do indivíduo é reduzida por tais tensões, na verdade ele está dizendo: "Não quero me mexer". Sua rigidez corporal constitui uma resistência inconsciente, que substitui a negativa que não pôde ser expressa. Infelizmente, essa postura transforma-se numa atitude generalizada contra qualquer provocação do ambiente, portanto contraproducente.

Se a negativa não for reprimida, mas apenas bloqueada em sua manifestação normal, acarretará um comportamento irracional e negativo. Eis um problema enfrentado por inúmeros professores no intuito de manter a ordem na classe. Tal problema foi resolvido de maneira inteligente por uma de minhas pacientes que lecionava numa escola de ensino fundamental em Nova York. Quase todos os seus alunos provinham de lares carentes e vários apresentavam perturbações emocionais. Muitas vezes, suas aulas eram interrompidas por uma constante agitação que, vez por outra, se transformava em manifesta desobediência. Em vez de tentar ir contra essa agitação impondo uma disciplina mais forte, que poderia não funcionar, ela organizou a negatividade bloqueada das crianças. Na metade de cada aula da manhã e da tarde, fazia seus alunos formarem filas e marcharem pela sala de aula batendo os pés e gritando "não, não quero. Não, não quero". Esse procedimento era acompanhado de alguns exercícios respiratórios. Minha paciente não avaliou objetivamente os resultados de sua experiência, mas disse-me que se surpreendera com sua eficácia. Após expressarem seus sentimentos negativos, os alunos passaram a ser muito mais receptivos a ela e aos trabalhos escolares.

O SENSO CRÍTICO

Em sua deliciosa série de ensaios *Retratos da memória*, o filósofo Bertrand Russell faz a seguinte observação sobre si: "Sempre meu intelecto cético, quando eu mais queria que ficasse silencioso, levantou-me dúvidas; distanciou-me do entusiasmo fácil dos outros, transportando-me para uma triste solidão". Ciente da dor que sofria em virtude de seu ceticismo, Russell não conseguia silenciá-lo — fazia parte de si e de seu trabalho. Essa declaração levanta duas questões: Russell seria o pensador que foi sem seu intelecto cético? Poderia alguém ter um verdadeiro intelecto sem que este contivesse certa dose de ceticismo? Minha resposta às duas perguntas é "não".

O ceticismo de Russell é a expressão de sua individualidade e independência. Constitui atributo de um livre pensador que forma o próprio julgamento com base em suas experiências. É a mente de um homem que diz não. Ninguém duvida da capacidade de Russell de formular opiniões contrárias. O autor foi preso em 1915 por se opor à entrada da Grã-Bretanha na Primeira Guerra Mundial. Foi colocado no ostracismo por seus colegas liberais por se opor ao comunismo russo na década de 1920. Foi condenado por organizar a oposição à guerra do Vietnã em 1965. O que quer que se pense sobre suas manifestações, não se poderá questionar a coragem e a integridade com que agiu. A integridade também está presente em todos os trabalhos de Russell, pois é uma qualidade do homem.

Seria um erro enorme acreditar que lhe faltou entusiasmo. Tudo que a ele se refere e cada linha de seus livros mostra que sempre esteve apaixonado pela vida, positivo em suas perspectivas e construtivo em seus pontos de vista. Seu ceticismo intelectual foi a restrição moderada exercida pelo ego seguro sobre uma natureza entusiástica. O entusiasmo fácil do indivíduo comum, ao contrário, significa a procura desesperada de significado e segurança. Carente de uma essência interna de convicção, o indivíduo massificado se deixa envolver por qualquer ideia nova que possa servir, no momento, para apoiar seu ego hesitante. O entusiasmo fácil é a marca do amante volúvel.

Senso crítico ou intelecto cético não é o mesmo que ser negativo ou desconfiado. A verdadeira crítica exige pontos de vista fundamentados na experiência e apoiados por raciocínios claros e objetivos. A experiência da qual depende a faculdade crítica deve ser pessoal, e não um dogma que se aprendeu. Criticar do ponto de vista do dogma é indício de mente fechada. Russell não foi um cético ou um homem de dúvidas. Acreditou na humanidade. Acreditou que os seres humanos tinham capacidade inerente para viver em harmonia com o mundo e ser felizes. Mas não foi ingênuo, nem tinha ilusões sobre a existência de uma resposta simples para o dilema humano. Foi um sábio que, tendo estudado o pensamento dos homens, tornou-se erudito. Sua criatividade surgiu do seu esforço persistente para integrar esses dois mundos, o subjetivo e o objetivo. A crítica é essencial para o pensamento criativo. Cada avanço na aquisição de conhecimento cresce a partir do questionamento e da negação de conceitos estabelecidos. Nenhum avanço no pensamento pode ser feito sem que haja transcendência e, portanto, mudança de compreensão ou de formulações anteriores. Copérnico rejeitou o conceito de Ptolomeu de que a Terra era o centro do universo, demonstrando ser ela um planeta girando em volta do Sol. Darwin negou a visão escolástica de que Deus criara cada espécie animal, resultando daí a teoria da evolução. Einstein rejeitou a aplicabilidade da física de Newton aos fenômenos astronômicos, apresentando a teoria da relatividade. A psicanálise não teria revelado os segredos do inconsciente se Freud não houvesse desafiado as ideias aceitas sobre histeria. Essas conquistas foram possíveis porque cada um desses homens tinha ideias próprias e a coragem de dizer não. A mente inquisidora é o intelecto cético de uma natureza ávida e curiosa.

Todo indivíduo tem algo para adicionar ao repertório do conhecimento baseando-se na singularidade de suas experiências pessoais. Duas pessoas nunca veem o mundo da mesma forma. Cada indivíduo tem um corpo único e vive uma vida única. Todos nós podemos ser pensadores criativos se aceitarmos nossa individualidade. Contudo, rejeitamos a individualidade quando subordinamos nossos pensamentos à voz da autoridade. Devemos aprender o que a autoridade sabe, mas só aprenderemos quando a ouvirmos com o nosso senso crítico em ação.

Adquirimos conhecimento quando a informação é transformada e assimilada pela personalidade. Até que isso ocorra, a informação é como uma ferramenta inútil porque a pessoa não sabe utilizá-la. Aprender não é uma simples questão de aquisição de informações. Aquele que aprendeu saberá aplicá-las na vida, sobretudo na própria vida. Relacionou-as com seus sentimentos, integrando-as às suas experiências. Estas se transformaram num segundo sentido, que é a verdadeira natureza do conhecimento. É isso que queremos dizer quando falamos, por exemplo, que o marceneiro sabe fazer um armário. Evidentemente, ele tem a informação necessária, mas também a habilidade que lhe permite usar essa informação sem pensar muito. A informação faz parte de sua habilidade, que é o conhecimento verdadeiro. Este traz consigo o cunho de sua experiência e, em sua área de trabalho, identifica--se com sua individualidade.

O marceneiro aprende seu oficio praticando-o, e a criança aprende sobre a vida vivendo-a. Não podemos ensinar a criança a viver. O ensino oferece informações que, para ser úteis, devem ser transmutadas em conhecimento. O catalisador dessa transformação é a experiência pessoal. As informações que se encaixam na experiência individual transformam-se em conhecimento; as restantes passam pela mente sem ser assimiladas e, logo, são esquecidas. Quantos de nós se lembrarão da matemática ou da história do ensino médio? Quanto do que aprendemos no colégio com nossos professores ficou retido mais tarde na vida? Muito do que verdadeiramente se aprende na escola é extracurricular; vem dos colegas, das reuniões sociais e das atividades externas — o que certamente compensa os gastos com a educação escolar.

Em nosso sistema educacional, a ênfase dada mais ao ensinar do que ao aprender reflete a crença inconsciente de que a informação é mais valiosa do que o pensamento. Conscientemente, todo educador quer que seus alunos aprendam, porém é mais importante para ele transmitir as informações que tem. Por que dar tanta importância à informação? Será um artifício para evitar que os jovens questionem os valores subjacentes à cultura? A quantidade de informações que o estudante se vê obrigado a reter por certo não lhe dará tempo para pensar criativamente. Supõe-se que a criatividade ocorrerá depois que a informação, de algum modo, for obtida, mas a essa altura perdeu-se o prazer de aprender e sufocou-se o impulso criativo. A tese de pós-graduação, último degrau do processo educacional, revela a tendência do nosso sistema didático mais em direção à informação do que ao conhecimento. O pensamento criativo é desencorajado em favor da pesquisa. É irrelevante o fato de a pesquisa não ter significado pessoal para o estudante e de a informação daí oriunda não ter valor para a sociedade. É informação — e, em nossa época computadorizada, ingenuamente aceitamos que, com informações suficientes, poderemos resolver todos os problemas da humanidade.

Qual é o lugar que o pensamento criativo ocupa num mundo tecnológico? Se as informações representam tudo de que precisamos, não estaremos abandonando a função criativa da personalidade humana? Sem uma centelha criativa, o prazer de viver desaparece. Transformamo-nos em robôs cujo comportamento é determinado eletronicamente porque nossas ações poderão ser calculadas eletronicamente. Não é uma perspectiva agradável, mas ela se concretizará a menos que afirmemos nossa individualidade. Devemos manter o

Prazer

direito de pensar por nós mesmos e não nos transformar em estatísticas, o que não será logrado se o nosso raciocínio nelas se basear.

Suponha que quatro de cinco pessoas prefiram determinado produto; essa é uma razão para que você também o prefira? Se assim for, significará que você não tem discernimento e não consegue julgar por si mesmo. Você argumentará que a preferência geral indica que o produto é superior. Contudo, seu intelecto cético deveria lhe informar que, num mercado de massa, as preferências são criadas pela propaganda. Embora o valor de um produto possa ser testado pessoalmente, os publicitários sabem que o público em geral tem pouco discernimento e nenhum senso crítico. Se pensassem de outra forma, não baseariam seus anúncios em pesquisas de opinião.

O discernimento é a base da função crítica. Sem uma noção de preferência, não há base para criticar. O julgamento que não contenha um sentimento pessoal é moralizante. O crítico, por exemplo, que aprova ou não uma peça de teatro tendo em vista só as mensagens que encerra sem dizer se gostou, está fazendo um julgamento moral, não uma crítica. Se o gosto pessoal do crítico não é o critério para o seu julgamento, estará agindo como autoridade que acredita ter um conhecimento superior sobre o que é bom ou ruim. Meu intelecto cético questionará seu direito de fazer esses julgamentos. O gosto de determinada pessoa pode ou não combinar com o meu, mas, se for sinceramente expresso, respeitarei seu julgamento.

Se a pessoa tiver discernimento, afirmará, com base em seus sentimentos, se gosta ou não de determinada coisa. Saber do que se gosta e do que não se gosta é um conhecimento subjetivo. A pessoa, nessas condições, conhece sua mente. Se, além disso, ela conseguir dizer por que gosta ou não, isto é, se puder fundamentar seu gosto em razões sensatas, terá senso crítico.

Apesar de desejar que nossos filhos sejam criativos e que desenvolvam senso crítico, negamos seu discernimento, impondo-lhes o nosso. Em casa e nas escolas, tentamos melhorar suas escolhas dizendo-lhes do que devem gostar. Não compreendemos que o senso de discernimento nasce com a pessoa e, embora possa ser refinado, não pode ser criado. O gosto se amplia ao ser exposto a novas experiências, mas aquele que não sabe do que gosta e do que não gosta nada consegue com essas experiências. Nascemos com o senso de gostar ou não porque a partir do nascimento somos capazes de distinguir o prazer da dor. Perdemos esse senso quando nossas escolhas não são levadas em consideração e quando somos privados do direito de dizer não.

Todos os cursos de arte, música e literatura ministrados nas escolas só adicionam informações. Raramente ajudam a desenvolver o discernimento de alguém. Se perguntarmos por quê, a resposta é que são apresentados de modo autoritário. Ouvimos de antemão que esta é uma grande arte, uma bela música ou literatura de qualidade, que devem ser apreciadas. Fica-se na mesma posição da criança cuja mãe diz do que deve gostar, pois sabe mais. Quem poderá reagir com prazer a essa indução? Se a reação não for de prazer, como considerar a oferta boa? O que se consegue com a apresentação autoritária é informação, não conhecimento — muito menos apreciação do belo.

O resultado concomitante da sociedade de massa é a produção da cultura de massa. Talvez pareça um grande benefício à humanidade a reprodução das criações dos grandes mestres a preços que qualquer um pode pagar, mas o nítido efeito desse esforço de mercado é reduzir o valor dessas criações a informações. O excesso de informações poderá ofuscar nossa mente e o excesso de experiências, amortecer nosso discernimento. Quando a cultura se transforma num fenômeno de massa, perde-se a capacidade de discernir. A distinção entre alto e baixo, bom e mau se esvai quando o discernimento desaparece.

Não sou contra a ideia de que todos tenham o direito de conhecer a cultura em que vivem. Não acredito, contudo, que a cultura possa ser levada às massas. O papel da cultura é transformar o indivíduo massificado num verdadeiro indivíduo, mas para atingir esse objetivo a individualidade de cada um deve ser reconhecida, sua busca de prazer, apoiada e seu direito de dizer não, totalmente respeitado. Não devemos confundir informação com conhecimento. Adquire-se conhecimento sujeitando a informação ao julgamento de nossos sentidos. O indivíduo não aprende apenas com a cabeça, mas também com o coração e com todo o seu ser. O que aprender nesse sentido será verdadeiro conhecimento. O que se aprende só com a cabeça é informação.

O aprendizado é uma atividade criativa. Somos levados a aprender pela promessa de prazer. Esta se concretiza quando aprendemos algo. Procuramos informações para aprofundar o conhecimento e ampliar o prazer. Não é preciso que sejam impostas, como acontece em muitos sistemas educacionais. Quando a educação é ajustada ao prazer, as escolas transformam-se numa aventura agradável de autodescoberta.

8. As reações emocionais

AMOR

Em sua busca de conhecimento, o homem diferencia e isola os diversos fenômenos da natureza. Em consequência desse processo, cada aspecto tende a perder suas conexões com o todo e passa a ser visto como uma variável independente. Quando esse procedimento analítico é aplicado às emoções, estas passam a ser definidas como reações fisiológicas do corpo ou como padrões de comportamento que podem ser adotados ou não pela vontade. O medo, por exemplo, é uma reação corporal produzida fisiologicamente pela secreção de adrenalina em resposta a uma situação de perigo. Embora nem a secreção, nem a reação corporal estejam sujeitas ao controle consciente, constantemente aconselhamos as crianças a não ter medo, deixando assim implícito que são capazes de controlar suas reações emocionais.

Essa confusão a respeito da natureza das emoções é ainda mais evidente nas atitudes relativas ao amor. Os sermões e a literatura estão cheios de súplicas e conselhos de amor. A despeito de tantos conselhos, como os de Smiley Blanton em *Love or perish* [Amar ou perecer], todos os apelos à mente consciente são ineficazes para criar sentimentos de amor. Por outro lado, aceitamos que o amor seja um sentimento natural em certos relacionamentos: toda mãe ama seu filho; toda criança ama sua mãe. Ficamos chocados e surpresos ao descobrir que nem sempre é assim. Do ponto de vista da mente consciente, há certo mérito nessas duas atitudes. Reconhecemos a importância do amor, o que nos ajuda a lembrar do seu relevante papel. O apelo ao amor é feito para reduzir o enfoque sobre o próprio ego e restaurar, ao menos momentaneamente, a percepção da relação do indivíduo com os outros e com a sua comunidade. Ao mesmo tempo, reconhecemos que o amor deveria estar presente em todo relacionamento íntimo. Contudo, o que não conseguimos ver é que as reações emocionais não são fenômenos isolados. Não são reações voluntárias ou simples reflexos condicionados. O amor, por exemplo, não pode ser separado do prazer. Surge da experiência do prazer e depende da antecipação do prazer para existir.

A palavra "emoção" significa movimento "externo, para fora ou de fora". Assim, a emoção pode ser definida como o movimento emergente de um estado de excitamento de prazer ou dor. Sandor Rado divide as emoções em dois grupos: as de bem-estar e as de emergência. Segundo ele, as emoções de bem-estar, que incluem o amor, a empatia e o afeto, são "elaborações diferenciadas da experiência e da antecipação do prazer"[19]. Em outras palavras, amamos aquilo que nos promete prazer. Da mesma maneira, nossa empatia se dirige às pessoas com as quais temos uma relação agradável. Não simpatizamos normalmente com os que provocam a ameaça de dor. As emoções de emergência, como o medo, a raiva e o ódio, nascem da experiência e da antecipação da dor.

A memória e a antecipação desempenham papéis importantes na diferenciação entre as reações emocionais e as reações básicas prazer-dor. Se sofremos em determinada situação, anteciparemos o sofrimento semelhante se a situação se repetir. Antecipando a dor, reagiremos com medo ou raiva, dependendo da direção de nosso movimento. Se fugirmos da situação, sentiremos medo; se a enfrentarmos numa tentativa de eliminar a ameaça de dor, experimentaremos raiva. Na ausência de memória e antecipação para guiar o comportamento, a reação será determinada pelo efeito do contato direto com o objeto. O efeito agradável induzirá um movimento em direção ao objeto, o efeito doloroso nos fará recuar.

O recém-nascido não sente nem manifesta amor por sua mãe. Suas reações são baseadas em sensações de prazer ou dor. Contudo, podemos imaginar que a capacidade de amar esteja presente no nascimento, mas que, para florescer, exige a maturação da consciência e a experiência de prazer no contato entre o bebê e a mãe. Essa experiência logo se verifica, pois para sobreviver o bebê exige que suas necessidades essenciais sejam satisfeitas pela mãe ou por sua substituta. Quando a crescente consciência da criança lhe permite identificar essas experiências agradáveis com a figura da mãe, surgem sentimentos de afeto por ela. Ele se anima quando a mãe se aproxima e ondas de agradável excitação podem ser vistas passando pelo seu corpo.

Infelizmente, ao menos em nossa cultura, o contato do bebê com a mãe nem sempre é gerador de prazer. Embora a mãe veja-se obrigada a satisfazer as necessidades básicas do bebê, poderá fazê-lo de tal maneira que acabe

Prazer

perturbando seu bem-estar. Depara com tantos bebês chorando e com tantas crianças infelizes que não será possível ter a ilusão de que na infância todos os desejos são realizados. Os recém-nascidos necessitam de um contato quase ilimitado com o corpo da mãe, e poucas estão preparadas para lhes dar todo seu tempo e atenção. Muitas vezes suas necessidades pessoais entram em conflito com as da criança. Quando satisfazem as exigências do bebê, tornam-se irritadas e ressentidas. Quando não, o bebê sofre. Nas duas situações, há dor para a criança, o que limita seu amor à mãe.

A atitude da mãe em relação à criança costuma ser ambivalente. A criança não é pura bênção. É, ao mesmo tempo, desejada e não desejada. Em consequência, torna-se objeto de certa hostilidade, muitas vezes inconsciente, mas expressa por meio de gestos de aborrecimento, de impaciência, olhares irados e assim por diante. Atos de violência contra bebês não são raros. A síndrome da criança espancada é mais comum do que se imagina. Em seu livro *The fear of being a woman* [O medo de ser mulher], Joseph Rheingold documenta e mostra o predomínio da hostilidade materna entre as mulheres. Relaciona esse predomínio às experiências das mulheres nas mãos das respectivas mães e ao conflito entre elas na infância. Minha experiência clínica confirma suas observações. Não tratei de nenhum paciente em todos os meus anos de prática que não tivesse sentimentos negativos em relação à mãe totalmente justificáveis pelas experiências de sua infância.

As experiências dolorosas não fazem surgir sentimentos de afeto e amor. Dependendo do grau em que a dor é antecipada, a reação será cautelosa ou negativa. Ninguém ama aquilo que machuca a menos que tenha desenvolvido personalidade masoquista. Se surge amor na antecipação do prazer, seu contrário, o ódio, surgirá da antecipação da dor. Examinarei o espectro dessas duas emoções, amor e ódio, na próxima seção. É importante compreender sua ligação com o prazer e a dor.

A conexão entre amor e prazer, aparentemente clara, torna-se confusa quando percebemos que o amor materno é também uma reação instintiva em relação ao filho. Existe em todas as espécies em que os cuidados maternos são essenciais para a sobrevivência da cria. Tem raízes tão profundas que, a partir do nascimento, a mãe defende o filhote até com a própria vida se for necessário. Mas até mesmo no reino animal o instinto não é suficientemente forte para evitar, em determinadas circunstâncias, a destruição materna dos filhotes. As mães em cativeiro costumam abandonar a cria, o mesmo acontecendo,

145

por vezes, com animais de estimação. Presume-se que a rejeição da cria ocorra em condições que agem no sentido de negar à mãe a antecipação do prazer no cumprimento de sua função. Em animais mais desenvolvidos, o instinto do amor materno depende, para funcionar de modo pleno, do prazer proporcionado normalmente pela realização instintiva. Se não houver esse prazer, o instinto tornar-se-á mais fraco. O prazer, por outro lado, reforça os atos instintivos, transformando-os em comportamento consciente.

Uma vez que o instinto não pode desaparecer por completo, nunca há total falta de amor materno, nem mesmo na mulher mais insensível. Apesar do medo de ser mulher, toda mulher percebe em seu corpo que, apenas por meio da realização de sua natureza feminina, conseguirá sentir alegria de viver. Se essa profunda percepção estiver abalada pelas experiências de sua vida, cujas lembranças guiam seu comportamento atual, ela será uma mulher em conflito e seu desejo de amar o filho é tão justificável quanto sua hostilidade. Não podemos ignorar o fato de que, na ausência de prazer, atitudes destrutivas, mais que atitudes criativas em relação à criança, serão inevitáveis.

Subjacente à emoção do amor está a necessidade biológica de contato e de proximidade com o outro. Por meio desses contatos nosso corpo é estimulado e excitado; sem eles, tende a se tornar frio e rígido. A própria necessidade é percebida como um sentimento de ansiedade que bioenergeticamente se assemelha à sensação de fome quando temos necessidade de comida. A ansiedade, como a fome, fica mais intensa quando estamos carentes. É mais forte também em crianças pequenas, cuja necessidade de contato é maior. Diminui de intensidade durante o período de lactância, reaparecendo durante a adolescência, quando as funções sexuais começam a funcionar.

Entender a diferença entre o sentimento de ansiedade e a emoção de amor é importante para compreendermos o amor. A relação entre a ansiedade e o amor é do mesmo tipo existente entre a fome e o apetite. A fome e a ansiedade são necessidades biológicas não discriminantes. Quando se tem fome, come-se qualquer coisa; quando se está só, aceita-se qualquer pessoa como companhia. Em contraste, o apetite e o amor dirigem-se para fontes específicas de prazer. Tem-se apetite para determinadas comidas; amamos determinada pessoa como amiga ou companheira. O indivíduo apaixonado é consciente do objeto amado como fonte de prazer. Se a antecipação do prazer junta-se à ansiedade biológica de contato e proximidade, a necessidade transforma-se em verdadeira emoção. Percebe-se claramente a diferença entre amor e ansiedade nas maneiras e no comportamento das pessoas. O amante antecipa o prazer, seu corpo encontra-se agradavelmente excitado, quente e expansivo. A pessoa carente é triste e retraída.

O sentimento de ansiedade também é conhecido como amor dependente, em geral confundido com o verdadeiro amor. Se uma pessoa depende de outra, define seu sentimento como se fosse amor. Dirá "eu te amo" quando na verdade quer dizer "preciso de você". Precisar e amar não são a mesma coisa. Necessitar indica falta; amor é preenchimento. Necessitar pode ser doloroso; o amor é agradável. O amor dependente prende uma pessoa à outra; o verdadeiro amor incentiva a liberdade e a espontaneidade, elementos essenciais do prazer. A atitude dependente diminui a possibilidade de prazer, fazendo que o verdadeiro amor se torne difícil, se não impossível. O amor dependente caracteriza-se pela exigência de amor ou prazer; o verdadeiro amor é uma oferta de prazer. A exigência de amor é racionalizada da seguinte maneira: preciso de você. Quero você. Amo você. Portanto, você deve me amar.

Aquele cujo amor é dependente acredita que essa dependência justifica sua exigência de amor. Sem perceber, transfere para outrem uma ansiedade não satisfeita em sua infância. Sua dependência reflete experiências infantis, em que realmente dependia da mãe. A satisfação dependia do amor dela e o sentimento de dependência era justificado em razão da sua necessidade. Seu inconsciente recusa-se a aceitar a realidade presente 1) de que não é mais uma criança e 2) de que o amor adulto baseia-se no prazer compartilhado.

Em vista da conexão entre amor e prazer, como pode alguém exigir amor? Contudo, isso acontece o tempo todo. Os pais exigem amor dos filhos, considerando-o até mesmo obrigação por parte da criança pelos esforços que fazem para criá-la. Terão grandes demonstrações de amor se conseguirem fazer que a criança se sinta culpada, mas a verdadeira emoção não se sujeita à imposição. Nem poderá ser alcançada, ao contrário do que muitos pensam, com atitudes de autonegação. A sacrificada esposa fica consternada ao descobrir que o marido está apaixonado por outra mulher. A mãe abnegada fica chocada ao constatar que os filhos não valorizam seus sacrifícios. Em geral, recuamos diante de atitudes de autonegação e somos atraídos pelas pessoas que gostam da vida. Ouvi muitos pacientes dizerem: "Queria que minha mãe tivesse se permitido mais prazeres".

Porém, se o prazer é essencial ao amor, também o amor é necessário ao prazer. Pois o amor representa o compromisso que torna possível o prazer.

Alexander Lowen

Vimos que sem envolvimento no trabalho não haverá prazer em trabalhar. É importante que a pessoa se dedique a um relacionamento se quiser aproveitá--lo. O compromisso surge da antecipação do prazer, assim como acontece no amor. É, portanto, lógico afirmar que o nível de prazer mantém relação direta com o nível de dedicação ou com o nível de sentimento investido em determinada pessoa ou atividade.

O amor tem outra função importante nas relações íntimas entre pessoas das quais depende o ciclo da vida. Cria um grau de segurança que permite a outra estabelecer vínculo semelhante na relação. A necessidade de segurança é evidente na relação entre mãe e filho. Em virtude da sua total fragilidade, a criança necessita da segurança que apenas a dedicação total da mãe ao seu bem-estar pode oferecer. Qualquer perturbação em sua sensação de segurança lança a criança na aflição e na ansiedade, cujas consequências dificilmente serão superadas. Quando percebemos que o recém-nascido deixou uma situação em que todas as suas necessidades eram automaticamente supridas para começar uma existência independente, percebemos como é importante para o seu bem-estar o amor materno que o espera em sua chegada ao mundo.

Os adultos já não são tão frágeis como as crianças, mas em suas relações íntimas também necessitam da sensação de segurança. Precisam da certeza de que o prazer de hoje não se transformará na dor de amanhã pela perda da pessoa responsável por esse prazer. O ser humano está bem ciente de que, quanto maior for o prazer que experimenta hoje, maior será a dor que sentirá no momento em que seu anseio por proximidade e intimidade aflorar e não puder ser satisfeito. Faz parte da natureza animal a procura da renovação do prazer nas situações em que primeiro foi vivenciado.

O homem, mais do que qualquer outro animal, vive num presente que engloba seu passado e abrange seu futuro. Está extremamente consciente de que ao se abrir para o prazer se expõe à possibilidade de dor. Se sofreu diversos desapontamentos, estará bastante cauteloso na sua antecipação de prazer. Sua capacidade de amar estará reduzida e terá diminuído sua capacidade para sentir prazer. Mesmo com ótimas recordações, a pessoa reluta em se vincular a uma relação que não tenha possibilidade de durar.

O amor é a promessa de que o prazer de hoje estará disponível amanhã. Não é uma garantia, nem uma obrigação. As palavras "eu te amo" representam uma vinculação que abrange o futuro na atual declaração de sentimento. Não são a promessa de que se vai amar amanhã, pois essa emoção, como

Prazer

todas as outras, surge espontaneamente do íntimo do nosso ser, não estando sujeita à vontade. Não se exige mais do que isso e menos será insuficiente. Só com a segurança proporcionada pelo amor podemos nos entregar por completo ao prazer de amar. Falar do amor dissociando-o de sua relação com o prazer significa moralizar. A moral nunca resolveu as dificuldades emocionais do homem. Por outro lado, enfatizar a importância do prazer em detrimento da necessidade básica das pessoas de segurança, estabilidade e ordem é uma irresponsabilidade, o que poderia levar ao caos e à angústia. A condição humana exige uma abordagem criativa de suas necessidades antagônicas. Devemos saber que, quanto mais prazer se tem, maior será a capacidade de amar. Precisamos reconhecer que, ao oferecer nosso amor, aumentamos nosso prazer.

Nesta seção, utilizei a palavra "amor" como se encerrasse uma qualidade uniforme. Na verdade, o amor, como o prazer, abrange um espectro de sentimentos, todos relacionados com a experiência ou a antecipação do prazer. O melhor termo para esses sentimentos é afeição. Os sentimentos de afeição vão da amizade ao amor e serão descritos na seção seguinte.

AFEIÇÃO E HOSTILIDADE

As emoções podem ser classificadas segundo seu caráter simples ou composto. A emoção simples encerra apenas um tom sentimental, seja prazer ou dor. As emoções compostas contêm elementos tanto de prazer como de dor. Tristeza e compaixão são emoções compostas, como veremos. Duas ou mais emoções podem também se combinar para produzir uma reação mais complexa. No ressentimento, por exemplo, há rancor e medo. Os julgamentos de valor são geralmente sobrepostos aos sentimentos, criando o que denomino emoções conceituais. Culpa, vergonha e vaidade pertencem a essa categoria.

Às vezes, as reações emocionais sutis são difíceis de descrever. As palavras não conseguem retratar todos os níveis de sentimentos que o ser humano é capaz de experimentar. Não é minha intenção analisar todas as reações emocionais. Entretanto, algumas são importantes para compreender a personalidade humana. Tais reações, entre as quais se incluem as emoções simples, receberão toda a nossa atenção.

Há dois pares de emoção simples cujo conteúdo mantém entre si uma relação antagônica. Medo e raiva formam um par; amor e ódio, o outro. O segundo par inclui todos os sentimentos que podem ser reunidos ante a

149

denominação de afeição e hostilidade. Em geral, definem nossos sentimentos em relação a outras pessoas, embora possamos falar de amor e ódio no que tange a objetos e situações.

A afeição é o envolvimento com os outros e com o mundo a partir de um estado de excitação de agradável antecipação. Representa uma reação de expansão do corpo. Baseia-se no fluxo de sangue para a superfície do corpo proveniente da dilatação do sistema sanguíneo periférico. Esse fluxo de sangue para a superfície provoca uma sensação de calor físico. Os sentimentos de afeição são caracterizados pelo seu calor. Descrevemos a pessoa afetuosa como calorosa. Outras manifestações físicas de prazer também aparecem. A musculatura torna-se macia e relaxada, as batidas do coração, lentas, as pupilas, contraídas e assim por diante.

O calor da afeição é notado sobretudo na pele, que é intensamente irrigada pelo sangue. Isso provoca o desejo de contato físico com o ser objeto da afeição: um aperto de mão, um abraço ou um beijo. Todos os sentimentos afetuosos encerram uma qualidade erótica, constituindo uma expressão do impulso erótico ou Eros. Os elementos eróticos na afeição podem ser recessivos ou dominantes. São recessivos na amizade e dominantes no amor sexual. Um forte elemento erótico é produzido por um alto nível de excitação com foco nas zonas erógenas. Tais áreas então se tornam sobrecarregadas de sangue.

Os sentimentos opostos, isto é, aqueles que podem ser denominados hostis, também são determinados pelo fluxo do sangue, mas em direção oposta. O sangue deixa a pele e a superfície do corpo, provocando uma sensação de frio. Todos os sentimentos hostis são frios. A pessoa hostil retira seu afeto, tornando-se fria em relação à outra. Perde qualquer desejo erótico que possa ter tido e recua diante da ideia de contato físico. Todos os sentimentos hostis representam, portanto, a supressão de sentimentos.

Nem a afeição nem a hostilidade representam uma atitude agressiva. A agressão é uma função do sistema muscular, não ativamente envolvida nos sentimentos de que estamos falando. O componente agressivo por vezes é adicionado a esses sentimentos, transformando-os em ações específicas. O ato sexual exige esse componente para que a cópula ocorra. Quando um elemento agressivo junta-se a um sentimento hostil, o resultado é um ataque ou uma investida, diferentes da reação simplesmente hostil da pessoa de se tornar fria.

A palavra "agressivo" é utilizada psicologicamente em oposição a passivo. Agressivo significa mover-se em direção a alguém ou a um objeto, enquanto "passivo" denota a inibição desse movimento. A pessoa pode ser agressivamente hostil ou agressivamente afetuosa, assim como passiva em suas manifestações de hostilidade ou de afeição. É óbvio que a palavra "ativo" não pode ser utilizada neste contexto como antônimo de passivo, pois não encerra a conotação de direção ou objetivo. O jogador de tênis agressivo joga para ganhar; o jogador ativo não precisa necessariamente ter essa meta.

Para mostrar o antagonismo entre sentimentos hostis e afetuosos, vou descrever e comparar amizade com inimizade e amor com ódio.

A amizade diferencia nossos sentimentos em relação à pessoa com gostos e atitudes semelhantes aos nossos daqueles que temos em relação a um estranho. Os prazeres são compartilhados com amigos. Hesita-se em compartilhá-los com estranhos. Porém, compartilhando-se um prazer com um estranho, este poderá se transformar num amigo.

A reserva que manifestamos em relação a um estranho é bem clara entre crianças mais velhas. A criança bem pequena, com o senso de *self* ainda não desenvolvido, não faz distinção entre crianças de sua idade. Por outro lado, não só o recém-chegado que se aproxima de um grupo já formado de crianças é visto por elas com reserva como ele próprio aproxima-se com cautela. Durante certo tempo observa, a distância, as atividades, depois gradativamente vai se aproximando. À medida que se torna mais familiar, poderá ser convidado para entrar na brincadeira. Quando entra, sua aceitação está garantida.

O estranho representa um elemento perturbador nos sentimentos de tranquilidade e harmonia reinantes no grupo estabelecido. Sua presença poderá inibir o fluxo de sensações agradáveis que se verificam entre pessoas íntimas, acarretando assim certo grau de hostilidade ou frieza. Por outro lado, o estranho introduz novidade e excitamento com suas promessas de prazer. Provocará curiosidade e, com isso, o contato. Desses dois fatores, o mais eficaz para determinar a reação ao estranho dependerá da personalidade dos membros do grupo. O indivíduo seguro aceitará um estranho mais rapidamente do que o inseguro.

A amizade a um estranho manifesta-se mais em pessoas que estão se divertindo do que nas envolvidas em situação de poder. Em geral, quando as pessoas estão se divertindo, tendem a ser receptivas a estranhos. O prazer as deixa expansivas e abertas a novas experiências. O estranho sempre é bem-vindo a uma festa, mas torna-se *persona non grata* numa área de poder. Na disputa pelo poder, as pessoas desconfiam e temem o estranho. Quando o prazer está ausente, o estranho é quase sempre recebido com hostilidade e, até mesmo, com inimizade. Muitos anos atrás, vi uma charge que mostrava claramente essa situação. Dois severos galeses num campo observaram um estranho se aproximando.

— Você o conhece, Bill? — perguntou o primeiro.
— Não — respondeu o segundo galês.
— Então, atire uma pedra nele — disse o primeiro.

A hospitalidade com estranhos integra tradições judaicas, cristãs e outras. A civilização moderna, com as facilidades de comunicação e de viagens pelo mundo inteiro, tende a derrubar as barreiras naturais entre estranhos. Mas isso é apenas um fenômeno superficial. Ante a aparente cordialidade que recepciona o turista, pode-se notar a reserva e a frieza em relação a ele manifestadas por pessoas cuja vida é desprovida de alegria.

A perseguição ao estranho é mais uma expressão de hostilidade do que simplesmente de inimizade. Como ele é um objeto natural para sentimentos de hostilidade, logo se transforma em alvo de ódios reprimidos, provenientes de experiências dolorosas na infância. As pessoas projetam no estranho a intensa hostilidade que experimentaram em relação às figuras parentais e foram reprimidas por meio da culpa. O estranho transforma-se no bode expiatório sobre o qual os sentimentos hostis podem ser descarregados. Essa transferência encontra aprovação social e é facilmente racionalizada pelo ego. A inimizade ao estranho pode ser superada com o aumento da familiaridade, mas será um erro pensar que o ódio a ele poderá ser superado pela educação.

O ódio reprimido exige uma condição terapêutica para ser liberado. Primeiro, é preciso utilizar algum tipo de técnica analítica para torná-lo consciente. Segundo, a culpa que serve para manter reprimidos esses sentimentos hostis tem de ser trabalhada e liberada. Terceiro, é preciso fornecer, num ambiente controlado, meios para a expressão física da hostilidade. Assim, as tensões físicas subjacentes aos sentimentos poderão ser descarregadas. Quando isso acontece, a capacidade da pessoa de sentir prazer é restaurada e "bons sentimentos" tornam-se o tom normal de seu corpo.

O amor e o ódio representam o familiar par antagônico. Não é difícil entender esse antagonismo se pensarmos que o ódio é amor congelado, isto é, amor que se tornou frio. Não é quando alguém ficou desapontado que o amor se transforma em ódio. Como o amor é baseado na antecipação do prazer, ele desaparece lentamente na ausência deste. O pretendente rejeitado sente-se magoado, mas não com ódio. O ódio é causado pela sensação de traição. Se alguém se uniu amorosamente a outra pessoa que o aceitou, seu coração está totalmente aberto, sua confiança é depositada no outro. A traição dessa confiança é como uma facada no coração. Causa um choque na personalidade que imobiliza os movimentos e aprisiona os sentimentos. É como o congelamento rápido dos alimentos que preserva o sabor, interrompendo todos os processos bioquímicos.

É sempre o sentimento de traição que transforma a afeição em hostilidade. A traição na amizade transforma os sentimentos positivos em inimizade. A traição da confiança transforma o afeto em hostilidade. O grau de hostilidade é, portanto, proporcional à quantidade de sentimentos positivos investidos numa relação.

Os sentimentos afetuosos unem as pessoas num verdadeiro espírito de comunidade. Assim, o bem-estar de uma pessoa passa a constituir preocupação de outra. O amor, sobretudo, implica cuidados e dependência mútuos. O apaixonado coloca a pessoa amada no coração ao mesmo tempo que dá seu coração a ela. É fácil verificar por que a traição produz efeitos tão fortes. Causa uma ferida profunda que sara lentamente, deixando cicatrizes.

A traição mais grave é aquela que a criança sofre por parte dos pais, sobretudo da mãe. A criança pequena não só é totalmente dependente dela como se encontra naturalmente aberta a ela. A criança sente-se traída quando a mãe expressa hostilidade ou tem atitudes destrutivas em relação a ela, que reage com o sentimento de "ela realmente não se importa". A manifestação de rancor não tem o mesmo efeito. O rancor é um sentimento positivo e expressa uma verdadeira vinculação. A hostilidade em relação à criança é outro assunto. Não poderá ser justificada biologicamente, pois a criança é extensão da mãe. É a expressão de ódio contra si mesma. É uma transferência da hostilidade desenvolvida por ela ter sido traída pela própria mãe.

A hostilidade em relação à criança costuma surgir quando ela não se encaixa na imagem que os pais têm de como ela deveria ser. Essa imagem também representa suas autoimagens, inconscientes e idealizadas. Quando a criança não está à altura da imagem, os pais se sentem traídos. A sensação de traição transforma o afeto dos pais em hostilidade, que então provoca uma reação negativa na criança. Dessa maneira, cria-se um círculo vicioso do qual nem os pais nem os filhos podem escapar. Uma situação infeliz como essa poderá ser evitada se os pais compreenderem que a criança ou o bebê são animais cujo comportamento é governado pelo princípio do prazer. Criar uma criança para que se torne membro de uma sociedade civilizada exige uma abordagem criativa baseada na apreciação desse princípio se quisermos evitar os efeitos destrutivos da hostilidade dos pais.

O ódio contém a possibilidade do amor. Se, por exemplo, a traição é perdoada, a pessoa se descongela e o amor volta a fluir. Esse fato costuma acontecer nos estágios avançados da terapia. Nos primeiros estágios, cada paciente torna-se consciente da hostilidade ou do ódio reprimidos que sente em relação aos pais por causa da traição. Tais sentimentos negativos, como vimos, são então liberados. Quando as tensões são descarregadas e os bons sentimentos, restaurados, o paciente aceitará o fato de que o comportamento de sua mãe foi determinado pela infância dela, conseguindo perdoá-la. Sente então um genuíno afeto pela progenitora, em vez do amor compulsivo que o sobrecarregava. O ódio volta a se transformar em amor também fora da terapia, quando há uma troca sincera de sentimentos e uma verdadeira reconciliação.

São conhecidas as situações em que uma reação inicial de ódio se transforma espontaneamente em amor. Essa transformação pode ser explicada admitindo-se que sempre tenha existido uma forte atração que não foi manifestada por medo de ser traída. Esse medo pode ser expresso da seguinte maneira: "Se me deixo apaixonar por você, você poderá se voltar contra mim e me machucar, então eu o odeio". À medida que o medo diminui com os contatos frequentes, o amor floresce. O medo da traição encontra-se subjacente ao ciúme exagerado que faz que a pessoa suspeite de cada movimento do ser amado.

RAIVA E MEDO

O outro par de emoções, raiva e medo, relaciona-se com a experiência ou a antecipação da dor. Surge na consciência ao mesmo tempo que há o crescimento e a coordenação do sistema muscular. Antes do fim do primeiro ano de vida, a criança começa a reagir à dor e à angústia com movimentos voluntários. Suas reações anteriores, puramente involuntárias, tomam a forma de choro, contorções, inquietação e chutes a esmo. Esses movimentos expressam sentimentos de irritação que, à medida que a criança cresce, transformam-se em sentimentos de raiva. Em vez de simplesmente tentar evitar uma situação desagradável, empurrará para longe um objeto de que não gosta, baterá com os braços e até mesmo poderá morder quando estiver frustrada ou magoada. A emoção da raiva lentamente substitui o choro como meio de liberar tensão. A raiva na criança pequena não é capaz de mudar a situação, transformando--se normalmente em choro, o mecanismo mais básico de liberação de tensão.

De maneira geral, a raiva é uma reação mais eficaz que o choro, uma vez que tenta remover a causa da dor. Exige, entretanto, capacidade de discriminar a causa e saber contra que objeto a raiva deve ser dirigida. Enquanto o choro nos dá a sensação de estarmos indefesos em determinada situação, a raiva supera essa sensação.

No sentimento da raiva, a excitação carrega o sistema muscular ao longo das costas, mobilizando o poderoso movimento de ataque. Os principais órgãos de ataque estão localizados na parte superior e anterior do corpo, pois ela está diretamente ligada à procura e à apreensão de alimento. A raiva é sentida como uma explosão de sensações para cima, ao longo das costas, em direção à cabeça e aos braços. Essa explosão de sensações associa-se a um forte afluxo de sangue para essas partes, o que explica que algumas pessoas vejam tudo literalmente vermelho quando se enraivecem. Se existirem inibições e tensões que bloqueiem essa onda de sensações, uma dor de cabeça poderá se desenvolver. O choro, por outro lado, é sentido como um entregar--se. Nele, a carga se recolhe do sistema muscular e a tensão é liberada por meio de uma série de soluços convulsivos. Em vários aspectos, equipara-se a raiva a uma tempestade com trovões. Quando o sentimento da raiva é descarregado com movimentos violentos, o semblante desanuvia-se e os bons sentimentos retornam. O choro é como uma chuva fina.

A raiva e o medo pertencem ao grupo de emoções de emergência; ambos ativam o sistema simpático-suprarrenal para que ele forneça energia extra para a luta ou a fuga. Nessas duas emoções, o sistema muscular fica carregado e mobilizado para agir. Se o sentimento é de raiva, o organismo ataca a fonte de dor. Quando é de medo, vira-se e foge do perigo. Essas duas direções opostas de movimentos refletem o que acontece no corpo. O movimento ascendente, ao longo das costas, que arrepia os pelos do cachorro, junto com o movimento para a frente da cabeça e o abaixar dos ombros, é uma preparação para o ataque. O movimento descendente, ao longo das costas, resulta num encolhimento da cauda e no carregamento das pernas para fugir. Num estado de medo, corremos e fugimos. Se a fuga for impossível, a excitação fica presa no pescoço e nas costas, levantam-se os ombros, arregalam-se os olhos e puxa-se a cabeça para trás. Sendo essa a expressão típica de medo, essa atitude corporal mostrará que a pessoa encontra-se num constante estado de medo, esteja ou não consciente disso.

O caminho do fluxo da excitação na raiva ao longo das costas e sobre a cabeça explica-se pelo fato de que no homem, como na maioria dos mamíferos, os órgãos primários de ataque são a boca e os dentes. O impulso de morder é a primeira forma de manifestação da raiva. Morder é um fato comum a quase todas as crianças e, às vezes, também se vê em adultos. Trata-se de uma forma de ataque muito eficiente, pois causa forte dor, embora traga a desvantagem de exigir contato muito próximo. Bater, que encerra maior alcance, permitindo maior mobilidade, substituiu o morder como a principal expressão física da raiva. Porém, quando a pessoa está com muita raiva, seu rosto adquire uma expressão ríspida, associada ao morder.

"Homem morde cachorro" seria um insólito acontecimento, obviamente por sua raridade. Nunca vi um homem morder um cachorro, mas vi meu filho, quando tinha 4 anos e meio, morder nosso cachorro. Sem dúvida nenhuma foi uma proeza, pois o cão era um galgo afegão adulto que chegava aos ombros do menino. O cão, tentando se aproximar da comida que estava sendo feita na cozinha, empurrou o menino, que ficou com tanta raiva que se debruçou sobre ele e o mordeu nas costas. Ele rosnou e saiu da cozinha.

Mencionei esse incidente porque acredito que as inibições no morder são parcialmente responsáveis por vários distúrbios na expressão da raiva. Esses distúrbios tomam a forma de incapacidade para ficar com raiva, explosões histéricas e sentimentos persistentes de irritação. A raiva, como todas as verdadeiras emoções, é uma expressão sintonizada com o ego. Ao contrário das reações histéricas, não irrompe contra a intenção consciente; é dirigida para o ego e procura um resultado positivo, isto é, a remoção da causa da frustração ou da dor. A raiva não significa hostilidade, pois não é nem afastamento nem frieza. As inibições contra o morder impedem que a excitação flua para a cabeça e para a boca, bloqueando a experiência natural dessa emoção.

A dificuldade de as pessoas "abocanharem a vida" ou "tomarem as rédeas numa situação" é um dos resultados da repressão do impulso de morder. Não estou defendendo a ideia de que se deva incentivar as crianças a morder; mas elas não devem ser punidas por morder ou por qualquer outra expressão de raiva. A pessoa cujo direito de expressar raiva é negado torna-se indefesa. É reduzida a uma condição de medo e impotência que tentará superar manipulando o ambiente. Foi demonstrado bioenergeticamente que por trás de todos os sentimentos crônicos de medo e desamparo está a raiva reprimida.

A correspondência entre medo e raiva é tão grande que um se transforma na outra. Se a pessoa assustada se vira para atacar, torna-se raivosa e destemida. Isto acontece porque o fluxo de excitação mudou de direção em seu corpo. Sua nova sensação é a percepção dessa mudança. Quando um atacante começa a recuar, fica com medo pela mesma razão. O sentimento de raiva é descarregado no movimento de ataque. O sentimento de medo é descarregado pela fuga.

O medo se desenvolve quando a ameaça de dor é feita por uma força aparentemente superior. A precaução aconselha que devemos recuar para evitar sermos machucados, mas a precaução é a voz da razão e as emoções não estão sujeitas ao controle da razão. A escolha entre lutar ou fugir dependerá do indivíduo e da situação. Apesar da força superior do agressor, pode-se reagir com raiva a uma violação em circunstâncias em que a fuga é desaconselhável tanto física como psicologicamente. A verdadeira raiva proporciona uma considerável quantidade de força ao indivíduo e quase sempre é suficiente para compensar desvantagens de tamanho ou peso. A pessoa que sente raiva se apoia na convicção de que sua posição é justa ou certa.

Porém, em situações em que a raiva não pode ser mobilizada porque o perigo é incerto, desconhecido ou impessoal, o medo surge como uma reação natural. Assim, por exemplo, as crianças sentem medo quando estão no escuro sozinhas. Sentem-se desamparadas e correm ou choram. Pelas mesmas razões, os adultos têm medo do desconhecido. Dizer a uma criança que não deve ter medo do escuro é um absurdo. Pode-se mostrar que não há perigo real, mas deve-se reconhecer que esse medo é uma reação biológica que não pode ser julgada. Causamos um mal irreparável às crianças chamando-as de medrosas e fazendo que sintam vergonha de suas reações naturais. Essa atitude irracional de alguns adultos deve-se em parte às suas confusões sobre a natureza das reações emocionais. Também representa a repetição do tratamento que receberam quando eram jovens e desamparados.

Embora o impulso espontâneo, quando se tem medo, seja o de fugir, ele poderá ser bloqueado pela força de vontade. A vontade é um mecanismo de emergência sob controle do ego que pode, em certas circunstâncias, anular as reações emocionais. E, em certos casos, pode nos salvar a vida. A vontade, entretanto, não diminui o medo. Permite que o indivíduo se defenda ou avance mesmo com medo. Pode ser também imprudente, como quando é utilizada para anular o medo por causa de uma gratificação do ego.

Quando o ego está identificado com o corpo, apoiará suas reações emocionais, transformando-as em ações eficazes. Se a pessoa tem medo, agirá para garantir sua fuga do perigo. Sem o controle do ego que surge da identificação dos próprios sentimentos, o medo facilmente pode degenerar em pânico. Da mesma maneira, quando a pessoa sente raiva, seu ego limita seu comportamento ao que é necessário para parar ou evitar ser machucada ou prejudicada. O ego acrescenta um elemento racional à raiva, mantendo-a controlada. Como a raiva costuma desaparecer quando a violação cessa, ela não pode ser considerada uma reação destrutiva. O que não se aplica à fúria. Quando a identificação do ego com o corpo diminui e seu controle enfraquece, o aparecimento da raiva se transforma em furor, que geralmente é destrutivo para a pessoa e para seu ambiente.

Como a maioria das funções da personalidade, o pânico e a fúria mantêm uma relação antagônica entre si. Ambos se baseiam na sensação de se estar numa armadilha. Quando defrontamos com uma ameaça opressiva de dor que não pode ser enfrentada nem pela fuga nem pela luta, desenvolvemos uma sensação de pânico ou de fúria. Se fugirmos, tal fuga será desesperada, um desejo selvagem de nos afastar a qualquer custo. Correremos às cegas, isto é, sem uma avaliação adequada da realidade da situação — em outras palavras, sem controle e direção do ego. Se não pudermos fugir, reagiremos com fúria.

Conhecemos o pânico pelo comportamento das pessoas ameaçadas pelo fogo. Em seu desejo cego de fugir dessa situação ameaçadora, muitas vezes não percebem as possíveis rotas de fuga, tornando-se autodestrutivas. O pânico ocorre em tempo de guerra quando as pessoas fogem às cegas do inimigo que avança. O que não conseguimos compreender é que uma criança entra em pânico quando ameaçada por pais irados. Como não poderá nem lutar, nem fugir, o que seria possível, sente-se literalmente encurralada. Como não há escapatória, seu pânico poderá tomar a forma de gritos histéricos.

As crianças que vivem sob ameaça de dor mais ou menos constante desenvolvem um estado de pânico crônico, uma sensação que é reprimida à medida que crescem. Essa repressão é apenas relativamente eficaz. O pânico irrompe mais tarde na vida em situações de estresse que racionalmente não justificam uma reação tão intensa. Certas pessoas sentem tanto pânico a ponto de terem medo de sair de casa sozinhas. Eu tratei diversos casos assim. Em outras, o pânico encontra-se logo abaixo da superfície do corpo. Manifesta-se no peito muito estufado e na dificuldade de respirar. A pessoa em estado de pânico sente que não consegue aspirar ar suficiente. Por outro lado, quando se sente incapaz de aspirar ar suficiente, entra em pânico. Por trás da dificuldade respiratória encontra-se um grito reprimido. Se o grito é liberado terapeuticamente, a respiração melhora e a sensação de pânico diminui.

Quando a pessoa se sente encurralada, poderá reagir com fúria, sobretudo se houver objetos sobre os quais possa extravasar seu sentimento. Na fúria, a excitação muscular é excessiva e a pessoa perde o controle de suas ações. Como o pânico, a fúria é cega. A pessoa enfurecida ataca indiscriminadamente, sem perceber os efeitos destrutivos de seus atos. Ao contrário da raiva, a fúria não está associada a uma provocação específica porque se origina da sensação de se estar encurralado.

Como interpretar a fúria que, às vezes, alguns pais manifestam contra os filhos? É difícil conceber a criança provocando um terrível medo nos pais. Precisamos procurar a explicação da sensação deles de estar encurralados pela criança. Por um lado, a mãe está ligada ao filho. Sabe que tem a obrigação de lhe proporcionar contínuos cuidados e atenções de que necessita. Se tiver pouca energia, a criança lhe será um peso. Se o relacionamento com o marido for difícil, a criança representará a corrente que a mantém presa a esse relacionamento. Se as suas necessidades infantis não foram satisfeitas, ela se ressentirá das exigências de amor feitas pela criança. Enquanto sua experiência de ser mãe não representar prazer e alegria, sentir-se-á encurralada pela obrigação que assumiu. E, em momentos de grande estresse, agirá com fúria contra a criança.

O efeito da fúria dos pais sobre a criança é o terror. Descreverei essa emoção no próximo parágrafo. Aqui, gostaria de afirmar que esse efeito é produzido mesmo que a fúria não tome a forma de violência explícita. A criança que percebe a violência latente nos pais é igualmente afetada. A expressão de ódio no rosto dos pais é algo que nenhuma criança consegue compreender ou aguentar. É uma ameaça à sua existência. Já observei pais olharem com ódio para os filhos. Já ocorreu no meu consultório sem que os pais se dessem conta de sua expressão. O rosto da mãe escureceu, como se uma nuvem negra tivesse descido sobre sua testa e seus olhos. Sua mandíbula enrijeceu. Os olhos se tornaram frios e duros. Era um olhar assassino. Diante de tal quadro, a criança se encolhe de terror.

No terror, o sistema muscular se paralisa, tornando impossível qualquer forma de fuga ou luta. O terror, forma mais intensa de medo do que o pânico, desenvolve-se em situações em que qualquer esforço para resistir ou escapar parece inútil. O terror é uma forma de choque; a sensação é retirada da periferia do corpo, reduzindo a sensibilidade do organismo, para sua antecipada agonia final. Representa uma fuga para dentro.

A criança que sente terror em relação aos pais desenvolve uma personalidade esquizoide. A estrutura de seu corpo mostra todos os sinais dessa emoção: é rígida, contraída ou frouxa, denotando uma tonicidade muscular fraca. A superfície do corpo é mal irrigada. Os olhos tendem a ser inexpressivos e a expressão facial parece uma máscara. A respiração é seriamente bloqueada por espasmos nos músculos da garganta e dos brônquios. A inspiração é superficial e o tórax mantém-se na posição expiratória. A imobilização dos movimentos acarreta a despersonalização, isto é, a dissociação entre o ego perceptivo e o corpo.

Quando o pânico é a sensação subjacente, o corpo mostra outro tipo de expressão. É tenso, como se estivesse posicionado para fugir. O peito infla, mantendo-se na posição inspiratória. O medo faz que a pessoa inspire ar para conseguir um suprimento extra de oxigênio para fugir ou lutar. No pânico, o ar fica preso, a garganta fecha e a pessoa não parece respirar. Essa incapacidade de expelir totalmente o ar mantém o estado de pânico, assim como a incapacidade de inspirar mantém o estado de terror.

A fúria é a contrapartida do terror. É uma raiva sem remorso que produz efeito devastador. Ao contrário da raiva, que é quente, e do ódio, que é selvagem, a fúria é fria e dura. Representa, portanto, o aspecto agressivo do ódio. O indivíduo com ódio está furioso internamente e externamente frio. Aquele com amor encontra-se relaxado por dentro e exteriormente quente.

Esse espectro das emoções simples não pretende ser definitivo. É um meio conveniente de mostrar a ordem biológica que prevalece nesse nível da personalidade. No próximo capítulo, descreverei como distorcemos nossa vida emocional.

9. Culpa, vergonha e depressão

CULPA

Muitas pessoas em nossa cultura são atormentadas por sentimentos de culpa e vergonha ou sofrem de depressão. Sua vida emocional é confusa e cheia de conflitos. Nesse estado, é bem pouco provável que possam ter uma abordagem criativa da vida — e, na verdade, essa tendência à depressão denota uma percepção interna de derrota.

Como surge o sentimento de culpa? Não se trata de uma emoção verdadeira originada da experiência de prazer ou dor. Suas raízes não estão nos processos biológicos do corpo. Com exceção do homem, não é encontrada no mundo animal. Presumimos, portanto, que a culpa é produto da cultura e dos valores que a caracterizam. Esses valores são incorporados nos princípios morais e nos códigos de comportamento ensinados às crianças pelos pais, fazendo parte da estrutura do ego da criança. Por exemplo, a maioria das crianças aprende que mentir é errado. Se aceitam esse princípio e depois contam uma mentira, se sentem culpadas. Se se rebelam contra ele, entrarão em conflito com os pais, o que também poderá acarretar sentimentos de culpa.

O problema é ainda mais complicado quando se sabe que é errado mentir em situações de confiança. É errado porque provoca mal-estar; isto é, produz um estado de dor no mentiroso ao perturbar a harmonia entre ele e os que nele confiam. Há, portanto, certa justificativa ao preceito moral de que não se deve mentir, mas essa justificativa biológica é raramente utilizada no ensino de princípios éticos. Ao contrário, os pais e outros se baseiam em atitudes doutrinárias, que enrijecem os princípios morais, dissociando-os de sua conexão com a vida emocional do indivíduo. O princípio moral, que se transformou em regra autoritária, certamente entrará em conflito com o comportamento espontâneo do indivíduo guiado pelo princípio prazer-dor.

A cultura sem um sistema de valores não tem sentido. A cultura em si mesma é um valor positivo. A sociedade sem um código aceito de comportamento fundado em princípios morais degenera em anarquia ou ditadura. À medida que o homem desenvolveu a cultura e transcendeu o estado puramente animal, a moralidade tornou-se parte de sua maneira de viver. Mas era uma moralidade natural baseada no sentimento do que era certo e errado; especificamente do que proporcionava prazer em contraste com o que produzia dor. Ilustrarei esse conceito de moralidade natural com outro exemplo do relacionamento pais-filhos. O pai normal ressente-se da falta de respeito de seu filho e este fica perturbado com o ressentimento do pai. Toda criança quer respeitar os pais — essa é a moralidade natural. Não agirá assim, porém, se isso provocar a perda de autorrespeito, a negação de seu direito de autoexpressão. Se os pais respeitam a individualidade da criança e, acima de tudo, sua busca de prazer, haverá um respeito mútuo entre eles que aumentará o prazer e a alegria que mantêm entre si. Nessa situação, nem os pais nem os filhos desenvolverão sentimentos de culpa.

O sentimento de culpa surge quando o julgamento moral negativo é imposto a uma função corporal que está fora do controle do ego ou do consciente. Sentir-se culpado por desejos sexuais, por exemplo, não faz sentido em nível biológico. Os desejos sexuais representam reação natural do corpo a um estado de excitação, desenvolvendo-se independentemente da vontade. Têm origem nas funções de prazer do corpo. Se o desejo sexual for julgado como moralmente errado, significará que a mente consciente voltou-se contra o corpo. Quando isso acontece, rompe-se a unidade da personalidade. Em todos os indivíduos perturbados emocionalmente, há sentimentos conscientes ou inconscientes de culpa que abalam a harmonia interna da personalidade.

A aceitação dos sentimentos não implica que se tenha o direito de agir de acordo com eles em qualquer situação. O ego saudável tem o poder de controlar o comportamento para que este seja adequado à situação. A falta desse poder num ego fraco ou numa personalidade doentia acarretará situações destrutivas aos indivíduos e à ordem social. Embora a sociedade tenha o direito e a obrigação de proteger seus membros contra comportamentos destrutivos, não tem o direito de catalogar os sentimentos, em si mesmos, como errados.

Essa distinção torna-se clara se reconhecermos a diferença entre culpa como julgamento moral dos sentimentos de alguém e culpa como julgamento legal dos atos da pessoa. A última é a determinação de que certo comportamento infringiu a lei estabelecida. A primeira faz surgir um sentimento que, em geral, não tem nenhuma relação com os atos ou com o comportamento de alguém. A pessoa que infringe a lei será culpada por um crime, sinta-se culpada ou não. A criança hostil em relação aos pais pode sentir-se culpada embora não tenha cometido nenhum ato destrutivo. O *sentimento* de culpa é uma forma de autocondenação.

Qualquer sentimento ou emoção pode tornar-se fonte de sentimentos se houver um julgamento moral negativo associado. Em geral, as sensações de prazer, os desejos eróticos ou sexuais e a hostilidade são influenciados por esses julgamentos, originados diretamente das atitudes dos pais e, finalmente, dos costumes sociais. A criança é levada a sentir-se culpada por sua busca de prazer com o objetivo de transformá-la num trabalhador produtivo; é levada a sentir-se culpada pela sua sexualidade para reprimir sua natureza animal; e é levada a sentir-se culpada pelas suas hostilidades para ser obediente e submissa. No desenrolar desse treinamento, seu potencial criativo é destruído.

Os esforços psicoterapêuticos, em grande parte, são dirigidos no sentido de eliminar sentimentos de culpa a fim de restaurar a integridade da personalidade. Pois é o sentimento de culpa que corrói o poder do ego para controlar o comportamento no interesse do indivíduo e da comunidade. É a culpa que faz as pessoas agirem de maneira destrutiva, impedindo os processos naturais de autorregulação do corpo. Em toda criança obediente há um traço de rebeldia que pode irromper a qualquer momento. Em toda pessoa sexualmente reprimida há tendências de perversão. Todo indivíduo carente de prazer fica tentado a dar uma escapada que prometa diversão.

Para eliminar o sentimento de culpa, será necessário, primeiro, que ela se torne consciente. Pode parecer contradição falar de um sentimento que não sentimos, mas o fato é que há sentimentos latentes, isto é, que foram reprimidos, existindo apenas sob a superfície da consciência. Os melhores exemplos estão no campo do sexo. No atual mundo moderno, muitas pessoas negam qualquer culpa em relação às suas atividades sexuais. Guiadas pela ética da diversão, acreditam que "vale tudo" entre dois "adultos que concordam entre si", desde que ninguém saia prejudicado. Assim, afirmam que não sentem culpa por sua promiscuidade sexual ou por seus casos extraconjugais. Contudo, quando pergunto sobre masturbação a qualquer uma dessas pessoas que me consultam, sua reação é de repugnância. Acreditam que a masturbação seja errada e a evitam. Afirmam que não obtêm prazer com ela. Como assim? Se gostam de sexo, deveriam gostar de masturbação quando não houvesse parceiro sexual disponível. Ao admitirem que se sentem mal após a masturbação, evidencia-se um sentimento de culpa sem conotações morais. Logo, torna-se claro que suas outras atividades sexuais deixam-nas com sentimentos confusos. Obtêm certo grau de prazer, mas também de dor na forma de dúvidas e autocondenações.

O sentimento de culpa deriva sua carga das emoções naturais. Quando a emoção é totalmente expressa e a excitação da emoção, liberada, sentimo-nos bem. Experimenta-se uma sensação de prazer e satisfação. Contudo, quando a emoção não é completamente expressa, a excitação residual não liberada provoca sensações de insatisfação, vazio e mal-estar. Tais sensações podem ser interpretadas como culpa, pecado ou perversidade, dependendo do julgamento moral. Evitar os rótulos de culpa ou pecado não contribui em nada para mudar os maus sentimentos implícitos. A experiência de completa satisfação não deixa espaço para a culpa agir.

A culpa cria um círculo vicioso. Se a pessoa se sente culpada em relação a seus desejos sexuais, será incapaz de se entregar totalmente a esses desejos ou de se empenhar com todo o seu ser na relação sexual. A atividade sexual nessas condições não poderá ser totalmente satisfatória ou agradável. O retraimento inconsciente, fortalecido pela culpa, introduz um elemento de dor na experiência, e a pessoa sairá da situação com a sensação de que de algum modo agiu "errado". Para *parecer* certa, a atividade deve ser agradável ou prazerosa. Então ela realmente está certa. Quando não houver essa característica, a pessoa se justificará dizendo que não estava totalmente certa e forçosamente se sentirá culpada como antes, se não mais.

A existência de sentimentos inconscientes de culpa é evidenciada pela capacidade reduzida para o prazer, pela supervalorização da produtividade e dos empreendimentos e pela busca frenética de diversão. Negando prazer a si mesmas, as pessoas mascaram sua culpa, mas essa manobra também trai sua culpa. A pouca capacidade de aproveitar a vida é originalmente causada pela culpa. Os "deve" e "não deve" com os quais as crianças são criadas têm o efeito insidioso de induzir à culpa, mesmo que termos como "errado" e "pecado" sejam evitados. A advertência comum é "você não deveria perder seu tempo". A própria ideia de desperdiçar o tempo é um reflexo de culpa inconsciente.

Quando uma criança cresce, o sentimento de culpa e as inibições dela decorrentes ficam estruturados em seu corpo como tensões musculares crônicas. Nesse meio-tempo, ela pode ter se tornado rebelde, agindo com provocação por meio de condutas não aprovadas pelos pais, mas esse procedimento não muda a culpa subjacente. Pode até mesmo aumentá-la. Ela pode racionalizar a percepção da culpa, o que a forçará a descer a níveis inacessíveis. Enquanto seu corpo apresentar tensões musculares crônicas que limitam sua mobilidade e diminuem a autoexpressão pessoal, a existência de culpa inconsciente não pode ser negada.

A culpa relaciona-se com a busca de prazer, mas também com sentimentos de hostilidade. Ambos encontram-se diretamente ligados: a criança torna-se hostil quando sua busca de prazer é frustrada. É, então, punida e levada a sentir-se culpada pela sua raiva. Aqui, de novo, temos uma lista de "deve" e "não deve". "Você não deveria gritar", "Você deveria ouvir seus pais", "Você não deveria ficar zangada" e assim por diante. Uma vez que hostilidade resultante parece errada para a criança, ela se convencerá de que é má. É ela a única culpada.

A relação entre a raiva reprimida e a culpa foi demonstrada por uma de minhas pacientes. Ela me contou que estava se sentindo terrivelmente culpada e decidiu bater na cama com uma raquete de tênis. Esse é um dos exercícios terapêuticos da bioenergética. Ela o fez com muito vigor, entregando-se por completo a essa atividade. Quando terminou, o sentimento de culpa havia desaparecido inteiramente. "Culpa", disse ela, "não é nada mais do que raiva reprimida."

Já tive pacientes incapazes de golpear o divã terapêutico. Não obtinham nenhuma satisfação nessa atividade. Muitos diziam que era bobagem. Nesses casos, a análise tem revelado sentimentos de culpa no que concerne à manifestação de hostilidade, sobretudo em relação à mãe. Em consequência, o paciente é incapaz de se entregar a essa atividade. Ao analisar a culpa subjacente e com a prática contínua, o paciente torna-se mais agressivo. Seus golpes ficam mais fortes e são executados com mais sentimento. Parece surpreendente, mas, quando toda a hostilidade é expressa, o paciente não sente culpa, voltando a ter afeição pelos pais.

Uma vez que o sentimento de culpa é uma forma de autocondenação, poderá ser superado pela autoaceitação. Subjetivamente, somos o que sentimos. Negar um sentimento ou uma emoção é rejeitar uma parte do *self*. Quando a pessoa se rejeita, fica com uma sensação de culpa. As pessoas rejeitam seus sentimentos porque têm uma autoimagem idealizada que não inclui sentimentos de hostilidade, medo ou ódio. A rejeição, entretanto, é apenas mental; os sentimentos permanecem enterrados e incrustados com a culpa.

A rejeição inicial sempre é uma rejeição dos pais. "Você é um menino malvado por não obedecer aos seus pais", se for suficientemente repetido, pode fazer uma lavagem cerebral na criança, que acreditará que é má. Nenhuma criança nasce boa ou má, obediente ou desobediente. Nasce como um animal, com a tendência instintiva de procurar prazer e evitar a dor. Se esse comportamento for inaceitável para os pais, a criança também será. Os pais que acreditam que amam o filho, mas não conseguem aceitar sua natureza animal básica, são culpados de estar se enganando.

O sentimento original de culpa surge da sensação de não se sentir amado. A única razão que a criança encontra para isso é que não é merecedora de amor. É incapaz de pensar que o erro esteja na mãe. Mais tarde, ao conseguir maior objetividade, esse conceito se desenvolve. Enquanto for pequena, sua saúde e sobrevivência dependem de ver a mãe de maneira positiva, como a "boa mãe", todo-poderosa e protetora. Os aspectos do comportamento materno que negam essas imagens são recusados e projetados na "mãe má", que não é de fato a mãe verdadeira. Essa reação por parte da criança harmoniza-se com a natureza, isto é, com a visão de que o amor maternal é inato e instintivo. Se a mãe é "boa", a criança deve ser má, uma vez que essas categorias apenas se aplicam a opostos. Tais distinções não surgem quando mãe e filho satisfazem suas necessidades e trocam o prazer do amor.

Assim como alguns sentimentos são moralmente vistos como errados, outros são julgados superiores. Estes, então, são deliberadamente cultivados, e assim demonstraremos amor, compaixão e tolerância que não sentimos de verdade. Esse pseudoamor proporciona a sensação de se estar certo, mas não a sensação de prazer. A pessoa correta não ama por antecipação do prazer, mas como um dever moral ou obrigação. Esse comportamento destina-se a esconder sentimentos opostos. A pseudoafeição da pessoa correta encobre sua hostilidade reprimida; sua fachada de compaixão disfarça sua raiva contida e sua tolerância fingida esconde seu preconceito.

O indivíduo correto reprimiu a busca de prazer em favor de uma imagem do ego moralmente superior. Reprimiu também a sensação de culpa em relação às suas verdadeiras emoções. A correção, contudo, trai sua culpa, pois retidão e culpa são os dois lados da mesma moeda. Uma não existe sem a outra, embora apenas uma se apresente de cada vez. Todo aquele que se sente culpado também carrega um sentimento oculto de superioridade moral.

VERGONHA E HUMILHAÇÃO

O sentimento de vergonha, assim como o de culpa, tem um efeito desintegrador na personalidade. Destrói a dignidade do indivíduo e corrói seu senso de *self*. Ser humilhado é muitas vezes mais traumático do que ser fisicamente ferido. A ferida que deixa quase nunca cicatriza de forma espontânea. A humilhação permanece como uma mancha na personalidade, cuja remoção exige considerável esforço terapêutico.

Poucas são as pessoas em nossa cultura que crescem sem passar por experiências de vergonha e humilhação. Muitas crianças são humilhadas para se comportar de maneira civilizada. São convencidas de que é vergonhoso ficar nuas em público, não controlar a evacuação e não se comportar com educação à mesa. Lembro-me de uma cena em família em que meu filho de 2 anos e meio enfiava a mão na blusa da mãe para pegar o "peito". Nessa época, ele ainda mamava. Observando seus movimentos, seu avô disse: "Você não tem vergonha de, nessa idade, ainda querer mamar?" Perguntei ao avô, nascido e criado na Grécia, por quanto tempo ele havia mamado. Quando respondeu "quatro anos ou mais", compreendeu que sua observação fora irracional.

Há inúmeras irracionalidades relacionadas com o sentimento de vergonha. Ao mesmo tempo que os seios femininos são expostos para o deleite adulto, considera-se vergonhoso a mulher que amamenta em público. Não faz muito tempo, as jovens se envergonhavam de não ser mais virgens; hoje, ao contrário, elas se envergonham de ainda ser virgens. A minissaia, hoje socialmente aceita, seria motivo de vergonha há algum tempo. Da mesma forma, usar um vestido comprido embaraçaria a mulher moderna.

Está claro que o sentimento de vergonha relaciona-se intimamente com os padrões sociais aprovados de comportamento. Assim como toda cultura tem seu sistema de valores, toda sociedade tem um código de conduta que abrange esses valores. Se quisermos compreender o sentimento de vergonha, é importante reconhecer que o código de conduta não é sempre o mesmo para cada membro da sociedade: pode variar consideravelmente de acordo com a posição social do indivíduo. Isso fica patente quando notamos que um comportamento, considerado vergonhoso por uma classe de pessoas, poderá ser aceito por outra. As maneiras à mesa são um bom exemplo. Aquele que foi criado numa família de elite ficaria envergonhado se comesse em companhia de pessoas de nível igual ao seu, mas com maneiras grosseiras. O comportamento à mesa, o modo de falar e as roupas refletem nossa origem e educação, sendo considerados sinais da posição social. A pessoa se sentirá envergonhada se sua conduta nessas áreas a deixar consciente de sua inferioridade social. Talvez o exemplo extremo seja a vergonha de um cavalheiro inglês do século passado que se vê forçado a trabalhar. O trabalho estava ligado às classes mais baixas, sendo sinal de inferioridade social.

O sentimento de vergonha tem raízes mais profundas do que a distinção de classes. Existem certos atos que são tidos como vergonhosos não importando a posição social. Referem-se às funções corporais de excreção e sexualidade. Em nossa cultura, toda criança, desde cedo, é ensinada a respeito da higiene na evacuação. Esse aprendizado inculca necessariamente um senso de vergonha em relação a essa função. Os adultos trazem na estrutura do ego o senso de vergonha no que se refere a sujar-se ou urinar-se mesmo quando isso é inevitável. Não é a função que é vergonhosa, mas a forma como ela é executada.

Se um homem urina na rua, receberá olhares dos transeuntes que o deixarão envergonhado. Se estiver em plena posse de suas faculdades mentais, isto é, nem bêbado nem psicótico, ficará envergonhado. A vergonha não está no ato de urinar, e sim no fato de que esse tipo de comportamento não é socialmente aceito. Um garotinho pode agir assim, e nossos animais de estimação podem "fazer suas necessidades" em público, mas quando a pessoa, que deveria saber se comportar, age como um animal, achamos vergonhoso.

A primeira distinção de classe, na qual o sentimento de vergonha tem sua origem, reside entre o homem e os animais. Tal distinção existe em todas as culturas e baseia-se no fato de que o homem se considera superior aos animais. É desabonador dizer a um indivíduo que ela se comporta como um animal ou que tem maneiras animalescas à mesa. Embora o comportamento em questão possa não ser típico do animal, a observação visa expressar que essa conduta é indigna do ser humano. O homem, em contraste com o animal, vive de acordo com uma série de valores conscientes. Estes variam nas diferentes culturas, mas, sejam quais forem, encontram-se subjacentes ao sentimento de vergonha se não conseguirmos viver de acordo com eles.

Os valores são julgamentos do ego sobre o comportamento e os sentimentos — e, como todas as funções do ego, atuam para promover prazer ou negá-lo. A limpeza é um exemplo simples. Valorizamos a limpeza — para algumas pessoas, chega até a ser uma religião — porque ela nos dá a sensação de que, até certo ponto, controlamos nosso ambiente imediato. A casa suja ou desarrumada indica falta de controle. Desrespeita o ego ao fazê-lo viver na sujeira. Como a limpeza fortalece o ego, ela intensificará o prazer de se estar em casa. Pode-se dizer que a limpeza é mais saudável, o que só é verdade em relação a um mínimo de asseio. O pó, a sujeira ou a bagunça que aborreceria a dona de casa comum não representa ameaça à saúde. Quando a limpeza, entretanto, transforma-se num valor dissociado, quando se torna obsessão, poderá seriamente interferir no prazer que se tem de ficar em casa. Em muitos lares, o prazer de viver é sacrificado em nome do asseio, que só se justifica em termos da sensação de vergonha que a dona de casa tem de que sua casa não esteja à altura de alguns padrões. Para muitos, a falta de asseio é um reflexo pessoal que mancha nossa reputação e nosso *status*.

Vergonha e *status* estão intimamente relacionados. Se o *status* do indivíduo num grupo depender da posse de um automóvel novo, ele ficará envergonhado de dirigir um carro velho. Da mesma forma, se o *status* no grupo for determinado pelo grau em que se rejeitam os valores estabelecidos, a falta de asseio poderá se transformar num novo valor — e o indivíduo que se veste com esmero pode ficar pouco à vontade na presença daqueles que defendem esse novo valor. Apenas nesse aspecto podemos entender o atrativo da nova moda jovem. Enquanto antigamente a pessoa se envergonharia de não usar sapatos, agora, em alguns círculos, ela se envergonharia de não estar descalça. Sempre que houver valores do ego que determinem posição e *status*, a sensação de vergonha surgirá.

O *status*, como vimos, exerce papel importante nos agrupamentos animais. É determinado, porém, por fatores distintos dos existentes entre os seres humanos. Na maioria dos grupos animais, a hierarquia desenvolvida apresenta no topo da escala os membros mais fortes e agressivos, e na extremidade inferior, os mais fracos e jovens. Essa desigualdade, baseada em dotes naturais, nunca é questionada. Por outro lado, não leva a sentimentos de superioridade ou inferioridade, nem produz sensação de vergonha entre os membros do grupo. As diferenças são aceitas como fatos naturais, não provindo de juízos baseados em valores do ego.

Entre as pessoas, há diferenças naturais que, por serem aceitas como fatos, não geram vergonha. Essas diferenças determinarão uma escala de prestígio e autoridade. O lutador mais valente será naturalmente escolhido para liderar seu grupo em combate. Os mais velhos e mais sábios são sempre os conselheiros. Toda pessoa numa verdadeira comunidade encontra seu lugar de acordo com seu talento e sua habilidades, não se envergonhando se sua posição é diferente ou inferior à dos outros. No nível do corpo todas as pessoas se sentem iguais entre si; compartilham das mesmas funções e têm os mesmos desejos e necessidades. Esse senso de igualdade é encontrado entre as crianças pequenas, que vivem ligadas a sensações corporais, não tendo ainda desenvolvido uma série de valores do ego. Quando estes se desenvolvem, transformando-se na base sobre a qual sua posição social em relação aos outros é determinada, o senso corporal de igualdade se perde e os indivíduos passam a ser considerados superiores ou inferiores.

A vergonha se origina da consciência de inferioridade. Qualquer ato que faça a pessoa se sentir inferior também a fará se sentir envergonhada. Vergonha e humilhação andam de mãos dadas. Ambas roubam a dignidade do indivíduo, seu autorrespeito e seu sentimento de que é igual ou tão bom quanto os outros. Pode-se dizer, então, que todo aquele que não se sente digno e se vê como estranho sofre de sentimento de vergonha e humilhação, que pode ser consciente ou inconsciente.

O gradual desaparecimento de distinções de classe diminuiu a sensação de vergonha em vários aspectos da vida. Há uma aceitação crescente do corpo e de suas funções. A exposição do corpo, considerada vergonhosa no passado, hoje é aceita socialmente. O mesmo acontece a respeito de referências ao sexo. Poderá parecer a alguns observadores que as pessoas perderam toda a sensação de vergonha. O que, infelizmente, não é verdade. Com frequência, negam-se os sentimentos indo-se para o extremo oposto.

Ao rejeitar um valor do ego, eliminamos a vergonha apenas relativa a esse valor. Mas novos valores tomam seu lugar, transformando-se em critérios de *status*, fazendo que surjam sentimentos de vergonha quando nosso comportamento não segue os novos padrões. Observo que as pessoas continuam a sentir vergonha do corpo quando não seguem a moda do momento. A nova moda hoje é a aparência jovem. Muitos sentem vergonha por ser obesos e ter barriga proeminente, o que, em outros tempos, era sinal de prosperidade — portanto, valorizado. A aparência jovem é um valor do ego que pode ou não aumentar nosso prazer. Se alguém parece jovem por ser vibrante e animado, estará representando um valor positivo. Mas passar fome e forçar os músculos para satisfazer uma imagem do ego não é caminho para o prazer corporal. O sucesso é outro recente valor do ego. Muitos se sentem envergonhados por não ter alcançado o sucesso que outras pessoas de seu grupo parecem ter conseguido.

Prazer

Acho que muitos sentem vergonha de seus sentimentos. Até mesmo em situações terapêuticas, ficam constrangidos ao admitir suas fraquezas, envergonhados de chorar e humilhados ao reconhecer seu medo e desamparo. "Não seja chorona" é uma forma de humilhar a criança para que reprima sua tristeza. "Não seja covarde" humilha a criança para que reprima seu medo. A luta desenfreada em busca do sucesso, característica de nossa cultura, tem raiz na humilhação por que passam as crianças quando não conseguem seguir os padrões de imagens criados pelos pais.

A vergonha, como a culpa, é uma barreira para a autoaceitação. Faz-nos autoconscientes e, portanto, sem espontaneidade, que é a essência do prazer. Coloca o ego contra o corpo e, como a culpa, destrói a unidade da personalidade. A saúde emocional não se concretiza no indivíduo que está em conflito com um sentimento de vergonha.

Deverão, então, os seres humanos abandonar suas maneiras civilizadas para se libertar desse peso? Acho que não. A civilização exige maneiras civilizadas de comportamento para funcionar com tranquilidade. Quanto a mim, não estou preparado para abandonar a civilização, embora acredite que várias mudanças devam ser feitas. Precisamos eliminar a vergonha de nossos métodos educacionais. Ela é empregada porque pais e professores não confiam nos impulsos naturais da criança. Supõem que esta resistirá ao aprendizado de maneiras civilizadas se não for pressionada. Esquecem que o ser humano quer e precisa ser aceito pela sua comunidade, fazendo todos os esforços para aprender os costumes aceitos. Esses esforços serão facilitados se as maneiras civilizadas estiverem associadas ao prazer e não à dor da vergonha. Criar a criança com prazer em vez de com vergonha é uma abordagem criativa ao problema de lhe ensinar maneiras civilizadas. Nessa abordagem não se adotam prêmios ou punições. Se o padrão de comportamento no lar tender ao prazer, a criança espontaneamente adotará esse padrão. Imitará os pais se observar que sua forma de agir torna a vida mais agradável. Adotará as maneiras aceitas da comunicação social quando descobrir que estas facilitam as relações interpessoais.

Muitas mães me perguntam o que fazer com a criança que resiste ao treinamento do asseio, insistindo em usar fraldas. Além do trabalho extra que causa à mãe, a única pessoa realmente prejudicada é a criança. Seja qual for o seu medo do vaso, é pouco provável que persista em suas maneiras infantis quando observar que outras crianças se libertaram desse problema. Se a mãe conseguir superar o próprio sentimento de vergonha, o problema será naturalmente resolvido por si só. Não conheci nenhuma criança que continuasse a usar fraldas na escola. A verdadeira compreensão dos sentimentos da criança evitará um sério conflito que poderá ter efeitos traumáticos. Se a criança não for julgada, aprenderá as maneiras civilizadas por meio de sua busca natural de prazer sem desenvolver sentimentos de vergonha.

Ao quebrar a unidade da personalidade, o sentimento de vergonha produz seu oposto: a vaidade. Tal como o indivíduo envergonhado, o vaidoso é autoconsciente, embora seu julgamento a respeito de sua aparência física seja positivo. Sua vaidade não será a repercussão de um estado anterior de vergonha? Tendo reprimido todos os aspectos do seu comportamento e de sua aparência que o teriam feito sentir vergonha de si mesmo, poderá agora se exibir como modelo de sua classe, o que na verdade faz. Mas é apenas um modelo, não um ser humano.

Os sentimentos normais em relação ao corpo, livres de julgamento de valores, são a modéstia e o orgulho. Em sua modéstia e orgulho natural, a pessoa expressa sua identificação com o corpo, além de prazer e alegria com o seu funcionamento.

DEPRESSÃO E ILUSÃO

A repressão de emoções e de sentimentos por culpa e vergonha prepara a pessoa para uma reação depressiva. A culpa e a vergonha forçam-na a substituir os valores do ego por valores corporais, as imagens pela realidade e a aprovação pelo amor. Sua energia é dirigida para realizar um sonho que nunca se transformará em realidade, porque se baseia numa ilusão: o de que nossos bons sentimentos e nosso prazer dependam exclusivamente da resposta do ambiente. Reconhecimento, aceitação e aprovação transformam-se nas metas dominantes dos nossos esforços, sem a menor consideração pelo fato de que as reações vindas de outros não têm significado até que a pessoa, em primeiro lugar, reconheça, aceite e aprove a si mesma. Essa ilusão ignora o fato de que o prazer é, em grande parte, um estado interno que evoca espontaneamente uma reação favorável do ambiente.

As emoções reprimidas derivam da antecipação da dor, isto é, hostilidade, raiva e medo. Tais emoções são reprimidas quando não podem ser expressas nem toleradas. O indivíduo não tem escolha a não ser negá-las. A situação que produz esse estado de coisas é o conflito de vontades entre pais e filhos. Quando acontece, o problema original de conflito é transformado na questão de certo ou errado, e os sentimentos da criança deixam de ser importantes. Como é muito difícil para os pais aceitar ou mesmo reconhecer que estão errados, a criança é consequentemente forçada à submissão. Essa submissão, que costuma ocorrer pouco antes da puberdade, permite à criança desenvolver um *modus vivendi* com seus pais que facilita seu movimento em direção à idade adulta. Por trás da submissão, contudo, permanece uma rebelião latente que em geral explode de novo quando o jovem consegue maior independência.

A rebeldia do adolescente não libera as emoções reprimidas na infância. É baseada nas prerrogativas recém-descobertas da adolescência e, assim, introduz um novo conflito no relacionamento entre pais e filhos. Mesmo que o jovem seja dominante no novo conflito de vontades, a culpa e a vergonha originadas das experiências infantis não são resolvidas. Alojadas no inconsciente, alimentam as chamas de uma rebelião que desconhece seus verdadeiros objetivos. Infelizmente, parece verdade que sem algum tipo de terapia a rebeldia não consegue um resultado construtivo.

É muito difícil para a criança agir sob a pressão de um relacionamento negativo com os pais. A boa relação é tão essencial para sua segurança que qualquer perturbação preocupa seus pensamentos, absorve suas energias e descontrola seu equilíbrio. A relação perturbada produz uma criança perturbada. Essa perturbação é comumente manifesta por meio de inquietação e acessos de raiva. Estes últimos são controlados à medida que a criança vai adquirindo interesses "exteriores": escola, amigos, jogos e assim por diante. Essas novas associações exigem atitudes positivas se ela quiser ser aceita pelos colegas. Para fazer essa mudança no exterior, a criança também precisa fazer alguns ajustes na situação em casa. Deve renunciar à hostilidade em relação aos pais, moderar a raiva e controlar o medo.

A repressão implica uma série de passos: 1) a expressão da emoção é bloqueada para evitar um conflito contínuo; 2) os sentimentos de culpa se desenvolvem, o que faz que a emoção seja sentida como "errada"; 3) o ego consegue negar a emoção, afastando-a, assim, da consciência. A repressão da expressão emocional é uma forma de resignação. A criança desiste de qualquer expectativa de prazer vinda dos pais, preparando-se para uma redução do conflito aberto. À medida que cresce, percebe que todos os pais são de certa forma iguais; poucos cedem aos desejos infantis e quase todos exigem obediência. Também compreende que os pais geralmente têm boas intenções, que seu desejo consciente é auxiliá-la a se ajustar à vida social.

A capacidade de ser objetiva, de ver que os pais também têm momentos difíceis e que seus valores estão alicerçados em seu estilo de vida marca mais um passo no desenvolvimento da consciência da criança, lançando as bases do sentimento de culpa. Esse desenvolvimento ocorre durante o período de latência, dos 7 aos 13 anos de idade, e representa a resolução da situação edipiana. A criança agora aceita sua posição na família e julga seus sentimentos e comportamentos a partir desse ponto de vista. No período pré-edipiano, até os 6 anos, as crianças costumam ser muito subjetivas para sentir culpa em relação a seus comportamentos e atitudes.

A capacidade de julgar as próprias atitudes se origina do processo de identificação com os pais e outras figuras de autoridade. Por meio dessas identificações, boas e más, consegue-se um ponto de vista que se situa fora do *self*. Só a partir desse ponto pode o ego voltar-se contra o *self*, condenando suas emoções e criando um sentimento de culpa. Dessa posição "fora" do *self*, as emoções condenadas são *sentidas* como erradas. Justificamo-nos, então, pela dissociação entre nós mesmos e elas para reduzir o sentimento de culpa.

No último estágio desse processo, o ego tenta reconstituir a personalidade dividida negando a emoção e substituindo-a pela imagem do sentimento oposto. Aquele que reprime sua hostilidade verá a si mesmo como amoroso e cumpridor de seus deveres. Se reprimir sua raiva, imaginar-se-á como alguém afável e gentil. Se reprimir seu medo, verá a si mesmo como corajoso e valente. O ego normalmente trabalha com imagens; a imagem do corpo é uma, a autoimagem é outra e a imagem do mundo é uma terceira. Quando essas imagens são verdadeiras em relação à experiência, a pessoa está em contato com a realidade. A imagem que contradiz a experiência é uma ilusão; quando contradiz a experiência do *self*, é um delírio.

Como se pode afirmar que os delírios não sejam a realidade do caráter de alguém? Não é natural que a pessoa cumpra seus deveres e seja amorosa? Sim, mas não é mais natural para ela do que ser hostil e desafiadora. O indivíduo que age sob delírio desenvolve um padrão compulsivo de comportamento para sustentá-lo. Poderá agir sempre amorosamente e cumprir seus deveres, pois qualquer quebra no padrão arruinará o delírio. Da mesma maneira, a pessoa afável e gentil, que sempre vê os dois lados do problema, ergueu fortes defesas contra qualquer sentimento de raiva. A verdadeira coragem é a capacidade de agir diante do medo. Aquele que reprimiu esse sentimento tem medo de ter medo. Na terapia bioenergética, a medida do medo reprimido de um paciente reside na sua incapacidade de sentir ou expressar essa emoção. Esses pacientes, os mais amedrontados internamente, negam qualquer sentimento de medo, mesmo quando sua expressão corporal e facial mostra seu pavor.

As verdadeiras emoções surgem, como vimos, da experiência ou antecipação do prazer ou da dor. O delírio não tem nenhuma relação com esses sentimentos. O indivíduo que proclama seu amor sem pensar nas circunstâncias está enganando a si próprio ou os outros. Não reagir com raiva ao ser magoado ou com medo ao ser ameaçado é indício de que essas reações emocionais estão bloqueadas. Mas só estão bloqueadas à percepção consciente. A hostilidade reprimida se manifesta por meio de sutis formas sádicas — evidentes para todos, menos para a pessoa iludida.

Para manter o delírio é preciso distorcer a realidade externa para o seu oposto. É essa a essência do mecanismo paranoico. Desconfia-se do positivo e desacredita-se do negativo. Se, por exemplo, alguém vive o papel da criança amorosa e obediente, terá de fingir que os pais são amorosos e bondosos. Tive um jovem esquizoide como paciente que estava internamente aterrorizado, mas completamente inconsciente dessa emoção. Apesar do consenso geral de que, na maioria das grandes cidades, os parques são lugares perigosos à noite, o jovem e um amigo andavam à noite por um desses parques. Ele foi atacado e espancado por uma turma de vagabundos. Diríamos que uma pessoa de bom senso jamais correria esse risco. Meu paciente não conseguia se permitir sentir medo e precisava provar sua coragem correndo esse risco desnecessário. Tendo rejeitado a própria hostilidade, não conseguia acreditar que os outros fossem hostis com ele.

Há alguns anos, tratei de um homem dotado de uma estrutura de caráter passivo-feminina. Essa personalidade é resultado da repressão de sentimentos agressivos e, sobretudo, da repressão da raiva. Dirigia um bem-sucedido varejo segundo o princípio de que ele e seus empregados constituíam uma família grande e feliz. O negócio tinha sucesso no que diz respeito à venda de mercadorias. Porém, no seu melhor ano de vendas não gerou lucro e meu paciente ficou chocado ao descobrir que seus empregados o haviam fraudado em milhares de dólares. Assim, o autoengano anda de mãos dadas com ilusões sobre a vida.

Eu poderia citar inúmeros exemplos da ingenuidade que caracteriza os indivíduos reprimidos. Ela se manifesta em suas atitudes sociais, assim como em sua vida pessoal. Não conseguem perceber a hostilidade à sua volta porque reprimiram a própria hostilidade. Falam da "bondade" inerente ao homem sem perceber que não há bem sem mal, prazer sem dor. Não conseguem aceitar a realidade da vida porque rejeitaram a própria realidade. Suas ilusões específicas assumem diversas formas, determinadas pela natureza das exigências de seus pais. Há a ilusão de que o autossacrifício é o caminho para a felicidade, que o trabalho duro é recompensado pelo amor, que o conformismo leva à segurança e assim por diante. Todas essas ilusões têm em comum a rejeição da importância do prazer — que por isso as deixa estéreis como forças criativas.

Uma vez que o delírio-ilusão é um complexo criado pela mente, este é apoiado pelo seu poder de racionalização. Não só afeta o comportamento como também determina a qualidade do pensamento. É muito difícil contradizê-lo com lógica. Aquele que sofre desse complexo está convencido da "correção" moral de sua posição e consegue levantar argumentos suficientes para defendê-la. Só quando esse complexo se transforma em depressão é que ele fica receptivo à ajuda. E a depressão é inevitável.

Essa transformação ocorre porque o complexo delírio-ilusão constitui uma constante drenagem de energia do indivíduo. Cedo ou tarde ele exaurirá suas reservas, descobrindo que não consegue mais continuar. A pessoa deprimida não tem literalmente energia para sustentar suas funções. Todas as suas funções vitais encontram-se deprimidas; seu apetite diminui, a respiração fica limitada e sua mobilidade se reduz consideravelmente. A consequência desse funcionamento vital reduzido é um metabolismo com baixa energia e a perda de sensações no corpo.

Se compararmos a depressão com a decepção, a relação da primeira com a ilusão torna-se clara. Se não concretizamos uma esperança genuína, ficamos decepcionados, mas não deprimidos. A pessoa deprimida sente que sua vida está vazia. Não tem interesse nem energia para contra-atacar. A decepção não produz esse efeito na personalidade. É uma experiência dolorosa, mas permite que o indivíduo avalie sua situação e tenha uma abordagem mais construtiva em relação ao problema. Se a pessoa se desaponta, fica triste. Já o indivíduo deprimido nada sente. A reação depressiva evidencia claramente que ele estava agindo sob ilusão.

Prazer

Para superar a tendência depressiva, o complexo delírio-ilusão deve ser revelado e as emoções reprimidas, liberadas. A ilusão básica, que faz que se procure o prazer fora do próprio *self* e se ignore o funcionamento do corpo, deve ser atacada em primeiro lugar. Isso acontece quando o paciente toma consciência das tensões em seu corpo e libera parte dessas tensões por meio de manobras físicas e dos exercícios descritos no Capítulo 2. Essas simples técnicas físicas costumam ser bastante eficientes para estimular o fluxo de sensações no corpo do paciente. Em muitos, produzirão uma forte reação emocional. Em geral, essa primeira experiência tornará o paciente consciente da necessidade de revitalizar seu corpo. Sentir-se-á mais animado e também esperançoso de que por meio do corpo poderá encontrar uma saída para o seu dilema. E será incentivado a explorar essa possibilidade.

Esse entusiasmo inicial logo é equilibrado pela constatação de que, para que o processo criativo funcione, são necessários muito trabalho e um compromisso sério com o corpo. Aos poucos, as tensões musculares crônicas que bloqueiam a expressão de sentimentos cedem aos esforços terapêuticos. Em muitos casos, o esforço para mobilizar a musculatura tensa é doloroso. A liberação da tensão, porém, produz tantas sensações de prazer e alegria no corpo que os resultados compensam a dor. O esforço, contudo, deve ser contínuo, e precisa ser combinado com a análise psicológica da culpa e da vergonha, inibidoras da autoaceitação. O complexo delírio-ilusão diminui progressivamente à medida que o paciente estabelece maior contato com a realidade.

A realidade tem duas faces ou aspectos. Uma delas é a realidade do corpo e suas sensações. Esta é percebida subjetivamente. A outra é a realidade do mundo externo, percebida objetivamente. Qualquer distorção de nossas percepções internas causa uma distorção correspondente em nossas percepções externas, pois percebemos o mundo por meio do corpo. O indivíduo deprimido está sem contato com esses dois aspectos da realidade, já que se encontra fora de contato com seu corpo.

Aquele que está em contato com seu corpo não fica deprimido. Sabe que o prazer e a alegria dependem do seu bom funcionamento. Está consciente das tensões físicas e sabe o que as causa. Portanto, poderá adotar as medidas certas para recuperar as boas sensações corporais. Não tem delírios sobre si mesmo nem ilusões sobre a vida. Aceita seus sentimentos como expressões de sua personalidade, não tendo dificuldade de verbalizá-los. Quando o paciente entra totalmente em contato com seu corpo, elimina-se a tendência

177

depressiva. A ativação da respiração e a mobilização dos movimentos ajudam-no a entrar em contato com o corpo. Ele vivenciará sua dor e suas frustrações, o que o fará chorar. Então, à medida que a respiração se torna mais profunda e mais abdominal, seu choro se transformará num soluçar rítmico que expressa sua tristeza subjacente — a tristeza da pessoa que viveu na ilusão. Ficará enraivecido com o engano que o forçou a reprimir seus sentimentos, os quais serão expressos por meio de golpes e chutes no divã. Desabafará seus ressentimentos e medos e, ao fazer isso, retirará a máscara do delírio de sua personalidade e verá a si mesmo como o indivíduo que não deseja nada mais que aproveitar a vida. Sua tendência depressiva desaparecerá.

A liberação de emoções reprimidas é a cura da depressão. O choro de tristeza, por exemplo, é um antídoto específico para esse distúrbio. A pessoa triste não está deprimida. A depressão nos deixa sem vida nem reação; a tristeza nos faz sentir quentes e vivos. Sentir a própria tristeza abre a porta para sentir todas as emoções, trazendo o indivíduo de volta à condição humana — na qual prazer e dor são os princípios que guiam o comportamento. Ser capaz de ficar triste é também ser capaz de ficar alegre. A recuperação da capacidade do paciente para o prazer é a garantia de seu bem-estar emocional.

10. As raízes do prazer

OS RITMOS ESPONTÂNEOS
No terceiro capítulo, o prazer foi definido como a percepção consciente da atividade rítmica e pulsante do corpo. Todo tecido vivo permanece num constante estado de movimento, produzido por sua carga interna ou excitação. Nem mesmo no sono ou no descanso o corpo fica imóvel. O coração bate, os vasos sanguíneos expandem e contraem, a respiração é contínua e a atividade celular nunca para. O ritmo dessas atividades involuntárias varia de acordo com o grau de excitação no organismo e em suas respectivas partes. Os diferentes ritmos se harmonizam e os movimentos separados fluem juntos para criar mobilidade espontânea em todo o organismo. O fluxo de sensações no corpo é como um rio formado pela confluência de vários riachos, que, por sua vez, surgem da confluência de pequenos regatos. Olhando o rio, não podemos distinguir separadamente os riachos; observando estes, não discernimos suas fontes originais nas gotas que brotam da terra. Mas o processo de formação do rio é apenas uma parte do ciclo natural que retira a água do mar, levando-a para a montanha e depois devolvendo-a novamente ao mar.

As raízes do prazer estão arraigadas nas relações do homem com a natureza. No nível mais profundo, somos parte da natureza; no mais elevado, somos organismos únicos, vivenciando conscientemente o prazer e a dor, a alegria e a tristeza da nossa relação com a natureza. Por exemplo, experimentamos dor num período de estiagem, quando a chuva não cai e a terra está ressecada. Quando a chuva vem, é acompanhada de sentimentos de alegria. Sofremos quando a chuva é torrencial e destrutiva e ficamos felizes quando o ciclo de chuva e sol é regular e sereno.

A sensação de prazer, originada do ritmo natural da vida, abrange todas as nossas atividades e relações. Há um tempo para trabalhar e um tempo para descansar, um tempo para distrair-se e um tempo para levar as coisas a sério, um tempo para ter companhia e um tempo para ficar só. O fato de ter muita gente ao nosso redor pode ser tão doloroso quanto uma grande solidão, e muita diversão, tão entediante como o excesso de trabalho. Os ritmos que governam a vida são inerentes a ela; não podem ser impostos de fora. Todos conhecemos nossos ritmos e sabemos, por meio de sensações de dor ou de falta de prazer, quando estes estão perturbados. Os ritmos biológicos de um indivíduo não são completamente diferentes dos ritmos dos outros. Há diferenças, por certo, mas existem muitos ritmos comuns aos membros de uma mesma espécie. Basta observarmos um bando de pássaros para vermos que o ritmo de cada um se harmoniza graciosamente com o ritmo dos outros. Entre os seres humanos, nos quais o senso de individualidade é mais desenvolvido, as diferenças são mais aparentes.

O conceito de que cada organismo tem um relógio biológico que regula suas atividades é desafiador. Já se observou que aqueles que viajam de avião por longas distâncias ficam com os padrões rítmicos alterados. Tornam-se irritadiços e facilmente se sentem desconfortáveis; perspicácia e acuidade sofrem alterações. Uma viagem de cinco horas ou mais já se mostra difícil. Os dispositivos de tempo, reguladores das atividades do organismo, ficam defasados em relação ao tempo ambiental ou solar. A volta à normalidade poderá levar vários dias. Todos nós já tivemos problemas de equilíbrio quando passamos por grandes mudanças de padrão de sono. Quem costuma dormir oito horas por noite sente-se mal quando certas circunstâncias o limitam a seis horas de sono durante diversas noites. Da mesma maneira, a pessoa acostumada a seis horas de sono por noite se sentirá apática e cansada se dormir oito ou mais horas. Parece que o ritmo corporal, uma vez estabelecido, torna-se uma força que exige sua continuidade. A esse respeito, é relativamente pouco importante se fazemos três refeições por dia em consequência do costume ou por causa da necessidade de alimento, pois a pessoa acostumada a três refeições por dia, se pular uma delas, poderá romper o equilíbrio do seu organismo.

O conceito do relógio biológico enfatiza a importância do ritmo na vida, que é uma função compartilhada, em certo grau, entre os organismos vivos e a natureza inorgânica. Toda a matéria está em constante movimento. Teoricamente, o ponto em que todos os movimentos na matéria cessam é 273 graus negativos na escala Fahrenheit, que equivale ao zero absoluto na escala Celsius. Esse movimento é um fenômeno vibratório. As moléculas da matéria movem-se para lá e para cá de acordo com a influência das forças de atração e repulsão dentro da substância. O movimento das moléculas num sólido é mais restrito do que num líquido. Por sua vez, o movimento num líquido é mais limitado do que no gás. O movimento vibratório das moléculas pode ser descrito como um estado de excitação na matéria. Quer possamos discernir seu padrão, quer não, os movimentos das moléculas devem seguir alguns padrões e manifestar certo grau de periodicidade rítmica. Descobrimos alguns dos padrões e conhecemos algumas das periodicidades dos corpos celestes, o macrocosmo. Estou certo de que, com tecnologias mais avançadas, descobriremos padrões e periodicidades repetidos no microcosmo numa escala diferente.

O protoplasma é um caso especial da matéria em movimento. De composição especial, encontra-se envolto por uma membrana, formando assim a célula. As funções das membranas, em termos de percepção e da consciência do *self*, foram descritas no Capítulo 7. O protoplasma da célula apresenta uma atividade rítmica e pulsante que pode ser considerada a extensão do movimento vibratório inerente às moléculas. Alain Reinberg e Jean Ghata observaram vacúolos pulsáteis em organismos unicelulares. Dizem os autores: "Os vacúolos pulsáteis são dotados de uma membrana espessa, principalmente lipídica, que se contrai de acordo com um ritmo que depende das condições do ambiente e do estado da célula"[20]. Wilhelm Reich, utilizando um microscópio Reichert, com um aumento óptico de 5 mil vezes, descreveu a atividade pulsante das células vermelhas do sangue humano.[21]

No âmbito celular, a periodicidade tem sido observada também no movimento ciliar das células das mucosas que revestem o trato respiratório e em animais marinhos unicelulares. O movimento dos cílios, minúsculas estruturas parecidas com fios de cabelo que provêm da periferia da célula, tem sido comparado à ondulação num trigal produzida pelo vento. Os cílios ondulam para a frente e para trás, embora seu efeito geral seja remover partículas estranhas para cima e para fora, para longe dos pulmões. O pó e as minúsculas partículas de alimento que inadvertidamente possam entrar nos brônquios são assim impedidos de se fixar nos pulmões. Essa ação encontra-se sob controle nervoso, embora os movimentos sejam considerados independentes dos impulsos nervosos. J. L. Cloudsley-Thompson relata: "Esse movimento é muitas vezes contínuo por toda a vida do animal, e seu estímulo emerge endogenamente no protoplasma da célula, sob o controle dos corpúsculos basais"[22].

Os tecidos nervosos apresentam uma periodicidade inerente em seu funcionamento. A passagem de um impulso ao longo dos nervos despolariza a membrana e produz um período refratário no qual nenhum outro impulso pode passar pela área despolarizada. Após um período curto de descanso, a membrana é repolarizada espontaneamente. Sabe-se que as células nervosas do cérebro "disparam" repetidas rajadas de impulsos. Estas se refletem na ritmicidade das ondas cerebrais, que podem ser registradas pelo eletroencefalograma. Essa atividade, aparentemente espontânea das células do cérebro, é responsável pela manutenção regular da tonicidade muscular, pela postura e por outras funções fisiológicas.

De todos os tecidos do corpo, o músculo cardíaco apresenta o maior ritmo espontâneo. Enquanto as batidas do coração coordenam-se com outras atividades do corpo por meio do sistema neurovegetativo, elas dispõem de marca-passos próprios, conhecidos como nó sinoauricular e nó atrioventricular. Um pedaço qualquer do músculo cardíaco, retirado do coração, continuará a se contrair espontaneamente se estiver suspenso em solução fisiológica salina. Essa evidência de ritmicidade em nível celular e dos tecidos apoia a tese de que o ritmo é uma qualidade inerente à vida.

Em todo o mundo animal e vegetal, a função sexual é um fenômeno periódico, do florescimento das plantas ao fluxo menstrual da mulher. O paralelo entre o ciclo menstrual e o ciclo lunar é bastante conhecido. A relação entre os dois, contudo, é um mistério, assim como muitas das atividades rítmicas da vida. Sabe-se, porém, que as condições climáticas influenciam o ciclo menstrual. Entre as esquimós a menstruação ocorre cerca de quatro vezes por ano. A maioria dos especialistas afirma que em média dois terços das mulheres entrevistadas declararam experimentar um aumento de sensações sexuais antes e depois da menstruação. O fluxo de sensações sexuais pode ser responsável por vários dos sintomas físicos e emocionais que angustiam as mulheres antes do início de seus períodos. Aquelas que tiveram relações sexuais satisfatórias antes da menstruação geralmente declaram não sentir irritabilidade, dor ou cólicas. A tensão pré-menstrual, expressão aplicada a esse problema, é criada pela incapacidade de descarregar a excitação sexual que se desenvolve nesse momento.

Nas culturas da antiguidade greco-romana, o festival das flores de Dionísio era celebrado na época do equinócio da primavera. Era ocasião de dançar, beber e manter a atividade sexual. Os festivais dionisíacos têm origem em antigos ritos associados à volta da primavera. Esta, proverbialmente, é a estação do amor, a época em que a seiva começa a fluir nas árvores e o sangue fica excitado nos jovens. Por meio dos ritmos, participamos do mundo animal

Prazer

e aliamo-nos ao mundo das plantas. Os ritmos de nossas atividades são fortemente influenciados pelos ritmos da natureza: dia e noite, verão e inverno, amanhecer e pôr do sol, e assim por diante. Essa harmonia entre os ritmos internos da pessoa e os ritmos externos da natureza é a base para que nos identifiquemos com o cosmo, a mais profunda raiz de prazer e alegria.

OS RITMOS DAS FUNÇÕES NATURAIS

Filogeneticamente, a vida começou no mar. Para muitos de nós, a ida ao litoral é ocasião de prazer e de agradáveis sensações. Perto do mar sentimo-nos libertos e mais em contato com as forças elementares da natureza. Em geral, passa despercebido que ontogeneticamente a vida começa em meio aquoso, muito semelhante à composição química dos antigos mares. Por nove meses, o embrião humano se desenvolve em ambiente fluido no qual é suavemente balançado pelos movimentos do corpo materno. Aos poucos, passa do estágio unicelular por todas as fases do desenvolvimento evolucionário até tomar a forma humana. Ao nascer, experimenta uma transição cataclísmica, quando se transforma num mamífero que respira ar em ambiente seco.

Essa transição é em parte amenizada pelo fato de que a criança não perde o contato com a fonte de sua força: o corpo da mãe. É levada ao seio para mamar. É carregada junto do corpo dela, sentindo seu calor e se acalmando com as batidas de seu coração. Algumas maternidades usam o som gravado das batidas do coração humano para tranquilizar os bebês privados do contato com as mães. Deve-se reconhecer, porém, que a melhor mamadeira, a temperatura adequada e os sons gravados do coração não passam de substitutos precários da verdadeira mãe. O corpo da mãe amorosa é a mais importante raiz do prazer e da alegria da criança.

As atividades rítmicas do corpo dividem-se em três categorias. Algumas são totalmente involuntárias e acima de qualquer controle consciente. O coração bate e o sangue circula sem ser dirigidos ou controlados pela vontade. A digestão, a assimilação, a formação da urina e a secreção dos hormônios e enzimas são outros exemplos de atividades involuntárias. Outras, porém, ficam no limiar entre o voluntário e o involuntário. Em geral, não são atividades da vontade, embora certa dose de controle consciente possa ser exercida sobre elas. As funções de comer, engolir, respirar e dormir pertencem a essa categoria. Podemos conscientemente parar de engolir, interromper a respiração e evitar cair no sono. Essa segunda categoria é fortemente influenciada

183

pela relação da pessoa com a mãe. Há uma terceira categoria na qual a consciência exerce papel dominante. Nenhuma forma de autoexpressão que envolva movimento corporal — como dançar, cantar, trabalhar ou jogar — ocorreria se não houvesse intenção consciente.

A ideia de que a respiração está intimamente ligada à relação com a mãe baseia-se na observação de que na respiração sadia o ar é literalmente sugado para os pulmões. Descobri que os pacientes cujo impulso de mamar foi reprimido respiram passiva e superficialmente. Margaretha Ribble, em seu importante estudo *Os direitos das crianças*[23], demonstrou que qualquer impedimento no impulso de mamar deprime a função respiratória. No paciente esquizoide típico, cujas personalidade e dinâmica corporal são analisadas em *O corpo traído*, o peito encontra-se contraído e a inspiração é marcadamente reduzida. Por trás dessa perturbação há um sentimento de desespero expresso da seguinte forma: "Para quê? Não havia ninguém ali". O "ninguém" sempre é a mãe.

Erroneamente se acredita que respiramos apenas com os pulmões, mas na verdade a respiração é realizada com o corpo todo. Os pulmões desempenham um papel passivo no processo respiratório. Sua expansão é produzida por um alargamento da cavidade torácica e eles entram em colapso quando essa cavidade é reduzida. A respiração correta envolve todos os músculos da cabeça, do pescoço, do tórax e do abdome, além da musculatura involuntária da laringe, da traqueia e dos brônquios. A inspiração é uma expansão ativa que visa sugar o ambiente gasoso, tal como o peixe que abre a boca para sorver seu ambiente líquido. A boa respiração depende da capacidade de realizar bem esses movimentos de sucção com o corpo inteiro.

A importância da respiração é tão grande que nem precisa ser enfatizada. Ela fornece o oxigênio para os processos metabólicos; mantém literalmente a chama da vida. Num nível mais profundo, a respiração como *pneuma* é também espírito ou alma. Vivemos num oceano de ar como o peixe na água. Por meio da respiração harmonizamo-nos com a atmosfera. Em todas as filosofias orientais e místicas, a respiração guarda o segredo da bem-aventurança.

O sistema respiratório mantém íntima conexão com o sistema digestivo, uma vez que, embriologicamente, os pulmões se desenvolveram como uma protuberância do primitivo tubo digestivo, permanecendo ligados a ele durante toda a vida pela abertura comum da boca e da faringe. Essas duas funções têm uma base comum nos movimentos de sucção e ambas encontram-se associadas à mãe.

Prazer

O alimento é reconhecidamente um símbolo da mãe. Muitas mães expressam seu amor alimentando os filhos e consideram essa aceitação de alimento equivalente ao amor maternal. Em geral, distúrbios alimentares são identificados analiticamente como perturbações na relação mãe-filho. Assinalei em *O corpo traído* que os regimes trazem bem-estar porque representam uma rejeição simbólica da mãe.

As funções corporais relacionadas com o alimento — ingestão, digestão e eliminação — seguem um padrão rítmico governado pelas necessidades de energia do organismo e de seu estado de desenvolvimento. Os bebês mamam a cada duas horas, evacuando várias vezes ao dia. No adulto, o padrão tende a se estabilizar em três refeições e uma evacuação diária. Comer é um prazer quando harmonizado a um ritmo interno. Contudo, muitas pessoas comem de forma compulsiva. Seus hábitos alimentares mantêm pouca relação com os ritmos metabólicos. Comem antes de sentir fome, provavelmente para evitar a sensação de fome, uma vez que esta se associa a sensações de vazio, que assustam os indivíduos com carência afetiva.

O sistema digestivo, da boca ao ânus, é uma estrutura orgânica ritmicamente pulsante cujo funcionamento assemelha-se ao da minhoca. O alimento é levado de uma extremidade desse tubo à outra por ondas peristálticas parecidas com aquelas que passam pelo corpo da minhoca e da lagarta quando estas se movem para a frente. Ao longo do sistema digestivo há contrações e expansões, como no estômago, que facilitam o processo digestório, modificando a frequência e a forma da onda, mas não sua natureza essencial. Como essa atividade peristáltica está sempre presente, há uma excitação contínua no trato digestivo, mais alta nas horas das refeições e mais baixa durante o sono. Quando essa excitação mantém-se dentro dos limites normais, a pessoa sente que seu corpo está "bem". O estado hiperativo em qualquer parte desse sistema — como a hiperacidez e a colite — produz sensações dolorosas. A hipotonicidade ou perda de tonicidade em qualquer dos segmentos gera inchaço e gases, com a consequente sensação de mal-estar.

Em geral, não estamos conscientes do funcionamento normal do sistema digestivo, que se estende do esôfago ao reto. O prazer consciente ao ingerir comida saborosa é causado pela sua capacidade de excitar os receptores olfativos, as glândulas salivares, as papilas gustativas e o reflexo da deglutição, isto é, a região que vai do nariz e da boca até o esôfago. Essa excitação passa pelo canal alimentar, acelerando seus ritmos e estimulando suas secreções. Assim, o prazer inicial do paladar é transformado no desfrute do alimento. Quando existem tensões no sistema digestivo, o suave fluxo das ondas peristálticas é perturbado e não se tem satisfação. Pode-se até perder o apetite ou sentir dor de estômago.

Poucas sensações nos fazem sentir tão mal como a náusea. O corpo parece se contorcer em seu âmago enquanto procura expelir uma substância nociva. A náusea produz fortes ondas peristálticas em direção contrária, que aumentam de intensidade até o corpo pôr para fora a substância irritante. O vômito produz uma sensação de alívio que é tão forte como o mal-estar anterior. Esse processo nunca é agradável, porque as ondas peristálticas movem-se contrariamente à sua direção normal.

O mecanismo do vômito é um reflexo protetor contra substâncias nocivas ingeridas inadvertidamente. Mas o reflexo também pode se verificar em estados de tensão, sobretudo no estresse emocional, quando se está comendo. Quase todo mundo já teve uma experiência desse tipo. A sabedoria do corpo é revelada num incidente ocorrido com meu filho quando ele tinha 1 ano de idade. Havíamos acabado de almoçar rapidamente e estávamos saindo correndo para um compromisso. Enquanto minha esposa vestia nosso filho, ele subitamente colocou o dedo na boca, vomitando a refeição. Surpreendi-me ao notar que uma criança tão pequena soubesse liberar seu mal-estar provocando o vômito.

Durante a terapia bioenergética, muitos pacientes desenvolvem sensações de náusea no curso de seus esforços para respirar mais fundo. A respiração profunda ativa, no diafragma e no estômago, as tensões crônicas que o corpo procura liberar vomitando. Nessa situação, aconselho o paciente a beber um copo cheio de água e depois vomitar, usando o polegar para estimular o reflexo da náusea. Alguns pacientes acham difícil vomitar. É preciso que se trabalhe muito o reflexo da náusea e a respiração para que as tensões na garganta e no diafragma sejam liberadas, permitindo que essa função aconteça normalmente. Talvez eles precisem adotar esse procedimento toda manhã, antes do café, durante um curto tempo para conseguir quebrar o bloqueio.

A eficácia desse procedimento é ilustrada no caso a seguir. Fui consultado por um jovem homossexual que tinha um corpo tenso e rígido. Sua mandíbula era dura, a respiração, limitada, a tez, pálida e o hálito, azedo. Depois de trabalhar por algum tempo sua respiração, fiz que bebesse um pouco de água e vomitasse. O efeito imediato foi a sensação de alívio e a respiração

Prazer

mais fácil. Com a minha orientação, ele utilizou o reflexo da náusea toda manhã durante um mês. Quando tornei a vê-lo, o hálito azedo havia desaparecido, a tez estava bem melhor e o corpo, mais solto. Esse procedimento ajuda a eliminar a azia crônica da qual muitos padecem. A liberação das tensões por meio dessas manobras restaura o prazer das atividades básicas de comer e digerir e promove uma respiração mais profunda.

Em parte, a origem dessas tensões está na alimentação durante a infância: as crianças são obrigadas a comer coisas de que não gostam e em quantidades que não querem. Muitas piadas já foram contadas sobre mães que alimentam seus filhos em excesso em nome do amor. Em outros lares, como vários pacientes me contaram, eram proibidos de sair da mesa sem que tivessem comido tudo que havia no prato. As crianças não apenas são obrigadas a comer o que não desejam, mas também humilhadas e censuradas se vomitam. Para segurar o vômito, precisam enrijecer a garganta e o diafragma, bloqueando o impulso da náusea.

O alimento não é a única coisa que se é obrigado a engolir contra a vontade. Os traumas psicológicos, como insultos e humilhações, também terão de ser "engolidos" quando se está com medo daquele que insulta. A expressão "não tenho estômago" indica o efeito da submissão nesse órgão em situações de dor. Além disso, as crianças são forçadas a engolir as lágrimas ou segurar o choro, o que acarreta tensões crônicas na garganta e no diafragma. Vomitar significa rejeição do alimento e, portanto, rejeição simbólica dos aspectos negativos da mãe. Remove os bloqueios para a experiência total do prazer na função básica de comer.

Assim como a parte superior do sistema digestivo é abalada por experiências traumáticas na infância, o mesmo acontece com a parte inferior dele. O aprendizado muito precoce ou muito rígido do asseio acarreta tensões crônicas no cólon, no reto e no ânus. A constipação, a diarreia e as hemorroidas são sintomas comuns dessas perturbações. Acredito que o desfralde não deveria ser iniciado antes dos 2 anos e meio de idade. Como o nervo do esfíncter anal não está totalmente mielinizado até essa época, inexiste o padrão normal do controle anal, e então são empregados mecanismos substitutivos. Entre eles estão a projeção da pelve e a contração dos glúteos. Isso perturba as funções do prazer na parte inferior do corpo, inclusive a sexualidade.

Outra atividade rítmica pertencente a essa categoria, uma vez que envolve a relação da criança com a mãe, é o sono. Durante o dia, estamos conscientes

187

e ativos; à noite, a consciência repousa e as atividades se reduzem. O corpo se renova, mas o fenômeno do sono permanece ainda um mistério. Em certos aspectos, o sono é como a volta à existência intrauterina.

O sono é um estado de excitação difusa e reduzida. Nele, muitas funções vitais do corpo apresentam uma ritmicidade limitada: o coração bate mais devagar, a pressão sanguínea cai, a respiração diminui, cai a taxa de açúcar no sangue e há uma queda na temperatura do corpo. Eletroencefalogramas mostram que há ciclos no sono: ascensão e queda rítmicas no nível de excitação que influenciam a profundidade do sono. Se o processo de dormir não for perturbado, a pessoa acorda com a sensação de ter se renovado, com vontade de começar as atividades do dia e, geralmente, com vontade de comer. Após uma boa noite de sono, experimentamos uma sensação especial de prazer, como se o corpo percebesse seu funcionamento harmonioso. Da mesma forma, ir dormir cansado mas relaxado é muito agradável.

Inúmeras pessoas não experimentam o simples prazer de dormir, tendo em vista a grande procura de remédios para dormir. Queixam-se de estar cansadas, sendo evidente sua necessidade de sono, embora não durmam com facilidade quando se deitam. Nesses casos, obviamente alguma coisa está errada no processo normal de autorregulação do corpo. A incapacidade de pegar no sono é uma forma de ansiedade: um medo de se deixar ir, uma insegurança sobre a perda da consciência. Para a criança, a transição do estado de consciência para o de inconsciência pode ser amedrontador. Seu ego imaturo sente a renúncia da consciência como uma volta à escuridão, o que acarreta o medo da morte, a grande desconhecida.

As crianças que estão sendo amamentadas pegam no sono sentindo-se seguras no contato com a mãe. Mesmo depois de mamar, querem alguém perto delas ou no mesmo quarto quando atravessam o sombrio território entre a consciência e a inconsciência. Como o sono é uma entrega ao inconsciente — a Grande Mãe —, a criança necessita de alguma segurança de que "ela" será quente, acolhedora e amparadora.

Os pesadelos sugerem que falta essa segurança — aquela que a mãe verdadeira proporciona ao filho pelo seu caloroso amparo e acolhimento. As ansiedades da criança em relação à mãe são veladas durante o dia, surgindo durante o sono como sonhos. Outras ansiedades, como a hostilidade do pai, podem perturbar o sono infantil, mas serão mínimas se a criança se sentir segura em relação à mãe.

Prazer

A incapacidade de pegar logo no sono reflete a persistência do estado de excitação nas camadas conscientes da personalidade. Às vezes, a excitação é uma tensão sexual não descarregada. Mas, em geral, deve-se a conflitos não resolvidos, embora não tenham sido reprimidos por completo. Apesar de todos os esforços do indivíduo para distrair sua mente, ele sempre volta ao problema, incapaz de obter sucesso e também de aceitar a derrota. Quando os conflitos estão reprimidos, desenvolve-se no inconsciente e no corpo um foco de excitação que, mais tarde, aflora nos sonhos. Freud assinalou que os sonhos têm a função de manter o sono liberando essa excitação. Contudo, a excitação pode ser tão forte que a pessoa é acordada pelo sonho ou seu sono é perturbado pela intensidade do sonho. Aquele que conhece o prazer do sono tranquilo e reparador pode se considerar abençoado.

OS RITMOS DO MOVIMENTO

A terceira grande raiz do prazer repousa em nossa relação com o mundo externo. Esta abrange todos os nossos contatos com as pessoas, nosso trabalho e as condições ambientais nas quais vivemos. Nessa relação geralmente somos atores conscientes, recebendo estímulos e reagindo com movimentos. A parte do organismo mais envolvida nessas atividades é a externa. Consiste na pele, nos tecidos subjacentes e na musculatura estriada ou voluntária. Essas estruturas formam o envoltório do corpo, constituindo um verdadeiro tubo. O organismo dos mamíferos é construído com base nos mesmos princípios da minhoca: um tubo dentro de outro.

O tubo externo está diretamente relacionado com a percepção dos estímulos ambientais e a reação a eles. Para essas funções, encontra-se fartamente provido de terminações nervosas. Somos mais conscientes de sensações, sobretudo as de prazer e dor, nessa parte do corpo do que em qualquer outra.

Todo estímulo, encontrando a superfície do corpo e por ele percebido, será agradável ou doloroso. Não existem estímulos indiferentes, pois aqueles que não conseguem criar sensações não serão percebidos. Assim, que características do estímulo determinam se a reação será agradável ou dolorosa? Por que, por exemplo, alguns sons são agradáveis ao ouvido, enquanto outros são desagradáveis e até mesmo dolorosos? O conhecimento superficial da natureza humana nos diz que tais perguntas não podem ser respondidas objetivamente. As pessoas reagem de maneiras diversas a estímulos idênticos. O prazer de alguém significará dor para outro. Muita coisa depende da disposição e da maneira como o indivíduo recebe a impressão sensorial. Há uma grande diferença entre um carinho e um tapa, mas nem todos sentem o carinho como agradável e o tapa como doloroso. As crianças se recusam a ser acariciadas quando estão em meio a suas atividades, e um tapa nas costas pode ser encarado como sinal de aprovação. Em geral, encontramos prazer sensorial em estímulos que se harmonizam com os ritmos e os tons do nosso corpo. A música para dançar é agradável quando queremos dançar. Mas será um incômodo quando estivermos tentando pensar. Até a nossa música predileta estorvará quando quisermos manter uma conversa séria. Isso se aplica a todos os outros sentidos. A refeição bem preparada será uma delícia para alguém com fome, mas não para quem esteja sem apetite. A encantadora paisagem campestre será agradável a quem estiver tranquilo e contente, mas não a quem estiver impaciente e irrequieto. As impressões sensoriais agradáveis não apenas aumentam a disposição como aceleram as atividades rítmicas do nosso corpo. Simplificando, são excitantes.

O prazer sensorial, aparentemente, poderia ser vivenciado por todos de uma forma ou de outra. Mas consideremos a pessoa "de mau humor", que não tem prazer com o que vê e ouve à sua volta. Encontra-se, como se costuma dizer, confusa. Está de mau humor porque no momento não dispõe de harmonia interna. Sem um padrão consistente de energia ou de atividade rítmica, é incapaz de reagir expansivamente a qualquer estímulo do ambiente. O indivíduo deprimido ou retraído está em situação semelhante. O prazer sensorial ou sensual está fora do seu alcance, pois ele não consegue expandir-se ou reagir aos estímulos. O que está deprimido na pessoa retraída é a atividade rítmica do corpo. Sem ritmo, não há prazer.

A relação entre ritmo e prazer é claramente vista na função motora do tubo externo, isto é, nos movimentos voluntários do corpo. Qualquer atividade motora, realizada ritmicamente, é agradável. Se for executada de forma mecânica, sem sensação de ritmo, soará dolorosa. O melhor exemplo é o andar. Quando se anda ritmicamente, o andar é agradável. Quando se anda para chegar a algum lugar o mais rápido possível, a atividade física transforma-se numa tarefa. Mesmo trabalhos monótonos, como varrer as folhas ou limpar o piso, serão atividades agradáveis se os movimentos forem rítmicos. Pode-se avaliar o prazer ou sua falta na vida das pessoas pela forma como se movem. Os movimentos rápidos, compulsivos e abruptos da maioria das pessoas em nossa cultura traem falta de alegria. Um passeio pelas principais avenidas de Nova York pode ser uma experiência chocante. Somos acotovelados, empurrados e pisoteados por pessoas carrancudas e apressadas em chegar a algum lugar, quase sem perceber o que acontece à sua volta. Já aquele que vive com prazer move-se com ritmo, sem esforço e graciosamente.

Se a pessoa sente prazer porque seus movimentos são rítmicos ou se seus movimentos são rítmicos porque se encontra em estado de prazer não vem ao caso. Prazer é ritmo e ritmo é prazer. A razão dessa identidade é que o prazer é a percepção do fluxo rítmico da excitação no corpo. É a forma natural e saudável que ele tem de funcionar. Se nos identificamos com o corpo e com sua busca de prazer, nossos movimentos tornam-se rítmicos, como os movimentos de um animal. Todos os movimentos do animal trazem essa encantadora característica rítmica.

A dança é o exemplo clássico do prazer em movimentos rítmicos. A música coloca sua vibração em contato com nosso corpo, o que é então traduzido nos padrões rítmicos dos passos de dança. É desagradável sentir que não estamos acompanhando a música, assim como perceber que esta não se harmoniza com nosso ritmo interno. A música da caminhada está para o andar assim como a música de dança está para o dançar. Acentuando a batida e prendendo a atenção ao ritmo, aumenta o prazer nos movimentos.

É fundamental compreender que a música não cria o ritmo. Ela, na verdade, é a expressão do ritmo do corpo do compositor que encontra eco no corpo do ouvinte. É correto afirmar que a música evoca os ritmos existentes dentro de nós. Todas as atividades corporais são inerentemente rítmicas; os movimentos voluntários não são exceção, ainda que estejam sob controle consciente. Pelo fato de estarem sob o controle do ego, podemos nos mover sem ritmo se o ego ignorar as sensações de prazer, impondo-nos um objetivo preponderante.

Os movimentos voluntários, em contraste com os involuntários, exigem um alto grau de coordenação antes de se tornar rítmicos. A criança, cujos movimentos de sucção são coordenados desde o nascimento, realiza essa atividade ritmicamente e com prazer. Precisará, no entanto, de uma considerável prática no desenvolvimento da coordenação para realizar atividades como andar, correr, falar e segurar objetos. À medida que adquire maior coordenação nos movimentos de seu corpo, estes também se tornam rítmicos, gerando fonte de prazer. Observe a criança saltando numa cama ou pulando corda e terá ideia do prazer que esses simples movimentos rítmicos lhe proporcionam.

Devemos lembrar que, na aquisição dessas e de outras habilidades, o ego é importante, pois define os objetivos e mantém o esforço.

Os adultos, que têm mais coordenação, procuram ritmos mais complexos para excitar o corpo. Encontram-nos nos esportes. Não importa qual deles a pessoa prefira: é a qualidade rítmica dos movimentos em determinado esporte que a faz sentir prazer. Esquiar e nadar, duas práticas de que gosto, são bons exemplos. Ambas exigem considerável coordenação. Quando esta é obtida, e nadar e esquiar adquirem características rítmicas, o prazer é grande. No momento em que se perde o ritmo, a atividade torna-se um esforço doloroso.

Os esportes desempenham um grande papel na vida das pessoas porque suas atividades diárias perderam as qualidades rítmicas. Andam de forma mecânica, trabalham compulsivamente e falam monotonamente — sem ritmo e, às vezes, sem sentido. Pode ser que a ausência de ritmo seja devida à ausência de prazer nessas atividades. Também é verdade que a falta de prazer deve-se à perda de ritmo.

Dividimos o mundo entre as coisas que fazemos seriamente, com um propósito ou ganho, e as coisas que fazemos por diversão ou por prazer. No aspecto sério da vida, a atividade rítmica espontânea parece não ter lugar. Procuramos ter a eficiência fria da máquina. Depois tentamos, confiantemente, recuperar o ritmo e o calor nos esportes, nos jogos e em outras formas de recreação. Mas somos muitas vezes frustrados pelo impulso compulsivo do ego de obter sucesso ou perfeição.

O homem encanta-se pela eficiência produtiva da máquina, que realiza qualquer atividade melhor do que ele. A máquina é eficiente por estar limitada a apenas um padrão de movimento rítmico. Evidentemente, uma série de máquinas realizará operações mais complexas, em que cada unidade fará apenas uma única operação. Em contraste, o homem é dotado de um número quase ilimitado de padrões rítmicos que correspondem aos seus variados desejos e disposições. É capaz de mudar os ritmos à medida que sua excitação varia. É capaz de entrelaçar padrões rítmicos complexos para aumentar seu prazer e sua alegria. É, em outras palavras, estruturado biologicamente para o prazer, não para ser eficiente. O homem é um ser criativo, não produtivo. Porém, obteve grandes realizações com seus prazeres. Infelizmente, de suas realizações obteve apenas poucas alegrias, porque a produtividade se tornou mais importante que o prazer.

O RITMO DO AMOR

Falar do amor como fonte de prazer é poético, mas ilógico. Na hierarquia das funções da personalidade, o amor, como emoção, surge do prazer. Como sabemos, o prazer e a alegria se originam de amar e ser amado. Até agora, descrevi as raízes do prazer em termos da relação do indivíduo com o universo, com a mãe — como representante da terra — e com o mundo à sua volta. Se procurarmos as raízes do prazer dentro de nós mesmos, vamos encontrá-las no fenômeno do amor.

Neste capítulo, dividi as atividades rítmicas do corpo em três categorias, descrevendo-as separadamente. Essa divisão não implica a independência de uma categoria em relação à outra. A função do tubo interno, digestão e respiração, está intimamente relacionada com os movimentos do tubo externo ou músculos voluntários. Ambos dependem das atividades rítmicas dos órgãos e tecidos que mantêm a integridade interna do organismo. Em muitas situações da vida, nossa atenção focaliza uma ou outra atividade. Em geral, não associamos o funcionamento dos órgãos vitais ao prazer; não nos conscientizamos de suas atividades rítmicas. Porém, basta o coração diminuir suas batidas ou acelerar o ritmo que logo ficamos alarmados. Portanto, ficamos felizes se não acontecer nada que desperte nossa atenção. Esses órgãos, sobretudo o coração, desempenham importante papel para que sintamos prazer e alegria. O coração encontra-se diretamente ligado ao fenômeno do amor. A conexão entre ambos foi detalhadamente analisada em meu livro *Amor e orgasmo*. Aqui, gostaria de descrever o amor como o ritmo que se inicia com a excitação do coração e, ampliando-se, abrange todo o corpo. Este é o ritmo do amor.

Em sua atividade rítmica, o coração ocupa lugar exclusivo entre os órgãos do corpo. Já vimos que uma porção do músculo do coração, se suspensa em solução fisiológica salina, continua a ter contrações rítmicas espontâneas. O coração do sapo, mergulhado em sangue oxigenado, continuará a pulsar sem estimulação nervosa — o que significa que o ritmo do coração é inerente ao seu tecido, o músculo cardíaco. Este é especial por ser um cruzamento entre os músculos voluntários e involuntários: tem estrias como a musculatura voluntária, mas é inervado pelo sistema nervoso autônomo, que além dele só ativa os músculos lisos do corpo. Além disso, o músculo cardíaco forma um sincício, isto é, as células fundem-se entre si, permitindo que os impulsos passem livremente por meio de toda a massa do coração. É dotado de um grau de mobilidade não encontrado em nenhum outro órgão do corpo.

O amor e a alegria são sentimentos que pertencem ao coração. A alegria do amor e o amor da alegria são reações corporais a uma excitação que alcança e abre o coração. A conexão entre esses dois sentimentos e o coração encontra-se ilustrada na Nona Sinfonia de Beethoven, conhecida como Sinfonia Coral por terminar com a interpretação em coro do poema "Ode à alegria", de Schiller. O coro, como na tragédia grega, pretende, acredito, representar a plateia. Beethoven queria que cada ouvinte experimentasse a sensação de alegria na natureza e na fraternidade entre os homens. Para tanto, precisava alcançar o coração da plateia com sua música. Tinha de fazer cada ouvinte sentir a vibração rítmica do próprio coração, que pulsava em comum com os corações dos outros.

Beethoven atingiu esse objetivo nos três primeiros movimentos da sinfonia. Para mim, o primeiro deles expressa a atração do indivíduo pelo amor e a resposta do universo: "Seja alegre". É tão potente que um amigo meu comentou: "Ele rasga e abre minha caixa torácica, expondo meu coração". O segundo movimento é pontuado, às vezes, por duas fortes percussões dos tímpanos. Essas batidas são tão parecidas com as do coração que o significado desse movimento torna-se claro. Podemos sentir o ritmo do coração pulsando tranquilo e suave em algumas passagens e, em outras, agitado e expectante. Todos os corações encontram-se expostos; à medida que cada instrumento executa o tema, sentimos que nenhum pulsa sozinho. O lírico terceiro movimento expressa, a meu ver, a característica emocional do coração. É o órgão do amor. O amor mora no coração. Quando este está aberto e seu amor se revela, a plateia pode compartilhar a experiência da alegria, que é o tema do movimento final. A execução vocal transforma a sinfonia de apresentação objetiva em expressão subjetiva, traduzindo a experiência do nível dramático para o pessoal. Nessa sinfonia, Beethoven, com sua genialidade, abre os corações para a alegria e, assim, enche de alegria os corações.

O amor sexual se inicia com uma excitação que acelera o sangue nos órgãos genitais, produzindo a ereção no homem e a lubrificação da vagina na mulher. Durante o coito, essa excitação produz dois padrões rítmicos de movimento, um voluntário e outro involuntário. Durante a primeira fase do coito, os movimentos pélvicos, tanto do homem como da mulher, são feitos conscientemente, estando sob o controle do ego. Nesse estágio, a excitação corporal é um pouco superficial, mas aos poucos se aprofunda pelo contato de fricção e dos movimentos pélvicos. A respiração é um tanto silenciosa, embora profunda, e as batidas do coração encontram-se levemente aceleradas.

Quando atinge seu auge, a excitação flui por meio dos órgãos genitais, levando ao clímax. No homem, vesículas seminais, uretra e próstata iniciam a pulsação que culmina no jorro ejaculatório do sêmen. Na mulher, a pulsação se manifesta nas contrações rítmicas do útero e dos pequenos lábios. Se a excitação permanece limitada à área genital, o orgasmo só ocorre parcialmente. Se ela se estende para cima, em direção ao coração, o corpo inteiro entra numa reação do tipo convulsiva na qual todo o controle voluntário é dominado pela pulsação primitiva.

No orgasmo completo, os movimentos pélvicos, que aos poucos vão aumentando de frequência, tornam-se involuntários e mais rápidos. Seu ritmo coordena-se com o ritmo das pulsações genitais. A respiração torna-se mais profunda, acelerando para integrar o ritmo geral. O coração acelera suas batidas, tornando-se consciente. Sente-se a pulsação da vida em cada célula do corpo.

Há muitas maneiras de interpretar o que acontece no orgasmo completo. Nesse contexto podemos dizer que na reação convulsiva do orgasmo o corpo inteiro transforma-se num enorme coração. O êxtase é isso.

O êxtase do orgasmo é a reação corporal única à excitação sexual que, começando no coração, termina tornando-o tão completamente aberto que é capaz de abraçar o mundo. Todo sentimento de amor começa no coração, irradiando-nos. Qualquer um que tenha sentido amor experimentou essa excitação no coração. O amor nos faz sentir com o coração leve. A perda do amor torna o coração pesado pela tristeza. Não acredito que essas sejam metáforas vazias de significado. O coração excitado é leve. Pula de alegria. Mas não é só o coração que pula de alegria. O apaixonado salta e dança na rua. Não consegue conter a excitação de seu coração. Esta invade todo o seu corpo.

A batida do coração é o ritmo do amor.

11. Uma abordagem criativa da vida

O QUE É CRIATIVIDADE?
Este livro contém dois temas: prazer e criatividade. Ambos encontram-se intimamente relacionados, pois o prazer fornece a motivação e a energia ao processo criativo, que por sua vez aumenta o prazer e a alegria de viver. Com prazer, a vida é uma aventura criativa; sem ele, é uma luta pela sobrevivência. Nos capítulos anteriores, analisei a natureza do prazer e seu papel na determinação do comportamento. Dedicarei este capítulo à análise da criatividade na vida.

A abordagem criativa da vida implica respostas novas e imaginativas às diversas situações que diariamente nos confrontam. Novas respostas são urgentemente necessárias porque os valores e as formas sociais que governavam as relações e regulavam o comportamento de gerações anteriores já não mais fornecem soluções satisfatórias à vida moderna. Essa observação é inevitável, quer se considere a vida pessoal e em família, quer se considere os mais amplos cenários político-sociais. A nova resposta procurada não poderá limitar-se à rejeição dos conceitos estabelecidos. A rebelião pura não é uma atitude criativa, acarretando uma situação caótica na qual a busca de prazer e de significado acaba, muitas vezes, em tristeza e desespero.

O colapso de códigos e padrões tradicionais oferece promessas de maior prazer e alegria de viver, mas também apresenta sérios perigos. A promessa está no fato de que uma parte maior da vida encontra-se aberta a uma abordagem criativa; os perigos são o resultado da falta de compreensão do que está envolvido na criatividade. Em sua confusão, as pessoas tendem a adotar qualquer ideia popular que encerre uma solução, acreditando ingenuamente que a popularidade da ideia torna-a correta. Como a popularidade é muitas vezes determinada pelos veículos de massa, ela se opõe ao conceito de criatividade, que implica soluções individuais para um problema único. Dois artistas nunca pintarão o mesmo quadro.

Outro perigo que enfrentamos é a crença equivocada de que a experiência é o único valor verdadeiro na vida. Muitas pessoas, seguindo essa crença, se expõem a condições destrutivas à saúde e ao bem-estar. O uso de drogas é defendido com o argumento de que não se deve limitar as experiências. Da mesma forma, justifica-se o comportamento sexual indiscriminado e promíscuo. A experiência em si mesma não contribui necessariamente para o crescimento e o desenvolvimento. Para que assim seja, deverá ser integrada à personalidade. Deverá ser criativamente assimilada, isto é, aprofundar o autoconhecimento, ampliar a apreciação do prazer, e, como no crescimento, expandir todo o ser. As experiências não assimiladas criativamente aumentam a confusão e diminuem o senso de identidade.

O que significa ser criativo? O indivíduo criativo olha o mundo com uma visão nova. Não tenta resolver novos problemas por meio de antigas soluções. Parte do princípio de que desconhece as respostas. Assim, aborda a vida com curiosidade e com a imaginação de uma criança, ainda não estruturada em sua maneira de pensar e ser. Aquele cuja personalidade não é estruturada com rigidez sente-se livre para usar a imaginação ao confrontar circunstâncias da vida em constante mutação.

Ser criativo é ser imaginativo, mas nem todo ato imaginativo representa uma atividade criativa. Os devaneios, as fantasias e as ilusões que inundam a mente e ocupam o pensamento de muitos não são expressões criativas. Os devaneios são uma compensação mental para a incapacidade de resolver conflitos internos. Imagens desse tipo mantêm pouca relação com a realidade. Como não podem ser concretizadas, deixam o indivíduo num grande estado de tensão. A imaginação criativa começa com a análise e a aceitação da realidade. Não procura transformá-la, fazendo que se molde às próprias ilusões. Ao contrário, a imaginação busca aprofundar a compreensão da realidade para enriquecer a experiência que se tem dela. O impulso criativo começa com a imaginação da criança e termina com a satisfação das necessidades do adulto.

A fusão do realismo adulto e da imaginação infantil é a chave de todas as atividades criativas. Incorpora o princípio básico da criatividade, isto é, de que o ato criativo é a fusão de duas visões aparentemente contraditórias numa única. No livro *The act of creation* [O ato criativo], Arthur Koestler faz desse tema o ponto central de seu estudo, documentando-o com inúmeros exemplos. Diz ele: "O ato criativo, conectando dimensões da experiência anteriormente não relacionadas, capacita-o [o homem] a atingir um nível mais elevado na evolução mental. Trata-se de um ato de liberação — a derrota do hábito pela originalidade"[24]. O princípio de que a criatividade é a fusão e a integração de aspectos opostos não se limita à expressão criativa na arte ou nas ciências, mas a todas as formas de expressão criativa na vida. Ilustrarei sua aplicabilidade a situações comuns na vida moderna.

Hoje, muitos pais se aborrecem na relação com os filhos pelo conflito entre disciplina e permissividade. Não podem, com a segurança de que se sairão bem, exercer a autoridade como antes seus pais faziam. Por melhores que sejam as intenções, o exercício da autoridade arbitrária provoca sentimentos de rebeldia e insubordinação nos jovens. Entretanto, a ausência de autoridade e as atitudes resultantes da permissividade parecem produzir situações igualmente desesperadoras. Muitos jovens hoje em dia ficam mais confusos do que livres por atitudes de total permissividade. O resultado é, muitas vezes, uma separação ainda maior entre as gerações.

Não é nem pode ser uma questão de autoridade *versus* permissividade. Nenhuma delas constitui resposta criativa à relação baseada no amor. O pai que ama seu filho quer que ele seja feliz, que aproveite a vida. As boas sensações e o prazer da criança são suas principais preocupações. Ao estimular o desejo da criança por prazer, não estará sendo permissivo, mas amoroso. A criança, por sua vez, respeitará os pais que se comportam dessa forma, ouvindo seus conselhos porque os respeita e não porque eles têm autoridade.

Mas os pais afetuosos devem ter autoridade. Não autoridade arbitrária baseada no poder e na suposição de que eles sabem mais (sabem dizer "não" melhor). Trata-se da autoridade baseada na responsabilidade que têm em relação ao bem-estar da criança, a qual lhes autoriza a estabelecer regras para o funcionamento harmonioso da vida familiar. Essas regras naturalmente impõem certa disciplina aos membros da família; porém, a disciplina, como a autoridade, não é arbitrária, mas destina-se a promover a alegria de cada membro da família, desvirtuando-se quando foge desse propósito. Assim, o pai afetivo deve ser responsável, mas não disciplinador nem permissivo.

Educar um filho é um ato criativo para que ele se sinta amado, respeitado e seguro. Por ser um ato criativo, não segue fórmulas. O desejo de prazer da criança e sua necessidade de autoexpressão devem ser compreendidos pelos pais — o que só acontecerá se estes estiverem livres de culpas pessoais a respeito do prazer e capazes de expressar os próprios sentimentos de maneira aberta e sincera. Quando se sentem culpados em relação ao prazer, sua permissividade é contaminada pela ansiedade, a qual é percebida pela criança. Tal ansiedade corrói seu prazer, transformando-a num ser agitado e irascível, que não pode ser acalmado com mais permissividade ou mais disciplina.

Educar uma criança com amor e respeito por sua individualidade exige uma atitude criativa por parte dos pais. Estes não poderão seguir os padrões adotados pelos próprios pais ao criá-los, pois seu estilo de vida é outro. Os pais de hoje são psicologicamente mais sofisticados. Muitos se conscientizaram dos erros da própria criação. Entretanto, a psicologia não fornece respostas, só avisos. Em consequência, todos os pais são obrigados a enfrentar a necessidade de desenvolver uma nova forma da relação pais-filhos, o que exigirá sensibilidade, imaginação, autoconhecimento e autoaceitação, qualidades que caracterizam a pessoa saudável e o indivíduo criativo.

A necessidade de uma atitude criativa não é mais urgente na relação pais-filhos do que em outras áreas da vida. Encontramos a mesma confusão na esfera sexual, em que as alternativas parecem ser a moralidade obsoleta ou a ausência de moralidade. Esse duplo padrão, que dominou as atitudes sexuais e os comportamentos por séculos, sofreu um colapso com o advento da psicanálise, dos antibióticos, da pílula anticoncepcional, do automóvel e de outras forças. No entanto, sua abolição não trouxe a esperada satisfação sexual, mas o caos e a aflição. Expliquei essa questão em meu livro *Amor e orgasmo*[25]. Nem o antigo código moral nem o novo código amoral, a ética da diversão, trazem uma resposta significativa ao problema do comportamento sexual contemporâneo. Obviamente não há uma resposta. Cada indivíduo deverá desenvolver um código moral pessoal baseado numa atitude criativa em relação ao amor e ao sexo.

A grande pergunta é: como saber se nossas atitudes são criativas ou destrutivas? A atitude criativa integra os aspectos antagônicos e as necessidades da personalidade numa única expressão, numa resposta unitária. Já a atitude destrutiva fragmenta a unidade da personalidade, colocando uma necessidade contra outra. Consideremos, por exemplo, o conflito entre prazer e realização.

A despeito de eu ter enfatizado o prazer, não podemos admitir que a sua busca exclusiva seja o objetivo na vida. Pela própria natureza, quanto mais o procuramos, mais se esquiva. O prazer liga-se indissoluvelmente à realização. Uma vida sem realizações é uma vida sem prazer. Porém, sabemos de pessoas que, tendo procurado compulsivamente realizações e sucessos, ficaram privadas de prazer e impossibilitadas de aproveitar a vida. Há uma antítese entre prazer e realização, uma vez que esta exige autodisciplina. O compromisso com um objetivo ou com uma tarefa envolve necessariamente o sacrifício de alguns prazeres imediatos. Se a pessoa for incapaz de adiar a gratificação imediata de seus desejos, será como uma criança, cujas realizações são nulas e cujos prazeres só têm sentido para ela.

O conflito entre prazer e realização não pode ser resolvido pela distribuição do tempo entre essas duas necessidades. Isso só aumenta o conflito: vamos nos ressentir do tempo gasto no trabalho e, em consequência, não seremos capazes de aproveitar completamente as horas de lazer. Se não houver prazer no trabalho e nenhuma possibilidade criativa no prazer, o resultado será uma sensação de frustração, e não de alegria. Até o processo criativo, para revelar a alegria nele inserida, exige, em certa medida, esforço e trabalho.

Todo trabalho deve fornecer oportunidade para o uso da imaginação criativa. Não há trabalho que não possa ser feito melhor, mais facilmente ou de maneira mais agradável. Faz-se necessário apenas um pouco de imaginação criativa. Mas a criatividade só floresce numa atmosfera de liberdade onde o prazer é a força motriz. Se a produtividade, seja em termos de produtos ou lucros, é o que mais importa no processo de trabalho, os indivíduos presos a esse processo transformam-se em máquinas humanas incapazes de qualquer imaginação criativa — situação que caracteriza nossa economia. O que ela mostra é que nem os produtos nem os lucros aumentam a alegria de viver.

Os esforços antitéticos como os mencionados são fenômenos opostos. Dentro da estrutura da personalidade global, cada esforço complementa seu oposto. Assim, quanto mais prazer se tem, maior será a realização. Quanto mais se realiza, maior será a sensação de prazer. Os esforços opostos contrapõem-se apenas quando se encontram dissociados do funcionamento global do indivíduo. A busca de prazer como um fim em si mesmo mostra-se decepcionante. Ninguém jamais encontrou o prazer procurando-o. Da mesma maneira, a realização não conectada à vida da pessoa é um gesto vazio.

No indivíduo sadio, a necessidade de segurança e a necessidade de desafios se complementam. Aquele que aceita os desafios inerentes em qualquer exploração ativa da vida sente-se mais seguro que o que deles se isola. A pessoa segura movimenta-se no mundo e, por meio de suas atividades, mantém sua segurança íntima, enquanto a pessoa medrosa, que se isola e ergue defesas contra seus receios, aumenta sua sensação de insegurança.

Os esforços opostos e as necessidades encontram-se biologicamente ligados por um movimento rítmico ou pulsante de sensações entre seus dois polos. A ilustração mais simples desse conceito situa-se na relação entre o sono e a vigília. Todas as noites há um mergulho no sono e todos os dias, uma emersão à consciência. O bem-estar da pessoa depende dessa oscilação rítmica. Sem a quantidade adequada de sono, a consciência entorpece, reduzindo sua atividade. Sem um dia ativo e dinâmico, o sono tende a ser intranquilo. Cada esforço antagônico estimula o movimento em direção ao outro. No indivíduo saudável, essas duas necessidades opostas encontram-se em equilíbrio e em harmonia com o estilo de vida. O indivíduo desfruta tanto do sono como do fato de estar acordado.

A pulsação, unindo forças opostas e criando movimentação de sentimentos entre elas, evidencia-se também na relação entre amor e sexo. Ambos refletem a necessidade de união e intimidade entre os seres. O amor, entretanto, ocupa uma posição antitética em relação ao sexo. O sentimento de amor flui para cima pelo corpo quando buscamos o contato externo. No sexo, a sensação desce, carregando os órgãos genitais. O amor aumenta a tensão do relacionamento ao elevar o nível de excitação. O sexo diminui a tensão descarregando-a. O amor é estimulante; seu prazer é antecipado. O sexo é gratificante; seu prazer satisfaz. Pela lógica, pareceria que com o prazer do sexo acabaria o sentimento do amor, mas na verdade o que acontece é exatamente o contrário. Assim como os profundos sentimentos de amor aumentam o prazer do sexo, o prazer da descarga sexual reforça o amor que se sente pelo parceiro. Wilhelm Reich notou que acontece uma inversão do fluxo durante o orgasmo; a energia e as sensações, concentradas nos órgãos genitais, se espalham por todo o corpo. Dessa forma, a pulsação biológica entre amor e sexo é um processo contínuo que garante o crescimento de uma relação.

Sexo sem amor proporciona um prazer mínimo, que pode ser obtido com diversos parceiros sexuais. Trata-se de experiência que não oferece nenhuma possibilidade de desenvolvimento criativo. Por sua vez, o amor que não é biologicamente satisfeito no sexo ou em outra forma de contato prazeroso é uma ilusão, um devaneio ou uma fantasia. A mãe que fala de amor, mas não amamenta seu filho, não o abraça carinhosamente nem cuida dele com afeto é uma fraude. O apaixonado que não dá um presente à pessoa amada como expressão de seus sentimentos é desonesto. O marido que proclama seu amor à esposa, mas não sente atração sexual por ela é insincero. O amor é uma promessa que deve ser concretizada pela ação. O sexo é a realização que renova a promessa.

A dissociação entre amor e sexo e sexo e amor deve-se ao rompimento do movimento pulsante que une os diferentes aspectos da personalidade humana. O resultado é a divisão da natureza unitária do homem em categorias opostas — carne e espírito, natureza e cultura, mente inteligente e corpo animal. Essas distinções existem, mas apenas como conceitos racionais. Quando se encontram estruturadas nas posturas corporais e no comportamento, produzem a condição esquizoide. Na personalidade esquizoide, o fluxo de sensações entre as metades superior e inferior do corpo está bloqueado por tensões na área do diafragma. Esse problema é mais pormenorizado em *O corpo traído*. O amor e o sexo só se opõem à custa do prazer e da alegria.

Unidos pelo fluxo rítmico de sensações no corpo, o amor e o sexo formam um potencial criativo. Os verdadeiros amantes sexuais não estão satisfeitos com o *status quo*; são impelidos a trocar gentilezas entre si, a embelezar o ambiente comum e a construir um futuro juntos. Certamente, parte desse futuro será a criação de uma nova vida que concretizará a alegria que sentem entre si. Essa alegria invade seu ambiente, enriquecendo todos os que dele participam. Nessa atmosfera de amor e sexo, as crianças crescem bonitas e fortes, enquanto a personalidade dos pais se expande em sabedoria e compreensão.

CRIATIVIDADE E AUTOPERCEPÇÃO

A fusão criativa de aspectos antitéticos da personalidade não pode ser resultado de um esforço consciente. Koestler enfatizou que o ato criativo é uma função do inconsciente. Eu também gostaria de sublinhar esse fato. A mente consciente só pode funcionar com imagens que já estão presentes nela. Por definição, o ato criativo é a formação da imagem que antes não existia na mente. Isso não quer dizer que a consciência não desempenhe nenhum papel no processo criativo. O problema sempre é conscientemente percebido, mas nem sempre o é sua solução. Se sabemos a resposta para determinado problema, pode ser que estejamos certos, mas a resposta correta nunca é um ato criativo.

A abordagem criativa da vida só é possível àquele cujas raízes se encontram nas camadas inconscientes da personalidade. O pensador criativo mergulha fundo na fonte de sensações para achar as soluções que procura. É capaz de assim agir em virtude de sua grande autopercepção, maior do que a

Prazer

das pessoas comuns. Há uma crescente compreensão da necessidade de maior autopercepção. Os diversos livros de psicologia e o aumento dos recursos de psicoterapia refletem essa necessidade. Porém, muitas pessoas ainda acreditam numa fórmula que solucionará as dificuldades sem a necessidade do exame interno requerido pela autopercepção. Acredito que elas ficarão deprimidas quando suas ilusões acabarem.

Se conseguirmos aceitar o fato de que ninguém conhece as respostas, o caminho para a alegria estará aberto. Esse caminho leva, por meio da autopercepção e da compreensão da personalidade, a atitudes criativas em relação à vida. O propósito deste livro é fornecer parte dessa compreensão, e o autor espera que ele aprofunde a autopercepção do leitor.

Nos capítulos anteriores, tentei mostrar algumas das inter-relações existentes entre os diferentes aspectos da personalidade. O antagonismo entre prazer e poder nos levou à descrição das antíteses entre o ego e o corpo. O ego é o representante do *self* consciente, enquanto o corpo representa o *self* inconsciente. Esses dois aspectos da personalidade não se encontram nitidamente separados entre si. Como uma rolha flutuando na superfície do oceano, a consciência sobe e desce com as ondas de sensações que passam pelo corpo. A autopercepção limitada às percepções conscientes será muito superficial. A autopercepção mais profunda nos informa que essas percepções conscientes são influenciadas e até mesmo determinadas por processos inconscientes. Expandindo nossa consciência pelo corpo, podemos, de vez em quando, ter consciência desses processos. A autopercepção é determinada pelo grau de contato que mantemos com o corpo.

Os seres humanos são dotados de uma natureza dual. São atores conscientes e refutadores inconscientes. Andam com os dois pés, e quando se movem sua atenção se desloca de uma perna à outra. Quando caminham, a atenção se dirige momentaneamente à perna que se apoia no chão, depois desvia para a perna que se aproxima do chão. Essa oscilação da atenção é subjacente ao pisar firme, característico da pessoa cujo andar é suave e gracioso. Também posso ilustrar esse conceito com o exemplo do orador diante do público. Ao encarar a plateia, ele deverá estar em contato com duas realidades: a plateia e ele próprio. Se permanecer muito focado no que vai dizer ou na maneira como vai falar, perderá a atenção do público. E, se estiver muito consciente do público, perderá o senso de si mesmo, ficando confuso. O bom orador é capaz de alternar rapidamente sua atenção entre essas duas realidades. E, apesar de enfocar uma realidade de cada vez, o efeito geral será o de manter contato com ambas.

O conceito de polaridade se aplica a essas situações assim como a todas as outras. Afirmar que o orador encontra-se mais consciente do público do que de si mesmo não é verdade. Quando se torna muito consciente da plateia, não a vê como ela realmente é. No seu inconsciente, ela se transforma numa imagem terrível e ameaçadora. Da mesma maneira, o orador muito autoconsciente não está totalmente em contato consigo mesmo. Na verdade, perdeu o autocontrole e tudo que sente é uma profunda ansiedade ou uma enorme compulsão que o dominou. Quanto maior autocontrole tiver o orador, mais domínio e atenção obterá da plateia.

Na relação entre o ego e o corpo — os aspectos conscientes e inconscientes do *self* —, funciona o mesmo princípio. O ego é tão forte quanto o corpo é vigoroso. No corpo reprimido, o ego encontra-se enfraquecido. Em outras palavras, aquele que dá vazão às suas reações inconscientes é, na verdade, mais consciente do que aquele que teme suas reações inconscientes. Assim, o "deixar acontecer" do inconsciente fortalece a consciência e as funções do ego. Esse princípio é uma via de mão dupla, na qual a distância numa direção equivale à distância na direção contrária. Como o pêndulo, cuja oscilação é igual em ambas as direções, a pessoa poderá "deixar acontecer" até onde ela for capaz de se conter conscientemente. Esse princípio é ignorado pelos que apregoam a vida dionisíaca de abandono à sensualidade como forma significativa de existência.

A ênfase ao corpo, ao prazer, ao "deixar acontecer" não pretende negar o valor do ego, das realizações e do autodomínio. Sem polaridade, não há movimento. Sem movimento, a vida é monótona e enfadonha. Se negarmos os valores associados à reflexão, à disciplina e ao prestígio, estaremos cometendo o mesmo erro dos que exaltam as virtudes superiores das funções do ego à custa dos processos corporais ou inconscientes.

Outra grande polaridade no funcionamento da personalidade, analisada anteriormente, é a relação entre pensar e sentir. Tentei mostrar que a qualidade do pensamento do indivíduo é determinada por seus sentimentos. O aspecto específico que melhor ilustra essa polaridade é a relação entre objetividade e subjetividade. Ressaltei o fato de que a verdadeira objetividade é impossível sem uma subjetividade correspondente. Quem não sabe o que sente não pode ser objetivo a respeito de si mesmo, sendo muito pouco provável que consiga ser objetivo em relação aos outros. A falta de autopercepção limitará necessariamente a percepção que tenha dos outros. Esse princípio funciona também ao contrário. A pessoa que não percebe os outros não pode ser totalmente consciente de si mesma. A falta de sensibilidade embota todos os outros aspectos da realidade.

Conhecer a si mesmo é uma função tanto cognitiva quanto sensorial. As sensações devem ser interpretadas corretamente para ter algum significado. Se o sentimento estiver separado do pensamento, a personalidade ficará tão dividida como quando o pensamento estiver separado do sentimento. O corpo sem a cabeça não é melhor do que a cabeça sem o corpo. A falta de ênfase na reflexão não deve ser tomada como a negação do seu valor. A capacidade de pensar claramente é tão importante para a personalidade como a capacidade de sentir plenamente. Se os sentimentos estiverem confusos, o pensamento ficará confuso. Também é fato que o pensamento confuso embota os sentimentos.

Qualquer que seja o aspecto analisado da personalidade, veremos manifesto o princípio de polaridade. No nível emocional ele é expresso na polaridade entre afeição e hostilidade, raiva e medo, alegria e tristeza e assim por diante. No nível das sensações primárias, encontra-se expresso no espectro prazer-dor. O que significa que a pessoa que reprime a percepção de dor também reprime a percepção de prazer. A explicação é simples. Se amortecermos o corpo para reduzir a sensação de dor, reduziremos assim a capacidade do corpo de sentir prazer.

A autopercepção, ao contrário da percepção, exige dupla abordagem de todas as experiências. Primeiro, a experiência deverá ser percebida em nível corporal, onde ela representa a reação inconsciente do organismo a um estímulo ou situação. As sensações corporais podem ser sensoriais ou motoras, ou, mais comumente, ambas. O cheiro da comida poderá provocar água na boca. Ver um bebê trará o impulso de tocá-lo. Essas reações denotam a percepção do ambiente. A autopercepção surge quando a experiência é polarizada, isto é, relacionada e integrada com a experiência antagônica. Assim, o cheiro da comida se torna um elemento de autopercepção quando evoca a sensação de fome. A polaridade entre fome e comida nos torna conscientes do *self* em relação ao mundo externo e, portanto, do *self* e do mundo externo. A polarização da experiência é o segundo elemento no processo de autopercepção. É a função do ego que relaciona todas as experiências à história de vida do indivíduo.

Voltemos à relação entre pensar e sentir para melhor compreender a autopercepção. Estarmos simplesmente atentos aos nossos pensamentos ou sentimentos é uma espécie limitada de autopercepção. O indivíduo totalmente autoconsciente percebe como seus pensamentos se relacionam com seus sentimentos e como estes estão condicionados pelos seus pensamentos. A atenção ou percepção oscila entre a mente e o corpo. Ele tem, na verdade, dupla percepção do que está acontecendo, embora a qualquer momento focalize um ou outro aspecto que está vivenciando. Uma imagem que mostra o contrário é a do professor distraído cujo foco compulsivo em suas atividades intelectuais leva-o a ignorar a realidade de seu corpo e suas sensações.

A polaridade entre amor e sexo fornece outro bom exemplo de como o reconhecimento de relações opostas aumenta a autopercepção. O sexo de ângulos puramente fisiológicos não exige consciência da outra pessoa. É duvidoso, entretanto, que a reação sexual humana possa ser puramente fisiológica. As imagens e as fantasias não podem ser eliminadas do comportamento consciente. Por isso, devemos presumir que certo grau de autopercepção sempre estará presente nesse ato. Quando o amor é conscientemente vivenciado em relação ao ato sexual, a polaridade é grandemente intensificada. O amor torna o indivíduo consciente do outro, forçando sua atenção a oscilar entre o *self* e o outro, aumentando a consciência do *self* em relação ao outro. Dessa maneira, o amante, que está mais consciente do outro, estará, ao mesmo tempo, mais autoconsciente. A autoconsciência aumenta a excitação, intensificando sobremaneira o prazer da descarga.

A autopercepção contém o potencial para a expressão criativa. É um estado de ser que permite a fusão de opostos dentro do *self* e entre o *self* e o mundo externo. Todo ato criativo é um reflexo da autopercepção — que, em si mesma, é a expressão da força criativa dentro da personalidade. Toda pessoa criativa é dotada de autopercepção na área de seu talento criativo. Toda pessoa autoconsciente carrega um potencial criativo em todas as áreas de sua consciência.

Seria tentador dizer que, sendo o homem o único animal criativo, é também o único dotado de autoconsciência. Não acredito que seja assim. Seria mais correto dizer que tanto a autoconsciência como a criatividade são muito mais desenvolvidas no homem do que em outros animais. É lógico propor uma inter-relação entre elas. Quanto mais autoconsciente for a pessoa, mais criativa será — e vice-versa.

A PERDA DA INTEGRIDADE

A dualidade na natureza humana, responsável por sua autoconsciência e por seu potencial criativo, também é a causa que a predispõe à autonegação e a atitudes autodestrutivas. Como ator consciente e reagindo inconscientemente no drama da vida, o homem se sujeita a uma pressão interna quando esses dois aspectos de sua personalidade se separam. A quantidade de pressão tolerada pela personalidade antes que sua unidade se rompa dependerá de sua energia vital, que é a força de coesão do organismo. A personalidade cujo nível de energia é baixo se romperá em um grau de tensão que a personalidade mais carregada de energia suportaria. Quando ocorre o rompimento, um dos aspectos da personalidade se volta contra o outro, produzindo o comportamento autodestrutivo.

O ego é o aspecto da personalidade que funciona como o ator consciente, enquanto o corpo é o aspecto da personalidade que reage involuntariamente às situações. Em geral, essas duas formas de comportamento, ação e reação, estão integradas de forma harmônica. Ao se alimentar, por exemplo, esses dois comportamentos estão em ação. A reação imediata ao cheiro e ao sabor do alimento é puramente involuntária. Será agradável ou não. Se for agradável, a comida será conscientemente levada à boca. Se não, afasta-se o prato. Tais ações são praticadas conscientemente, isto é, dirigidas ao ego. Normalmente nenhum conflito surge entre elas. Mas suponhamos que a pessoa à mesa seja uma criança que não gosta de verduras. Sentada à sua frente, a mãe insiste que ela deve comê-las porque lhe farão bem. A criança, nessa situação, enfrenta um dilema. Se não comer as verduras, entrará em conflito com a mãe. Mas, se comer, entrará em conflito com seus sentimentos. Esse exemplo simples ilustra o tipo de tensão a que estamos sujeitos em nossa cultura. A diferença entre o comportamento humano e o animal numa situação similar é mostrada no aforismo que diz que é possível levar um cavalo até a água, mas é impossível obrigá-lo a bebê-la.

O processo de civilização envolve a imposição de restrições conscientes às reações involuntárias do corpo. Não se trata de fenômeno antinatural; cada aspecto do aprendizado, seja a coordenação motora ou a compreensão intelectual, depende dele. No Capítulo 6, ressaltei que grande parte do pensamento consciente exige uma inibição preliminar das reações involuntárias ("pare de pensar"). Há, contudo, limites à carga de tensão ou pressão que a personalidade consegue tolerar. Quando esses limites são ultrapassados, as forças opostas na personalidade deixam de se relacionar, passando a funcionar de forma independente — o que acarreta a esquizofrenia.

Para compreender tal situação, imaginemos o ego (ator consciente) e o corpo (processos involuntários) como duas forças puxando em direções opostas em uma mola espiral. A quantidade de força exercida pelo ego não costuma ser constante, e assim a tensão na mola varia. O ego pode inclusive estar totalmente ausente em determinados momentos, como durante o orgasmo completo, em que os processos involuntários do corpo controlam toda a personalidade. O aumento e a diminuição normais na tensão da mola correspondem ao aumento e à diminuição do nível de excitação. Se essas duas forças se encontram bem equilibradas, o aumento e a diminuição da tensão produzem sensações agradáveis.

Se, porém, a mola for esticada além do seu nível de tolerância, perderá a elasticidade — o que poderá acontecer quando uma tensão muito forte for imposta à mola ou quando uma tensão no nível de tolerância for mantida por muito tempo. Se a elasticidade da mola acabar, a conexão vital entre o ego e o corpo se romperá. Assim, ego e corpo deixarão de ter uma relação dinâmica entre si. A analogia estaria incompleta se eu não assinalasse que a força elástica da mola pode ser enfraquecida, o que corresponderia, na personalidade humana, a uma redução da força de coesão entre o ego e o corpo.

A dualidade da natureza humana tem diversas facetas. Estas podem ser agrupadas em duas colunas, "ego" e "corpo". Aqui temos uma lista parcial:

EGO
a. Atividade consciente
b. Realização
c. Pensamento
d. Adulto
e. Individualidade
f. Cultura

CORPO
a. Reações involuntárias
b. Prazer
c. Sensação
d. Criança
e. Comunidade
f. Natureza

Já vimos as relações existentes entre b e c. A seguir descreveremos a, d, e e f.

a) Não existe ninguém cujo comportamento seja totalmente controlado conscientemente. Em certos indivíduos, as reações inconscientes do corpo são tão reprimidas que eles se parecem e agem como autômatos. Encontramos os casos extremos nas instituições psiquiátricas. Casos com distúrbios menores são descritos em meu livro *O corpo traído* como indivíduos esquizoides. Os distúrbios se manifestam pela falta de espontaneidade, pelo embotamento da personalidade e pela diminuição da capacidade de sentir prazer. A depressão, bem como os pensamentos suicidas, é bastante comum. Tais pessoas se queixam de um vazio interior, o que é bastante compreensível em vista da reduzida mobilidade de seu corpo e da ausência de sensações correspondente.

O que é menos compreensível é a opinião geral de que esses distúrbios são apenas mentais, que o problema é puramente psicológico. Quando a personalidade encontra-se identificada com a mente ou com o ego, o corpo fica reduzido a um simples mecanismo. Uma atitude como essa destrói a integridade da personalidade, pois nega toda a relação entre suas funções. Qualquer esforço terapêutico para mudar a estrutura da personalidade torna-se impossível. Não se trata de uma abordagem criativa nem em relação à terapia, nem em relação à vida.

É igualmente desastroso quando a pessoa perde todo o controle consciente de seu comportamento, isto é, perde o autocontrole, reduzindo-se a uma trêmula massa de protoplasma. Já vi isso acontecer, e não é nada agradável. Não é esse o objetivo da terapia. O que se quer é a integração do consciente e do involuntário, o que só pode acontecer quando todo ato consciente estiver impregnado de sentimentos e cada reação involuntária for percebida e compreendida conscientemente. É esse o significado da expressão "estar em contato com o corpo". É esse o caminho para o autocontrole.

d) A polaridade adulto-criança é a chave para a personalidade criativa. Ao adulto associamos todas as qualidades do ego: autoconsciência, realização, racionalidade, individualidade e cultura. A criança é o símbolo das qualidades associadas ao corpo: espontaneidade, prazer, sentimentos, comunidade e natureza. No fundo da personalidade de todo adulto está a criança que ele foi. Sua maturidade é apenas uma camada superficial que se enrijece, formando uma fachada estruturada. Quando isso acontece, perdemos o contato com a criança dentro de nós. Fica claro que a criança continua viva quando o indivíduo manifesta condutas infantis ocasionais, que se verificam quando a fachada cede diante de pressões. Essas explosões infantis têm uma natureza destrutiva e representam, poeticamente falando, a raiva da criança por ter sido aprisionada por um ego assustado e ditatorial.

Na personalidade integrada, o adulto e a criança se mantêm em constante comunicação: a criança por meio dos sentimentos e o adulto por meio da inteligência. Ambos se apoiam e se fortalecem — a criança traz imaginação ao realismo do adulto, enquanto este fornece conhecimentos que esclarecem as respostas intuitivas da criança. A afirmação de que a pessoa criativa mergulha fundo em seu inconsciente para encontrar respostas criativas a problemas pode ser interpretada como se ela consultasse a criança dentro de si. Como a criança encontra-se identificada com o corpo, entrar em comunicação com ela é o mesmo que estar em contato com o corpo.

É significativo que praticamente todos os pacientes de psicoterapia tenham poucas lembranças de sua infância. Em algum momento do amadurecimento, as experiências infantis e os sentimentos associados a elas são isolados. As experiências são retiradas da memória. As emoções, da consciência. Essa repressão acontece porque a criança passou a se sentir mal com suas emoções. Nasceu como um animal livre de desejos, mas destinado a ter prazer e alegria. Mas a civilização representada pelos pais exigiu que desenvolvesse controle, se tornasse racional e se submetesse à autoridade. O conflito de vontades na criação da maioria das crianças é tão conhecido que se torna desnecessário repassá-lo. Nesse conflito, a criança sempre perde e sua submissão é marcada pela negação de sua natureza animal.

No interesse da sobrevivência, a criança não tem alternativa senão reprimir suas emoções e criar uma fachada de comportamento aceitável. Essa fachada é estruturada em seu corpo e em sua mente: no primeiro, como uma postura; no segundo, como uma imagem do ego. Este se torna identificado com essa imagem e dissociado do corpo. Camuflado pela imagem, o indivíduo vê a si mesmo como uma pessoa inocente, sem perceber que no seu inconsciente guarda sentimentos negativos e hostis associados a experiências traumáticas do início de sua vida. As emoções reprimidas aparecem e, ocasionalmente, explodem, exigindo uma série de racionalizações e autojustificativas que sustentam a imagem. Elas constituem as defesas do ego, enquanto as tensões musculares representam o que Wilhelm Reich denominou "couraça muscular".

Tendo conseguido transformar o sentir-se mal em sentir-se bem e se entrincheirado atrás dos muros de sua fortaleza, o ego se vê como o senhor de seu domínio, o *self* consciente. Nesse recuo, abandonou o corpo, a criança e o inconsciente. A imagem de domínio desenvolvida pelo ego é um conceito. Encontra-se em todas as pessoas emocionalmente perturbadas. No esquizofrênico paranoide, chega a se transformar em delírios de grandeza. Na personalidade esquizoide, surge como arrogância. Este se expressa como orgulho exagerado no indivíduo narcisista e como presunção no masoquista.

O ego vaidoso, aparentemente seguro em sua fortaleza imaginária, domina a personalidade como um tirano. Dessa maneira, tenta eliminar todas as forças que possam ameaçar seu poder. Porém, o indivíduo sente sua solidão, sua alienação e seu isolamento. Tais emoções forçam-no a se submeter à terapia. A submissão, contudo, é condicional. O ego não deseja expor suas pretensões, abandonar suas defesas e enfrentar a negatividade subjacente. Procura, ao contrário, dominar sua fraqueza com a ajuda do terapeuta. Porém, ele fracassará. Somente com esse fracasso a pessoa abandonará a postura do ego que aparentemente garantia sua sobrevivência.

Quando a personalidade é abordada pelo lado corporal, a criança é diretamente alcançada. Quando o corpo é mobilizado pela respiração, a primeira coisa que ocorre é um tremor involuntário que começa nas pernas e estende-se ao longo do corpo. O tremor, em geral espontâneo, transforma-se em soluços e o paciente começa a chorar. Ele poderá inclusive não saber por que está chorando. Os sons parecem irromper de dentro dele, o que o surpreende. O choro ocorrerá muitas vezes durante a terapia até que se torne infantil em qualidade e o paciente consiga sentir o gemido da criança aprisionada.

Cada tensão muscular crônica representa a inibição de um impulso. A contração existe para evitar que o impulso seja expresso. O impulso inibido encerra um valor negativo que é a razão de ter sido inicialmente suprimido. Associados a cada tensão muscular crônica no corpo estão sentimentos de raiva, medo e tristeza. Os impulsos liberados no curso da terapia corporal são o choro, os gemidos, os gritos, os golpes, os chutes, as mordidas e assim por diante. São canalizados para o divã e não contra outra pessoa. O que sempre emerge é uma criança magoada e brava que precisa expressar seus sentimentos negativos antes de conseguir manifestar seu lado positivo com sinceridade.

A espasticidade muscular crônica é uma limitação inconsciente da mobilidade e da autoexpressão. Na verdade, ela diz: "Não posso". Ao transformar-se na expressão consciente "Não quero", a tensão é liberada. Da mesma maneira, fazer o paciente sentir e expressar sua hostilidade, como "Eu te odeio", permitirá que ele diga "Eu te amo" com sinceridade. À medida que essas emoções chegam à superfície, as lembranças reprimidas da infância voltam à memória. O trabalho corporal, entretanto, deve ser acompanhado por uma análise adequada para cobrir a distância entre passado e presente.

Trabalhando simultaneamente nesses dois níveis, o psicológico e o físico, o paciente consegue identificar, aceitar e integrar a criança perdida na compreensão adulta da vida. Ele aprofundará sua autopercepção e libertará seu potencial criativo.

e) A pessoa em contato com a criança dentro de si é um verdadeiro ser comunitário. Não por acaso, os povos nativos, dotados de um forte senso comunitário, têm características infantis. As crianças têm uma capacidade natural muito maior para as aproximações e identificações que os adultos. O senso de individualidade é uma função do ego que objetiva promover a singularidade e a separação. Quando o ego está dissociado do corpo, o adulto está apartado da criança que foi. Nesse estado, a individualidade se transforma em isolamento, a singularidade, em alienação e a separação, em solidão.

A consciência social é a substituição que o ego estabelece para a característica infantil de pertencer e participar de um grupo ou comunidade. É uma compensação para a alienação e o isolamento do homem moderno, não uma verdadeira substituição para o sentimento de comunidade, tão ausente hoje em dia. Tal sentimento tem uma característica pessoal baseada na participação física em prol de um esforço comum. Pioneiros, soldados e grupos militantes podem manifestá-lo, mas é algo muito diferente da identificação baseada na culpa e na doação de dinheiro.

f) As crianças estão também mais em sintonia com a natureza do que os adultos. Seu espírito aproxima-se dos fenômenos naturais, pois elas ainda se sentem parte do mundo natural. A exploração da natureza para satisfazer os desejos do ego não faz parte do seu estilo de vida. Quando o homem perde seu vínculo vital com a criança dentro dele, também perde a consideração e o respeito que a criança tem pelo meio ambiente.

Todo amante da natureza traz uma criança no coração.
Todo artista criativo é em parte criança.
Toda pessoa alegre é uma criança entusiasmada.
Pois a alegria e a criatividade estão no coração da natureza.

O indivíduo criativo gosta de crianças, pois reconhece a afinidade de seu espírito com o delas. Alegra-se com elas, tantos as suas como as dos outros, porque toda criança é um novo ser cujo entusiasmo acrescenta excitação à nossa vida. Compartilha com as crianças os seus prazeres, pois assim aumenta o próprio prazer. Quer que toda criança conheça a alegria de viver que flui espontaneamente quando há liberdade para a manifestação dos impulsos naturais. Conheceu essa alegria. Não consegue ver uma criança magoada sem sentir sua dor, pois em seu coração também é criança.

AUTORREALIZAÇÃO

Nenhum paciente consegue resolver todos os seus conflitos ou liberar todas as suas tensões na terapia. Há duas razões para isso. A primeira é que os mecanismos psicológicos e físicos da repressão estão profundamente estruturados na personalidade e não podem ser eliminados por completo. Tive mais de uma vez a oportunidade de demonstrar a um paciente que ele não poderia apagar completamente o rabisco do lápis num papel. Sempre sobra algum vestígio. Da mesma maneira, nossas experiências ficam gravadas no corpo. A segunda razão é que as experiências traumáticas do indivíduo fazem parte de seu ser e não podem ser descartadas ou ignoradas. Contudo, podem ser aceitas ou reprimidas. Se forem reprimidas, a pessoa terá problemas. Se forem aceitas e compreendidas, servirão para ampliar sua visão e aprofundar sua sensibilidade. Poderão se transformar no material básico para o processo criativo.

Felizmente, os pacientes não pedem para ser remodelados. Procuram recobrar a sensação de que a vida pode ser agradável. Já tiveram essa sensação antes, quando seus sonhos de felicidade baseavam-se nela. Até mesmo pensar que a vida pode ser agradável pressupõe que se saiba o que isso significa. Não acredito que o ser humano sobreviveria se não tivesse tido alguns momentos de alegria na infância. A lembrança dessas experiências, por mais tênues que sejam, sustenta seu espírito nos problemas posteriores. Todos os pacientes de que tratei, não importando seu grau de desespero ou perturbação, foram capazes de lembrar esses momentos. Querem novamente sentir alegria — não como lembrança, mas como reflexo de sua situação atual. Querem compreender o que fez que perdessem essa sensação e saber como evitar a reincidência dessa perda.

A dificuldade de alcançar essas metas reside no processo de renovação. O paciente deve revivenciar sua vida em pensamento e sentimento, quando não em ação. Ele volta às suas experiências, indo do presente para o passado. Essa progressão regressiva garante seu ponto de apoio na realidade. Ele precisa saber quem é agora para descobrir como ficou daquela maneira. O presente só pode ser compreendido em contraposição com o passado. O próprio passado só tem significado porque determinou o presente. Saliento esse aspecto porque a tendência dos pacientes, e da maioria das pessoas, é ignorar o passado ou continuar vivendo nele. Essas duas atividades diminuem o presente e, portanto, o *self*. É preciso aceitar o que aconteceu no passado e não confundi-lo com o presente.

Na progressão regressiva do adulto, ao jovem, à criança e ao recém-nascido, encontraremos a inversão que substitui a imagem do ego pelo verdadeiro *self*. A sequência que transformou a sensação de inocência da criança em sentimento de culpa começou com sua oposição aos pais. Na oposição, inicialmente a criança sente estar certa. Entretanto, essa sensação dá lugar a outra de estar errada quando não consegue modificar a atitude dos pais. A sensação de estar errada é intolerável; ao se submeter à autoridade dos pais, a criança obtém virtude, mas perde sua integridade. Essa inversão (de se sentir certa para se sentir errada, de se sentir inocente para se sentir culpada) não é uma decisão consciente. Ocorreu aos poucos, à medida que sentimentos negativos e hostis foram reprimidos e depois substituídos por pensamentos e atitudes mais aceitáveis pelos pais. Não será lembrada como um único acontecimento, devendo ser reconstituída com base na lembrança de experiências passadas. Essas lembranças encontram-se ligadas a sentimentos reprimidos e não podem ser evocadas até que estes sejam reativados.

A reativação de sentimentos reprimidos é a parte difícil da terapia. De um lado, o processo encontra dificuldades nas defesas do ego; de outro, no medo desses sentimentos. O ego conseguiu estabelecer um relativo grau de segurança na personalidade reprimindo sentimentos, e não está preparado para arriscar essa segurança relembrando antigos conflitos. O ego apoia-se nessa posição pelo medo que o paciente tem de sentimentos intensos. O paciente teme que sua raiva saia do controle e se transforme em ódio assassino ou fúria. Teme que sua tristeza o domine, mergulhando-o no desespero. Teme que seu medo se transforme em pânico ou terror e o imobilize. Quando esses sentimentos são reativados, revestem-se de uma realidade imediata, fazendo que o medo pareça real.

A dificuldade aumenta pela sensação de desamparo, também levantada neste processo, uma vez que o desamparo fazia parte da situação original responsável pela supressão do sentimento. A criança foi obrigada a abandonar sua oposição contra os pais ou a arriscar-se a ser abandonada por eles. Os pais suprimiram o amor ou ameaçaram suprimi-lo como meio de controlar o filho. O sentimento de desamparo traz de novo a questão da sobrevivência, tema que continua não resolvido no inconsciente do paciente. Como a autonegação garantiu sua sobrevivência, a autoafirmação parece uma ameaça. Porém, certo grau de autoafirmação é necessário para sobreviver no mundo.

Liberar os sentimentos reprimidos e entrar em contato com a criança no paciente exigem um trabalho constante em ambos os níveis: psicológico e físico. As defesas do ego, inibidoras da aceitação das reações emocionais naturais da criança em relação ao prazer e à dor, devem ser analisadas. As tensões musculares crônicas, que bloqueiam a expressão emocional, devem ser liberadas. Essa meta não será atingida por meio da abordagem dirigida a apenas um dos níveis. A psicoterapia, seja analítica ou de qualquer outro tipo, que não estimula a expressão de sentimentos reprimidos aumenta o controle à custa da espontaneidade e fortalece o ego à custa do corpo. Se o trabalho terapêutico estiver limitado à expressão dos sentimentos, a impulsividade é encorajada à custa da integração.

A criatividade na terapia, como na vida, resulta da fusão de forças antagônicas. A capacidade de expressar um sentimento e de controlar sua expressão são os dois lados da mesma moeda, isto é, do indivíduo maduro. No início da terapia esse controle é exercido pelo terapeuta. O paciente é incentivado a "deixar acontecer" com a certeza de que o terapeuta é capaz de lidar com a situação. A raiva é dirigida contra o divã e nunca se torna destrutiva. O paciente poderá se entregar à tristeza, sabendo que não está só e que tem alguém que o escuta com empatia. Poderá expressar o medo gritando, consciente de que terá apoio se dele necessitar. Poderá se permitir ficar desamparado porque acredita na força do terapeuta. Aos poucos, o controle passa para o paciente à medida que este aprende que aceitando e confiando em seus sentimentos eles perderão o caráter de forças contrárias que ameaçam seu ego. Ele compreende que seus sentimentos negativos e hostis são uma reação à dor e que seus sentimentos afetivos são respostas ao prazer.

Os passos de uma posição defensiva do controle do ego em direção à posição exposta da atitude criativa são dados pelo paciente à medida que ele caminha para a realidade. O primeiro passo em direção à realidade dado pelo paciente é sua identificação com o corpo. Com a terapia, ele passa a se ver do ponto de vista do corpo, não da imagem do ego conflitante com o corpo. Torna-se consciente de suas tensões musculares e percebe seus efeitos nas atitudes e no comportamento. Aprende a reduzir essas tensões com movimentos físicos adequados. A identificação com o corpo é também o primeiro passo em direção à autorrealização.

O segundo passo em direção à realidade é o reconhecimento do princípio do prazer como a base das nossas atitudes conscientes. As motivações para todas as nossas ações são a busca do prazer e a recusa da dor. Podemos seguir diferentes caminhos ao procurarmos essa meta, mas seremos sempre movidos pelo mesmo desejo. Quem não reconhece que suas ações são motivadas pelo desejo de ter prazer ou se encontra inibido pelo medo do prazer (culpa) está fora de contato com a realidade de sua natureza animal.

O terceiro passo é a aceitação dos próprios sentimentos. Eles são as reações espontâneas do organismo ao ambiente. Não se pode alterar os sentimentos, pois eles não estão sujeitos à vontade consciente. O indivíduo poderá expressar ou não um sentimento, dependendo da situação. Se ele se voltar contra seus sentimentos, voltar-se-á contra si mesmo. Se rejeitamos nossos sentimentos, rejeitamos a nós mesmos.

O quarto passo é a compreensão da interdependência de todas as funções da personalidade. O indivíduo fundamentado na realidade tem uma atitude subjetiva. Sabe que seu pensamento relaciona-se com seus sentimentos e é determinado pelas reações corporais. Conseguirá ser objetivo porque conhece sua subjetividade. Até mesmo nos momentos mais abstratos, seu pensamento não estará dissociado de sua ligação com a condição humana. Não dirá: "Penso, logo existo". Se tiver de dizer algo, será: "Penso porque existo". O quinto passo é a humildade, ou seja, a compreensão do relativo desamparo em que nos encontramos no universo. É o contrário do conceito de ego. Encontramo-nos desamparados em todos os aspectos importantes da vida. Não poderíamos comprar amor verdadeiro nem que tivéssemos todo o dinheiro do mundo. Não conseguimos produzir prazer, apesar de todo o poder de nossa avançada tecnologia. A vida humana flui espontaneamente do ventre da mulher, sempre terminando nas entranhas da terra. Não a criamos nem podemos preservá-la eternamente. Nossa preocupação consciente deve ser vivê-la de modo pleno.

A humildade é a característica daquele que se aceita. Ele não é submisso nem arrogante. Também não é egotista nem modesto. Embora compreenda ser um indivíduo, sabe também que faz parte de uma ordem maior. Embora reconheça que sua existência e suas funções estão sujeitas a forças alheias à sua personalidade, sente que essas forças, naturais e sociais, também estão dentro de si mesmo, integrando o seu ser. É, assim, sujeito e objeto, ator e "objeto da ação" na escola da vida.

A condição humana é um estado de aparentes contradições, resolvidas espontaneamente no processo criativo da vida. Todo ser humano é ao mesmo tempo um animal e um depositário da cultura. Quando essas duas forças opostas se fundem criativamente na personalidade, ele se transforma num animal cultural. Sua cultura é uma superestrutura calcada em sua natureza animal e designada a promover e glorificar essa natureza. Essa fusão não ocorre quando o processo cultural, ou processo civilizatório, tenta controlar e modificar a natureza animal das pessoas. Se o processo tiver sucesso, elas se transformam em animais domesticados cujo potencial criativo foi subvertido para fins produtivos. Se falhar, as deixará com uma natureza animal atormentada e enfurecida, que romperá a fachada da sofisticação cultural com comportamentos rebeldes e destrutivos.

Na verdade, as tentativas de modificar a natureza animal do indivíduo só em parte são bem-sucedidas. O processo de domesticação só consegue ir até certo limite. Por trás da atitude submissa encontraremos uma camada de provocação e rebeldia associada a sentimentos hostis negativos e reprimidos. E por trás da rebelião explícita e da destrutividade de muitos jovens de hoje existe uma camada de submissão associada a sentimentos reprimidos de medo e desespero. Nos adultos, a atitude submissa é a defesa contra sentimentos internos de rebeldia e hostilidade, enquanto a rebelião explícita é uma reação à submissão interna. Nenhuma das duas constitui atitude criativa, e em nenhum dos dois casos há autoaceitação.

Para ter sucesso, a terapia deve passar por essas camadas e alcançar o âmago do indivíduo. Para abrir o coração do indivíduo à alegria, é preciso antes recuperar sua inocência, restaurar sua fé em si mesmo e na vida. Deve-se, em outras palavras, fazê-lo voltar àquele estado em que essas qualidades caracterizavam sua existência. Esse estado é a infância.

Aquele que aceitar a criança dentro de si terá capacidade de aproveitar a vida. Terá curiosidade, o que o abrirá a novas experiências. Terá a excitabilidade para reagir com entusiasmo. Terá a espontaneidade necessária para se autoexpressar. As crianças estão próximas da alegria porque ainda mantêm parte da inocência e da fé de que foram dotadas. É por isso que Jesus disse: "Delas é o reino dos céus".

A pessoa criativa não é infantil. Os adultos que tentam agir assim procurando diversão são irrealistas e autodestrutivos. Seu comportamento é infantil, sua motivação é escapista e sua atitude, sofisticada. O adulto maduro está próximo da sabedoria, pois já viveu e sofreu. A despeito desse sofrimento e de seu conhecimento da vida, está em contato com a criança que foi e, até certo ponto, ainda é. Nossos sentimentos em relação à vida, ao amor e ao prazer não mudam à medida que crescemos. Embora nossa forma de expressar esses sentimentos possa mudar, permanecemos crianças no coração. Na pessoa criativa não há separação ou barreira entre a criança e o adulto, entre o coração e a mente, entre o ego e o corpo.

Em certo aspecto, toda terapia bem-sucedida termina em fracasso. O indivíduo não atinge sua imagem de perfeição. O paciente compreende que sempre terá algumas deficiências. Sabe que seu crescimento não está completo e que o processo criativo iniciado na terapia é doravante de sua responsabilidade. Não sai da terapia pisando nas nuvens. Os que assim fizerem terão problemas. Ao contrário, sente que seus pés estão no chão, que conseguiu analisar a realidade e desenvolveu atitudes criativas em relação a problemas que terá de enfrentar. Sentiu alegria, mas também tristeza. Retira-se com a sensação de autorrealização, que inclui o respeito pela sabedoria de seu corpo. Recuperou seu potencial criativo.

Notas

1 GOETHE, Johann Wolfgang von. *Fausto*. Trad. Antônio Feliciano de Castilho. Rio de Janeiro: Edições de Ouro, 1969, p. 58.
2 *Ibidem*, p. 7.
3 CANNETTI, Elias. *Crowds and power*. Nova York: The Viking Press, 1963, p. 468.
4 Lewis Mumford observa: "O divertimento compulsivo é a única alternativa aceitável ao trabalho compulsivo". LOBSENZ, Norman M. *Is anybody happy?* Nova York: Garden City Doubleday & Company, 1960, p. 75.
5 *Ibidem*, p. 19.
6 *Ibidem*, p. 15.
7 *Prazer – Uma abordagem criativa da vida* foi publicado pela primeira vez, nos Estados Unidos, em 1970, portanto antes do fim da guerra do Vietnã. [N. E.]
8 LOWEN, A. *O corpo em terapia*. 12. ed. São Paulo: Summus, 1977.
9 REICH, Wilhelm. *A função do orgasmo*. São Paulo: Brasiliense, 1984, p. 245-46.
10 É preciso levar em conta o contexto sociocultural em que o autor escreveu esta obra. Na década de 1960, a contracultura abalou as estruturas dos Estados Unidos (e depois pelo mundo) e gerou, no mínimo, estranhamento. [N. E.]
11 LOWEN, Alexander. *O corpo traído*. 8. ed. São Paulo: Summus, 2019.
12 PORTMANN, Adolph. *New paths in biology*. Nova York: Harper & Row, 1964, p. 152.
13 *Ibidem*, p. 151.
14 *Ibidem*, p. 155.
15 *Ibidem*, p. 35.
16 Em inglês, *headshrinkers*, expressão da qual deriva *shrink*, que comumente designa o psicólogo, o psiquiatra e o psicanalista. [N. E.]
17 NEUMANN, Erich. *História da origem da consciência*. São Paulo: Cultrix, 1995.
18 DURANT, Will. *Pleasures of philosophy*. Nova York: Simon & Schuster, 1966, p. 30.
19 RADO, Sandor. "Hedonic self-regulation". In: HEATH, Robert G. (ed.). *The role of pleasure in behavior*. Nova York: Harper & Row, 1964, p. 261.
20 REINBERG, Alain; GHATA, Jean. *Biological rhythms*. Nova York: Walker & Company, 1964, p. 7.
21 REICH, Wilhelm. *A biopatia do câncer*. São Paulo: Martins Fontes, 2009.
22 CLOUDSLEY-THOMPSON, J. L. *Rhythmic activity in animal physiology and behavior*. Nova York; Londres: The Academic Press, 1961, p. 27.
23 RIBBLE, Margaretha A. *Os direitos da criança: as necessidades psicológicas iniciais e sua satisfação*. Rio de Janeiro: Imago, 1970.
24 KOESTLER, Arthur. *The act of creation*. Nova York: Macmillan, 1964, p. 96.
25 LOWEN, Alexander. *Amor e orgasmo*. 4. ed. São Paulo: Summus, 1988.

leia também

BIOENERGÉTICA
Edição revista

Neste livro, que se tornou um clássico da psicoterapia, Alexander Lowen explica as bases da terapia bioenergética e mostra como ela pode ajudar os pacientes a resolver problemas de personalidade e, também, físicos e emocionais. Nessa abordagem, usa-se o corpo para compreender a mente. Ricamente ilustrada, a obra é um marco na área e inspirará tanto psicoterapeutas quanto aqueles que desejam se sentir mais conectados consigo mesmos e com o mundo.

REF. 11086   ISBN 978-85-323-1086-6

A ESPIRITUALIDADE DO CORPO
Bioenergética para a beleza e a harmonia
Edição revista

Neste livro, Alexander Lowen nos oferece uma visão única acerca da espiritualidade. Encarando o corpo como uma manifestação externa do espírito, o autor define graça como o espírito divino agindo por meio do organismo. Partindo de sua vasta experiência clínica, Lowen apresenta casos de pacientes com sérias dificuldades emocionais que resultaram em dores e em problemas de cunho afetivo, os quais foram resolvidos pela bioenergética. Mostra, assim, que quando atingimos o estado de graça conseguimos nos conectar com todas as criaturas vivas e reconhecer nossa ligação com o mundo.

REF. 11080   ISBN 978-85-323-1080-4

NARCISISMO
A negação do verdadeiro *self*
Edição revista

Ao contrário do que diz o senso comum, os narcisistas não amam a si mesmos nem a mais ninguém. Sedutores e manipuladores, estão sempre em busca de poder e controle, deixando de lado os verdadeiros valores do *self* – autoexpressão, autodomínio, dignidade e integridade. Nesta obra revolucionária, Alexander Lowen usa sua ampla experiência clínica para mostrar que os narcisistas podem recuperar os sentimentos suprimidos e reaver sua humanidade. Por meio da terapia bioenergética, tanto os narcisistas quanto aqueles que convivem com eles encontrarão o caminho para uma existência plena e verdadeira.

REF. 11082   ISBN 978-85-323-1082-8

O CORPO TRAÍDO
Edição revista

Nesta obra pioneira, Alexander Lowen explica como os indivíduos negam a realidade, as necessidades e os sentimentos do corpo, o que acaba por desenvolver a cisão entre mente e corpo, gerando um ego sobrecarregado e obcecado com o pensar – sempre em detrimento do sentir e do existir. Aqui, Lowen elucida os fatores energéticos que produzem e mantêm tal cisão e apresenta técnicas terapêuticas comprovadamente eficazes para resolver o problema. Por meio de profundas reflexões e da análise de casos reais, o autor também traça um paralelo entre a dualidade corpo-mente nos indivíduos e nossa separação da natureza.

REF. 11117   ISBN 978-85-323-1117-7

www.gruposummus.com.br

IMPRESSO NA
sumago gráfica editorial ltda
rua itauna, 789   vila maria
02111-031   são paulo   sp
tel e fax 11 **2955 5636**
sumago@sumago.com.br